北京古籍叢書

[清]于敏中　主編
瞿宣穎　左笑鴻　于杰　點校

日下舊聞考

第三册

北京出版社

圖書在版編目（CIP）數據

日下舊聞考．第三册 /（清）于敏中主編；瞿宣穎，左笑鴻，于杰點校．— 北京：北京出版社，2018.2

（北京古籍叢書）

ISBN 978-7-200-13586-2

Ⅰ．①日… Ⅱ．①于… ②瞿… ③左… ④于… Ⅲ．①北京—地方史—史料 Ⅳ．① K291

中國版本圖書館 CIP 數據核字（2017）第 282826 號

項目策劃：安　東　　項目統籌：許　可

責任編輯：喬天一　張　帥　　責任印製：宋　超

裝幀設計：郭　宇

北京古籍叢書

日下舊聞考

第三册

［清］于敏中　主編

瞿宣穎　左笑鴻　于杰　點校

出　版　北京出版集團公司
　　　　北京出版社

地　址　北京北三環中路六號

郵　編　一〇〇一二〇

網　址　www.bph.com.cn

總發行　北京出版集團公司

經　銷　新華書店

印　刷　北京虎彩文化傳播有限公司

開　本　八八〇毫米×一二三〇毫米　三十二

印　張　十一點三七五

字　數　二〇六千字

版　次　二〇一八年二月第一版

印　次　二〇二三年五月第二次印刷

書號　ISBN 978-7-200-13586-2

定價　78.00 圓

如有印裝質量問題，由本社負責調換

質量監督電話　010-58572393

欽定日下舊聞考卷四十一

皇城

原 北安門内黄瓦西門之裏，則内官監也。過北中門迤西，則白石橋萬法等殿。至大高元殿則習學道經内官之所居也，其北則裏冰窨也。蕪史

原 内官監成造定粉等粉，御用彩漆膳卓、膳合、托合之類，供應宫殿牀、卓、器皿、生鐵、錫竈、砂銚、確盤等件。水部備考 以上二條原在宫室門，今移改。

增 内官監掌印太監一員，總理管理僉書典簿掌司寫字監工無定員，掌木、石、瓦、土、搭材、東行、西行、油漆、婚禮、火藥十作，及米鹽庫、營造庫、皇壇庫，凡國家營造宫室陵墓并銅錫妝奩器用暨冰窨諸事。明史職官志

〔臣等謹按〕内官監今廢，其地猶名内官監衚衕。内有大佛堂。其碑記備列黄瓦門營造庫、米鹽庫、油漆作、外鐵作、婚禮作、東行、西行、西瓦廠、石廠、黑窑廠、神木廠、鑄鐘廠、供應廠、備用廠、金殿廠、稻田廠、蜂窩廠、東花房、馬鞍房、琉璃局、外冰窨等名目，與水部備考及明史所載多合。又有花炮局，見於火神廟三聖神祠碑記，卽明史所稱火藥十作舊地也。出北口迤西爲教軍場，出南口則蕪史所云白石橋也。

【原】嘉靖四十四年十二月，定新建萬法寶殿名，中曰壽憩，左曰福舍，右曰禄舍。（明世宗實録）

【原】萬法寶殿，萬曆二十九年添蓋佛殿，三十年額曰祖師殿。（明宫殿額名）

【原】嘉靖二十六年十一月，圓明閣陽雷軒工成。（明世宗實録）

【原】天啓甲子歲，吳地大水，上命道經廠内官教宫女數十人演習禳醮，氅服雲璈，與羽流無異。仍選軀體豐碩者一人，飾爲天神，仗劍登壇行法。不能勝介冑之重，結錦繡爲之。（天啓宫詞注 以上四條原在宫室門，今移改。）

〔臣等謹按〕春明夢餘録，萬法寶殿燬，萬曆二十九年，添蓋佛殿連房，三十年，佛殿添額名祖師殿。今白石橋西魏家衚衕有萬法殿，地基頗狹，似非其舊矣。

【原】北上西門之西，大高玄殿也。其前門曰始青道境。左右坊各二，曰先天明境，曰太極仙林，曰孔綏皇祚，曰弘祐天民。又閣二，左曰炅（音陽。）真閣，右曰枂（音陰。）靈軒。殿之東北曰象一宫，中供象一帝君，範金爲像尺許，乃世廟玄修之玉容也。（蕪史 原在宫室門，今移改。）

〔臣等謹按〕大高玄殿在神武門西北，明嘉靖中建，本朝雍正八年修，乾隆十一年復修。第一重門外南面牌坊外曰乾元資始，内曰大德曰生。第二重門額曰大高玄門，正殿額曰大高玄殿，又額曰元宰無爲。聯曰：烟藹碧城，金鼎香濃通御氣；霞明紫極，璇樞瑞啓燦仙都。後殿額曰九天萬法雷壇。再後層高閣，上圓下方，上額曰乾元閣，下額曰坤貞宇。皆皇上御書。上每親詣瞻禮。又按第一重門外左右二坊與蕪史所載合。惟先天明鏡，鏡字坊上作境，今改正。至蕪史所稱始青道境額及炅真等閣今俱無考。

增 嘉靖二十一年夏四月庚申，上於西苑建大高玄殿，奉事上元，至是工完，將舉安神大典。諭禮部曰：朕恭建大高玄殿，本朕祗天禮神爲民求福一念之誠也。今當厥工初成，仰戴洪造，下鑒連沐元恩，矧值民艱財乏災變並見之日，匪資洪眷，罔盡消弭，所宜敬以承之，豈可輕忽！爾百司有位，務正心修己，贊治保民，自今十日始，停刑止屠，百官吉服辦事，大臣各齋戒，至二十日止。仍命官行香於宮觀廟，其敬之哉！因遣英國公張溶等分詣朝天等宮及各祠廟行禮。明世宗實録

原 西苑齋宮，獨大高玄殿以有三清像設，至今崇奉尊嚴，內官宮婢習道教者俱於其中演唱科儀，且往歲世宗修元御容在焉，故得不廢。野獲編

原 萬曆中，皇三子生，鄭貴妃卽乞憐於上，欲立爲太子。北上西門之西有大高玄殿，以祠真武，貴妃要上詣殿行香設密誓，御書誓詞，緘玉合中，存貴妃所。後廷臣敎請建儲，慈聖又堅主立長，上始割愛，立皇長子。既立，遣人往貴妃處索玉合至，封識宛然，內所書已蝕盡，止存四腔素紙而已，上悚然異之，嗣是不復請大高玄殿。先撥志始

原 夏言雪夜召詣高玄殿詩　迎和門外據雕鞍，玉蝀橋頭度石欄。琪樹瓊林春色静，瑤臺銀闕夜光寒。鑪香縹緲高玄殿，宮燭熒煌太乙壇。白首豈期天上景，朱衣仍得雪中看。桂洲集

原 楊四知高玄殿詩　高玄宮殿五雲横，先帝祈靈禮太清。鳳輦不來鐘鼓静，月明童子自吹笙。長安客話

原 始陽齋在無上閣左，象一宮在無上閣右。桂洲集

原 夏言始陽齋贊　大哉乾元，萬物資始。浩浩其天，純亦不已。無極太極，動而生陽。乘龍御天，變化無方。於皇聖人，與天合一。有齋道存，神明之室。又象一宮贊　惟天高明，得一以清。惟地安貞，得一以寧。惟皇作極，法象天地。守一抱元，長生久視。大陽正中，帝德猶龍。一氣迴旋，造化之功。同上

原 象一宮門左右石碑各一，刻宮眷人等至此下車馬。天啓宮詞注

原 門前二亭，鉤簷鬭桷，極盡人巧，中官呼爲九梁十八柱。金鼇退食筆記 以上八條原在宮室門，今移改。

〔臣等謹按〕始陽齋、無上閣、象一宮，俱無考。門前二亭所謂九梁十八柱者，今煥然也。

原 紫禁城有護城河，河外卽御溝也。河自北閘口分流，經内官監、白石橋、大高玄殿之東，北上西門之外，至紫禁城下而東而南，經太廟之東，玉芝宮飛虹橋之西，而其在西一派則自太社太稷壇西，至靈臺寶鈔司之東，合流於湧福之河以出。慤書 原在宮室門，今移改。

增 萬歲門在南曰北上門，左曰北上東門，右曰北上西門。再南過北上門，則玄武門，北上西門之西曰乾明門，曰西上北門。天府廣記

原 大高玄殿稍西曰石作，有閣。又西曰乾明門。迤南曰兵仗局，每年七夕兼供宮中乞巧針，亦稱爲小御用監。曰西直房，卽袍房也。曰舊監庫，屬内官監。曰尚膳外監。曰甜食房，造絲窩虎眼糖松餅。曰西上北門。其東則西下馬門矣。蕪史 原在宮室門，今移改。

〔臣等謹按〕石作閣今廢，其地猶存大小石作之名。

補 内臣張維好文能爲詩，嘗在上左右。上愛任之，呼爲秀才，命掌兵仗局。駕常幸局，觀所造兵器，時玩弄之。維奏言：兵凶器，非至尊所宜操。上笑而止。因令内豎勝兵者肄習之。或言先朝有内教場，以歲時演習武備，蓋指武宗時事也。上欣然舉行，選内豎得二千餘人，分班操練。每以五鼓從東安門入，及晨而散，略如三營操練法，礮聲相聞。閣臣以爲言，上令文書官傳諭，不久當罷。臺省亦有言者，而董主事基言極剴切。上怒，謫外任。廷議洶洶，閣臣甚以爲憂，乃因文書房傳語司禮諸大璫云：此事關係禁廷，諸人皆擐甲荷戈，未明而入内，設姦人竄入其中，爲害叵測。如有緩急，外庭不得聞，宿衛不得入，吾輩大臣束手無計，此皆公等剥膚之患也。諸大璫皆竦然變色，乃

乘間以閣臣言立奏，上遂止。賜閒堂雜記　原在宮室門，今移改。

增 兵仗局掌印太監一員，提督軍器庫太監一員，管理僉書掌司寫字監工無定員，掌製造軍器，火藥司屬之。明史職官志

（臣等謹按）西華門外街西，有明季兵仗局，佛堂内有米漢雯重修碑記，則兵仗局即在此地。本朝康熙三十九年，勅改爲萬壽興隆寺。前殿外額曰顯靈塵世，殿中額曰摩利支天，中殿額曰興隆寺。又有墨刻心經寶塔一軸，皆聖祖御書。

增 福佑寺在西華門北街東。大清一統志

（臣等謹按）福佑寺雍正元年建，正殿恭奉聖祖仁皇帝大成功德佛牌，東案陳設御製文集，西設寶座。殿額曰慈容儼在。前殿額曰慧燈朗照。大門外有東西二坊，東曰佛光普照，曰聖德永垂，西曰澤流九有，曰慈育羣生。皆世宗御書。

增 昭顯廟在興隆寺南。大清一統志

（臣等謹按）昭顯廟，雍正十年勅建以祀雷神，有世宗憲皇帝御書導和宣豫額。

增 静默寺在西華門外。大清一統志

（臣等謹按）寺碑云，寺爲明季關帝廟舊址。本朝康熙五十二年重建。寺門有勅建静默寺額，正殿額曰静默寺，後殿額曰璿樞轉福。皆聖祖御書。

原 自西上北門過西上南門，則御用監也。又南曰靈臺，曰寶鈔司，其署在臨河後，倚河

有泡稻草池，池中石灰瀘渣積成卧象形，因名曰象山。作房七十二間，各具一竈突，名曰七十二凶神。自西中門之西，則尚寶監也，鷹坊司也，再西，出西苑門。蕪史

原御用監成造五色雕填剔漆龍牀、頂架、袍匣、服廚、寶箱及壇廟供器、上用兜羅絨袍、應用魚牙柘茨，安置各宮牀櫃、膳卓、天燈、萬壽燈、日月仙燈。水部備考 以上二條原在宮室門，今移改。

增御用監掌印太監一員，裏外監把總二員，典簿掌司寫字監工無定員，凡御前所用圍屏、牀榻諸木器及紫檀、象牙、烏木、螺甸諸玩器，皆造辦之。又有仁智殿監工一員，掌武英殿中書承旨所寫書籍畫册等，奏進御前。明史職官志

〔臣等謹按〕御用監廢，其舊址今爲玉鉢庵，即明真武廟也。在西華門外西南。庵内有翰林院侍讀曹曰瑛重修真武廟碑記。又西南有關帝廟，爲御用監南庫舊址，亦有碑。

增曹曰瑛重修真武廟記略云：紫禁城西華門外西南里許，乃前明御用監舊址也。房舍盡爲軍民所居，惟真武廟存焉。殿前有古玉鉢一口，大可容二十石，山龍海馬，雲容水態，備極雕鏤之巧。且露處庭中，久歷年所，沐日月之精華，經風雨之嘘潤，斑斕光彩，奪人心目。以故文人墨士時共訪觀。憶予於儤直之暇，亦曾摩挲數匝，徘徊久之，深歎有器如此而竟散置於禁近之地也。辛丑春，僧性福過訪，云住此二十六年，一瓦一木，咸出行乞。至康熙五十年庀材鳩工，重建真武殿三楹。復建前殿三楹，供大士像，移玉鉢於座下，疊石爲小山貯水於玉鉢，以示普陀南海之意。左右增修禪堂各三楹。雖殿宇無多，而鐘鼓不缺。更喜落成之日，適值今上御極六十年，甲曆初周，香燈佛火，朝夕諷禮，仰祝我朝寶曆萬年之
盛，敢乞一言記之。是爲記。

〔臣等謹按〕元史世祖紀，至元二年十二月，瀆山大玉海成，勑置廣寒殿。輟耕録謂之玉甕。後在西華門外真武廟中，俗稱爲玉鉢，因以名庵。本朝乾隆十年，勑以千金易之，移置承光殿。御製玉甕歌並命内廷翰林等分賦鐫勒楹柱。十六年重修是廟，別製石鉢，以存舊名。御製詩及玉甕相傳始末詳見宮室門。

增 明嘉靖癸丑修造南庫碑記略云：御用監初立爲行在作房，次改御用司，宣德朝更爲監，置設公廳。各庫作東則外庫、大庫，西則花房庫作、南庫冰窨，左右四作，曰木漆、碾玉，曰燈作，曰佛作。

增 西苑門迤南向東曰灰池。春明夢餘録

〔臣等謹按〕御用監諸庫作今廢，惟冰窨尚存。又東南掌儀司署有觀星臺，卽蕪史所稱靈臺也。又織女橋南真武廟中有明萬曆八年重修寶鈔司内真武廟碑記，則真武廟卽寶鈔司故址也。灰池、象山、作房竈突久廢，今其地猶有七十二烟洞之名。按高士奇金鼇退食筆記，南花園在西苑門迤南，東向，明時曰灰池。種植瓜蔬於炕洞内，烘養新菜，以備春盤薦生之用。立春日進鮮蘿蔔，名曰咬春。本朝改爲南花園，雜植花樹，凡江寧蘇松杭州織造所進盆景，皆付澆灌培植。又於暖室烘出芍藥、牡丹諸花。每歲元夕宴時安放。是今之南花園卽灰池舊址。尚寶監、鷹坊司無考。

原 左臨海亭右臨海亭在西苑門外，嘉靖二十三年五月建。明宮殿額名 原在宮室門，今移改。

〔臣等謹按〕左右臨海亭久廢。

原 乾明門在大高玄殿之西，承光殿之東。金鼇退食筆記 原在宮室門，今移改。

〔臣等謹按〕承光殿之東街北今爲桑園門，街南今爲蕉園門，俱詳宮室門。

原 太液池中駕長橋，兩端立二坊，西曰金鼇，東曰玉蝀。天氣清明，日光滉漾，清徹可

愛。戴司成集

〔臣等謹按〕玉蝀橋亘太液池中，橋有九門，中門南額曰銀潢作界。聯曰：玉宇瓊樓天上下；力壺員嶠水中央。北額曰紫海迴瀾。聯曰：繡縠紋開環月珥；錦瀾漪皺煥霞標。皆皇上御書。

〔又按〕御製過玉蝀橋詩已恭載宮室門，茲不複綴。

原 王世貞正德宮詞　金鼇橋畔柳絲長，舴艋艙頭有柘黃。六院小兒初病酒，御前親自過魚湯。弇州山人稿

原 董穀玉蝀橋詩　正愛湖光澄素練，却看人影度長虹。宮牆睥睨斜臨碧，水殿罘罳遠映紅。宛轉銀河横象緯，依稀太液動秋風。西華門外塵如海，一入天街迥不同。豢龍子集

原 區大相玉蝀橋詩　雕欄宛轉度芳溪，映日春旗拂綵霓。碧浪晴開天苑右，青山近出帝城西。潭魚在沼驚人躍，谷鳥啣花近水啼。惟有岸楊汀草緑，長承玉輦幸金堤。海目集　以上三條原在宮室門，今移改。

原 由金海橋玉熙宮迤西曰櫺星門，迤北曰羊房夾道，牲口房、虎城在焉，内安樂堂在焉。成化間，萬貴妃專寵，孝穆紀皇后有娠，託疾居此，誕生孝宗。蕪史

原 金海橋之北曰玉熙宮，曰承華殿，曰元熙殿，曰寶月亭，曰清馥殿，曰騰禧殿。同上

原 玉熙宮二坊，曰熙祥、熙瑞，後殿曰清仙宮，東壽祺齋，西禄祺齋。又有鳳和居，鸞鳴居，仙輝館，仙朗館。明宮殿額名

原 神廟設玉熙宮，選近侍三百餘員學宮戲，駕陞座則承應之，劉榮卽其一也。蕪史

補 玉熙宮在西安門裏街北，金鼇玉蝀橋之西。明神宗時選近侍三百餘名於此學習宮戲，

歲時陞座則承應之。各有院本，如盛世新聲、雍熙學府、詞林摘艷等詞，又有玉蛾兒詞名御製四景玉蛾郎。愍帝每宴玉熙宮，作過錦水嬉之戲。一日宴次報至，汴梁失守，親藩被害，遂大慟而罷。自是不復幸玉熙宮矣。（金鼇退食筆記）

〔臣等謹按〕金海橋卽玉蝀橋。玉熙宮久廢。按金鼇退食筆記，玉熙宮在金鼇玉蝀之西，本朝改爲廐，豢養御馬。今陽澤門内小馬圈卽其地也。承華殿、元熙殿、寶月亭，俱詳宮室門。

【原】櫺星門迤西曰西酒房，曰西花房，曰大藏經廠，卽司禮監之經廠也。（燕史）

【原】羊房夾道舊有貞慶殿，萬曆三十一年八月毁。（明宮殿額名）

【原】正德八年五月，詔建延壽僧寺堂釋殿於西内經廠。（大政記）

【原】司禮監大藏經廠，按碑記，皇城内西隅有大藏經廠，隸司禮監，寫印上用書籍及造制勑龍箋處。内有廨宇、庫藏、作房及管庫監工等處官員所居。藏庫則堆貯歷代經史文籍、三教番漢經典及國朝列聖御製御書詩賦文翰印板石刻於内。作房乃匠作印刷成造之所。其印板用久糢糊，則入池刷洗復用。建自正統甲子，歷至嘉靖戊午，世宗皇帝造玄都宮殿，將本廠大門拆占，廨宇等項雖存，而官匠出入狹隘不便。隆慶改元，玄都拆毁，其後内監展拓舊基，重加修飾，始於萬曆三年二月，落成於五月。（燕都遊覽志　以上四條原在宮室門，）

今移改。

增 大藏經廠在玉熙宫遺址之西，即司禮監經廠也。貯經書典籍及釋藏諸經。金鼇退食筆記

〔臣等謹按〕陽澤門迤西，出三座門轉北，則羊房夾道也。延壽庵在羊房夾道路西，庵基頗狹，棟宇無多。院牆南面有康熙中重修碑記。庵内有嘉靖六年鐘一，上鑄延壽庵及内府安樂堂佛堂永遠供奉等字。是安樂堂在西内經廠，延壽庵則其佛堂也。稍西爲經板庫，則燕都遊覽志所云藏庫以貯經史文籍、番漢經典及御製詩文印板者也。有三佛庵碑記可考。又考春明夢餘録，貞慶殿，萬曆三十一年已拆去爲大山子工所用。西酒房、西花房，考金鼇退食筆記云久廢。今羊房夾道迤西酒醋局巷内有真武殿，至今稱爲酒房，蓋即西酒房舊址也。

原 清馥殿前有丹馨門，錦芳、翠芬二亭，嘉靖十一年三月建。明宫殿額名

原 嚴嵩賜游清馥殿詩　十里宜春苑，金堤覆緑楊。水涵瑶殿碧，花簇錦亭芳。馳道通長樂，離宫接建章。微臣一何幸，留賞沐恩光。鈐山堂集　以上二條原在宫室門，今移改。

增 弘仁寺在太液池西南岸。城冊

〔臣等謹按〕弘仁寺地最爽朗，即明清馥殿舊基。康熙五年改建爲寺，迎栴檀佛像居之。恭勒聖祖御製碑記。又六十年聖祖御製栴檀佛西來歷代傳祀記。乾隆二十五年皇上發帑重修，恭勒御製重修碑文。正殿額曰祇林妙相，後樓額曰雲蔭樓。皆皇上

御書。

增弘仁寺前樹二坊，東曰廣恩敷化，西曰普度能仁。入寺數武，白石甃方池，上跨三梁，緑荷出水，朱魚吹藻。其西作龍首，自牆外汲太液水貫注之。池北天王殿，殿東西分峙兩樓以懸鐘鼓。再進爲慈仁寶殿，左曰弼教，右曰翊化。又進爲大寶殿，左曰覺德，右曰普慧。栴檀佛像高五尺，鵠立上視，後瞻若仰，前瞻若俯，衣紋水波骨法見其表。左手舒而直，右手舒而垂，肘掌皆微弓，指微張而膚合，三十二相中鵝王掌也。勇猛慈悲，精進自在，以意求之皆備。相傳爲栴檀香木，扣之聲鏗錚若金石，入水不濡，輕如髹漆。晨昏寒暑，其色不一，大抵近於沉碧，萬曆中慈聖太后始傅以金。金鼇退食筆記

〔臣等謹按〕弘仁寺正殿及後樓額皆御書，已詳見前條。其餘坊殿諸額名俱仍舊，惟普慧覺德二殿額左右易置耳。

原優填王勅國出巧匠，會以牛頭栴檀作佛像形供養，晨夕禮拜。是時波斯國王聞優填王作佛像供養，亦召巧匠，語以如來形體當以真金作佛像形，卽令紫磨作如來相，亦五尺餘，時閻浮提中始有二像也。增益阿含經

原佛九十日在忉利天爲母説法，時優填王思佛，請目犍連神通攝匠人，俾雕佛匠六，雕得三十二相，惟釋摩梵音像雕不得。傳燈録

原京師栴檀佛以靈異著聞海宇，王侯公相士庶婦女捐金莊嚴以丐福利者，歲無虚日。故老相傳，云其像四體無所倚著，人君有道則至其國，國初時尚可通一線無礙，今則不然矣。輟耕録

原栴檀佛像元自仁智殿奉迎於萬安寺之後殿，百四十餘年迎於慶壽寺，至嘉靖十七年居百二十餘年，因寺回禄，表聞於上，奉迎於鷲峰寺，至今萬曆二十五年丁酉，居五十八年。計自優填王造像之歲，當穆王十二年辛卯，至今萬曆丁酉，凡二千五百八十餘年。瑞像來儀記　以上四條原在宫室門，今移改。

增聖祖御製弘仁寺碑文　朕惟佛教之興，其來已久，使人遷善去惡，陰翊德化，不可忽也。兹栴檀像自佛初成道刻表以來，屢著靈異，尤當景崇。今特擇景山西之善地，創建殿宇，於康熙四年十月二十七日自鷲峰寺遷移供奉，配以菩薩從神，爲宗社永呵護，生民祈福祐，威儀不遠，資瞻禮焉。是用勅名弘仁，勒諸貞珉，以志不朽云。

增聖祖御製栴檀佛歷代傳祀記　朕聞佛法誘善懲惡，有裨世教，故歷代尊崇，流傳靈異，厥蹟甚著。按元翰林學士程鉅夫栴檀佛像記，佛道成思報母恩，遂昇忉利天，爲母說法。優填王欲見無由，乃刻栴檀爲像，佛自忉利復下人間，見所刻像，摩頂受記曰：我滅度千年後，汝往震旦，廣利人天。自是像在西土一千二百八十餘年，龜兹六十八年，涼州一十四年，長安一十七年，江南一百七十三年，淮南三百六十七年，復至江南二十一年，汴京一百七十六年，北至燕京供聖安寺十二年，又北至上京大儲慶寺二十年，南還燕宫内殿五十四年，元丁丑歲三月燕宫火，復還聖安寺，五十九年至元十二年乙亥，迎供萬壽山仁智殿，二十六年己丑，遷大聖壽萬安寺後殿。又按明萬曆間釋紹乾瑞像來儀記，明初自萬安寺遷慶壽寺，嘉靖十七年寺焚，遷鷲峰寺一百二十八年，康熙四年創建弘仁寺，自鷲峰寺迎供至今又五十七年矣。計自優填王造像之歲，當周穆王十二年辛卯，至康熙六十年辛丑，凡二千七百一十餘年。晬昭瑞像，肇自西方，流傳中土。光明瑩潔，今古常存。考歷代之往蹟，昭新創之宏規，勒諸貞珉，以記盛事，垂之永久，用誌不朽云。

增皇上御製重修弘仁寺碑文　弘仁寺者，康熙四年奉勅所建，移供鷲峰寺栴檀瑞相於斯。我皇祖再世如來，現轉輪王相，以金仙象教流傳，資翊治化，因而遠溯靈蹤，俾人天廣利。迄今垂及百年，丹雘之焕者日以剥，龍象之獰者日以削。敬惟開歲爲聖慈七旬大慶，今歲又朕五十誕辰，思所以繩寶構、祝鴻禧者。爰以孟陬之吉，出内府帑，重加修葺，閱八月訖工。展禮爲讚，有瑞紀庚辰重輪奂，奇從辛卯肇胚胎之句，蓋誌實也。朕惟君子體仁則爲弘，世尊闡仁則爲能。彼弟子之未臻師學者，尚不識何爲弘而何爲能，有似與仁背馳，宜乎儒者之闢爲異端矣。我皇祖内外一如，本末共貫，六十一年深仁厚澤，普被蒼生，則其弘也爲何如，抑其能也爲何如！此寺之建，豈徒以人天福德供養世尊已哉。經言世尊具三十二相、八十種好，然若以色見聲求，即毘首天匠徒勞畫炭，無有似處。設諸淨信一舉念皈依，亦得即覩百千萬億化身。所謂即心即佛，不可言同，何況云異。而彼優填王樵笵瑞相，譬如日光月光，本來圓滿。一切衆生扣槃捫籥。今將與操熒爝者求羲馭，曷若引金燧以晞陽？將與挹涓勺者擬望舒，曷若懸方諸而衍潤？矧爾時授記真容，威德自在，乃者勝旛法鼓，莊嚴端好。非謂與諸天寶網種種供養無二無别。以是助宣聖教，永闡慈仁，即現無量壽身而爲説法，則猶我皇祖上爲宗社延厤、下爲蒼黎祈祐之志，而瑞相因緣詳著皇祖御銘者，此不復書。

增乾隆二十五年御製重修弘仁寺敬讚栴檀寶相　忉利天宫去復回，栴檀摩頂記如來。自兹震旦輝佛日，不盡恒沙演法雷。瑞紀庚辰重輪奐，奇從辛卯肇胚胎。釋紹乾瑞相記，優填王造像之歲當周穆王辛卯之年云。惟無量壽福無量，斂錫敷思遍九垓。

增乾隆三十九年御製過弘仁寺瞻禮作　飛來舍衛國，靈蹟孰能詳？如是相好在，經過瞻禮常。當春忍草秀，不夜慧燈光。設繹弘仁義，吾尤勉未遑。

〔臣等謹按〕弘仁寺御製詩，謹繹有關紀述者恭載卷内，餘不備録。

原程鉅夫栴檀佛像記　蓋聞道非有像，作易者必擬諸形容；法本皆空，度世則暫資於色相。謂如指空爲鏡，不若以鏡而喻空；即樹占風，將使識風而忘樹。是以雙林付囑，舍利以凡聖而遍分；千輻經行，足蹟亘古今而長在。非炫神通於幻境，實開方便於迷津。所謂由目以會心，即心而印佛者也。按大藏功德經：佛昇忉利天，度夏三月，爲母摩耶説法。爾時優填王常懷渴仰，而不得見。勑彼國内巧工，造佛形像，禮拜供養。毘首羯摩天化爲匠者，即白王言：但我工巧世中爲上。王即選擇香木，肩自負荷，持與天匠，操斧斲木，其聲上徹三十三天，至佛會所，以佛神力，聲所及處，衆生罪垢煩惱皆得消除。又觀佛三昧經：佛昇忉利天既久，優填王不勝慕戀，鑄金爲像，聞佛當下，以象載之，仰候世尊，猶如生佛。乃遥見佛足步虚空蹈雙蓮花，放大光明。佛語像言：女於來世大作佛事，我滅度後，我諸弟子付囑於女。然則萬影沉江，如如不異；孤光透隙，一一皆圓。夫豈擇地而容！蓋亦隨緣而應。望梅林而止渴，靡不同沾；汎竹葉以言歸，誰堪共載？惟我聖天子，道躋往聖，慈等覺皇。祝長樂之春秋，恒依佛地；企如來之歲月，坐閲人天。爰命集賢大學士李衎與昭文館大學士頭陀大宗師溥光等，大海雲寺住持長老某，大慶壽寺住持長老智延，大原教寺住持講主某，大崇恩福元寺住持講主德謙，大聖壽萬安寺住持都壇主德嚴，大普慶寺住持講主某，繙究毘尼經典，討論瑞像源流。乃有阿闍鵷鷺，法筵龍象，五千四十八卷，歷刼藏心；十方三世諸尊，宿生摩頂。莫不恪承淵旨，同述勝因。曰：釋迦如來，淨飯王之太子，生於甲寅四月八日，是爲成周昭王二十四年。既生七日，佛母摩耶夫人往生忉利。至昭王四十二年壬申，太子十九，棄位出家修道。至周穆王三年癸未道成。八年辛卯，思報母恩，遂昇忉利天，爲母説法。優填王欲見無從，乃刻栴檀爲像。目犍連慮有缺謬，躬攝三十二匠，升天審諦，三返乃得其真。既成，國王臣民奉之猶佛。是年佛自忉利復下人間，此像躬迎，低頭問訊，佛爲摩頂受記：我滅度千年之後，女往震旦，廣利人天。由是像居西土一千二百八十五年，龜茲六十八年，涼州一十四年，長安一十七年，江南一百七十三年，淮南三百六十七年，復至江南二十一年，汴京一百七十六年，北至燕京居今聖安寺十二年，又北至上京大儲慶寺二十年，南還燕宮内殿居五十四年。大元丁丑歲三月，燕宫火，尚書省舒穆嚕公迎還聖安居。五十九年而當世祖皇帝至元十二年乙亥，遣大臣博囉等備法仗羽駕音伎四衆奉迎，居於萬壽山仁智殿。丁丑，建大聖壽萬安寺。二十六年己丑，自仁智奉迎居於寺之後殿焉。元貞元年乙未，成宗皇帝親臨奉供，大作佛事。計自優填造像，至今奉詔纂述之歲，是爲延祐三年丙辰，二千三百有七年。噫！四大海中，頓覺業風之息；一彈指頃，不知賢刼之過。嘉與涵靈，從兹安隱。於是集賢大學士陳顥以述上聞。有旨授臣鉅夫，俾爲之記。臣謹奉詔言曰：粵自古初聖人教民報本返始，而祭祀之禮居其一。廟則木爲之主，饗則孫爲之尸。及其後也，乃有像設焉，而不知其所從始。由斯觀之，其原於梵俗也與！夫佛爲世中尊，又何俟於贊？然欲知佛之爲佛，不當於其身而況於其似？然苟不自其外而求之，又將無所措其力。是故佛雖多訓，然往往自即其身以言。蓋因以卜人心進退之兆。若於其麤者猶惓惓不怠焉，則其進也殆庶幾乎！此佛之意也。陛下考百王之度，酌羣言之蘊。上以惇孝，下以施仁。蘄於厚天下者無所不用其極。至於規人于善，足以輔吾政教之所不逮者，亦以天下之心爲心而從之。而非若彼内祠秘祝者之爲也。夫以金石之悍堅，猶未能必其可久，今以一木之爲，而緜歷獨若此。然則佛之自衛者固甚周，而人之奉佛也抑豈手足之功哉？於以見人心之仁，推諸四海而準，而性善之説果不誣矣。嗟夫！遡沿二千年有奇，至於陛下，然後發德音，紀鴻烈，非緩也。熙明之治至是而始隆，雖典祀之外，猶必以斯文文之也。然則化之漸被者廣矣，不其盛與！記洛陽之伽藍，筆多慚於董史；頌西方之無量，心共祝於堯年。莫測真如，徒欣聖際。謹記。雪樓集

原 劉迎栴檀像詩　我昔遊京師，稽首禮瑞像。堂堂紫金身，示現大法藏。莊嚴七寶幾，重疊九霞帳。光如百千日，晃耀不容望。想初法王子，運力攝諸匠。瓌材發神秘，妙斲出智創。風流蜀居士，翰墨老彌壯。雷霆大地底，音樂諸天上。猶疑三十二，不具梵音相。不知一點真，正勝千語浪。嗚呼五因緣，語綺反成謗。我今獨何幸，相見問無恙。文殊本無二，何處覓真妄？廣修香火供，獲脱煩惱障。天龍想驚喜，訶衛日歸向。已覺海潮音，人天會方丈。山林長語　以上二條原在城市門，今移改。

〔臣等謹按〕栴檀佛像源流，元明以來惟程鉅夫所記甚詳。其言自西土至龜茲，尋入中國，自是而涼州，而長安，而江南，而淮南，復自淮南至江南，由汴京而至燕京，復至上京還燕京，皆有年歲可考。其系干支者與歷代年表頗相合。明萬曆間，

釋紹乾作瑞像來儀記，雖亦原本鉅夫之説，而紀年譌舛甚多。如周穆王五十一年爲庚午，而紹乾誤作壬申，元太祖即位十二年爲丁丑，至世祖至元十二年乙亥計五十九年，而紹乾誤作一十九年。其不及程記之足據，明矣。又紹乾記謂像自金時至燕京，初居憫忠寺，又北至上京大儲慶寺，復還燕京居於内殿。及元代，因内殿火，像移聖安寺，後迎入萬壽山仁智殿，嗣復移奉大聖壽萬安寺。明初自萬安寺遷慶壽寺，嘉靖間寺燬，遷鷲峰寺。所記金元時事與程記畧同。惟紹乾云像初居憫忠寺，而程記作聖安寺。今考憫忠寺並無瑞像遺跡，而聖安寺則有範銅瑞像，並刻像於碑，與栴檀像相髣髴。碑爲明僧通月記，亦止言居聖安而不言憫忠，則紹乾記之不及程記益明矣。考聖安寺明正統間改爲普濟寺，寺有二碑，詳修葺始末。閱年既久，頹圮特甚。兹奉敕重修，復以聖安爲名，其寺中舊有銅像，視栴檀像較小，不足傳信。特命迎奉大内，詔所司虔選栴檀，肖瑞像雕製，還之聖安寺，以存舊蹟。其功德益不可思議矣。又按仁智殿應在今白塔山，其遺趾已無可考。至大聖壽萬安寺即今妙應寺，慶壽寺即今雙塔寺，俱無瑞像源委。兩寺皆係燼後重修，其不復有蹤蹟可尋，固無足怪。惟鷲峰寺今爲西長安門西之卧佛寺，本朝康熙四年自鷲峰寺移奉弘仁寺，見於聖祖仁皇帝御製碑記。則鷲峰爲像所經歷，信而可徵。今瑞像共奉弘仁寺中，莊嚴相好，經久長新，寺因是並有栴檀之名。若夫瑞像因緣，自有聖祖御碑足以傳信萬世。來儀記之傳聞異辭，乃緇流考訂之疎，更無庸深辨矣。

增仁壽寺在弘仁寺東。大清一統志

〔臣等謹按〕仁壽寺，乾隆二十六年建，大門恭懸御書仁壽寺額，殿中圓外方，中央及八方供長壽佛，中有複壁，壁上悉供諸佛，東西南北各闢一門，甃以白石。每門俱刻御書額聯。東之額曰最勝因緣。聯曰：香臺圍繞花霏雨；毫相光明月印川。南之額曰總持壽世。聯曰：螺髻齊瞻安樂相；珠胸全現吉祥文。西之額曰無邊功德。聯曰：一切寶燈輝妙喜；大千圓鏡納須彌。北之額曰永駐祥輪。聯曰：檀薰合證莊嚴具；龍護常資福德多。

原正德十一年二月，命右都督張洪監督團營，西官廳復指揮僉事神周官，代洪管勇士營。時江彬、許泰皆以邊將得幸。上好武，特設東西兩官廳於禁中，視團營，東以太監張忠領之，西以泰領之。周嘗以罪坐謫，附泰洪亦得進用，未幾益以劉暉，皆賜國姓爲義子。四鎮兵號外四家，彬兼統之。上又自領閹人善騎射者爲一營，謂之中軍。晨夕操練，呼譟火礮之聲達於九門，浴鐵文組照耀宫苑。上親閲之，名曰過錦。言望之如錦也。諸軍悉衣黄罩甲，中外化之，雖金緋盛服，亦必加此於上。泰及周等遮陽帽上飄靛

染天鵝翎以爲飾，貴者飄三英，次二英。兵部尚書王瓊得賜一英冠以下教場，自謂殊遇焉。明武宗實録

原 嘉靖三十年，上更定營制，命改舊内教場名曰内戎營，欲以團操内使。次年二月，工部請營建祀所，并營舍中立一臺備御視。上乃遣朱希忠告廟，尚書歐陽必進祭司工之神。明世宗實録

原 李夢陽内教場歌　雕弓豹鞬騎白馬，大明門前馬不下。竟入内伐鼓。大同耶？宣府耶？將軍者許耶？武臣不習武，柰彼四夷。西内樹旗，皇介夜馳。嗚礮烈火，嗟嗟辛苦。崆峒集

原 文徵明詩　日上宫牆飛紫埃，先皇閲武有層臺。下方馳道依城盡，東面飛軒映水開。雲傍綺疏常不散，鳥窺仙仗去還來。金華待詔多頭白，欲賦長楊媿不才。甫田集　以上四條原在宫室門，今移改。

〔臣等謹按〕内教場今名教軍場，在今弘仁寺東北。其地有三聖祠，祠内有碑，略云：教場内三聖祠以祠火神、水草神、馬帥。又云：禁旅之設，遴拔監局諸司内員精健者三千人，統以總提，分治以中軍，領以總牌，次設明甲、硬弓、隨伍等官，於大内西北二處分場訓練，後皆併練於此。

欽定日下舊聞考卷四十二

皇城

【原】虎城在太液池之西北隅，睥睨其上而阱其下，阱南爲鐵門關而竇其南爲小穽，小穽内有鐵柵如籠，以檻虎者。虎城西北隅有豹房。燕都游覽志

【原】王世貞正德宫詞　窄衫盤鳳稱身裁，玉靶雕弓月樣開。紅粉別依回鶻隊，君王新自虎城來。弇州山人稿　以上二條原在宫室門，今移改。

〔臣等謹按〕虎城在今教軍場西南弘仁寺後，基址尚存。

【增】太液池北紫光閣旁有百鳥房，多畜奇禽異獸，如孔雀、金錢雞、五色鸚鵡、白鶴、文雉、貂鼠、舍貍猻、海豹之類。本朝不此是尚，但給飲啄而已。金鼇退食筆記

【原】百獸房在虎城之後，連楹南向。燕都游覽志

【原】穆天子得白狐以爲異，以天下無粹白之狐也。今西内有白狐，居籠中甚馴。露書

【原】陳沂放内苑諸禽詩　多年調養在雕籠，放出初飛失舊叢。祇爲恩深不能去，朝來還繞上陽宫。拘虚集

【原】正德二年八月，蓋造豹房公廨前後廳房，并左右廂歇房。上朝夕處此，不復入大内

矣。明武宗實錄

原七年，添修豹房屋二百餘間，費銀二十四萬餘兩。同上

原唐時給役禁中多名爲小兒，如花藍小兒、飛龍小兒、五坊小兒是也。五坊者，德宗所立，曰雕坊、鶻坊、鷂坊、鷹坊、狗坊。漢有狗監，正德中豹房，皆是此意。穀城山房筆麈

原王世貞正德宮詞　玉水垂楊面面栽，豹房官邸接天開。行人莫愛纏頭錦，萬乘親歌壓酒杯。弇州山人稾

原西內有虎城畜虎豹，旁有牲口房，養珍禽奇獸。上曰：民脂民膏，養此何用！遂殺虎以賜近臣，餘皆縱之。明崇禎遺録

補內監蟲蟻房，虎、豹、犀、象，各有職秩，有品科，如虎食將軍俸，象食指揮俸，不甚於秦松之大夫、漢柏之將軍乎？留青日札　以上十條原在宮室門，今移改。

〔臣等謹按〕百獸房、豹房久廢。

原正德七年十一月，詔建鎮國寺於大內西城。大政記

原正德九年十月，刑部主事李中上言：今日大權未收，儲位未建，義子未革，紀綱日弛，風俗日壞，小人日進，君子日退，士氣日靡，言路日閉，名器日輕，賄賂日行，禮樂日廢，刑罰日濫，民財日殫，軍政日敝，善治一無可舉，蓋以陛下惑于異端也。夫禁掖嚴邃，豈異教所得雜？今乃於西華門內豹房之地，建護國佛寺，延住番僧，日與親處。異言日沃，忠言日遠，則用舍之顛倒，舉錯之乖方，政務之廢弛，豈不宜哉！伏望陛下毀佛寺，出番僧，妙選儒臣，朝夕勸講，務正心誠意之學，明二帝三王之道，攬大權以絶天下之奸，建儲位以立天下之本，革義子以正天下之名。疏入，不報，尋降廣東通衢驛驛丞。明武宗實録

原騰禧殿覆以黑琉璃瓦，明武宗西幸，悦樂伎劉良女，遂載以歸居此，俗呼爲黑老婆殿。金鼇退食筆記

原胡纘宗擬古詩　驚喜君王至，西華夜啓扉。後車三十乘，載得美人歸。鳥鼠山人集　以上四條原在宮室門，今移改。

〔朱彝尊原按〕康陵載劉良女歸，號曰夫人。及南巡日，帝期以中途召之。夫人脱簪予帝以示信。帝騎過盧溝亡之，大索不得也。行至臨清，念夫人，召之，以不見簪不往，帝不獲已，兼程抵潞河，載夫人偕南。寺觀旛幢列鎮國公號，復繫以名，夫人每得並書。嘉靖初，納南京給事中王紀之言，俾盡撤去。然夫人在途常諫帝游獵，非專以色固寵者。明之諸陵皆有妃從葬，而康陵獨無之。惟二妃葬於金山，無姓氏，殆亦爲尊者諱也。

〔臣等謹按〕鎮國寺今無考，據李中疏在豹房之地。騰禧殿久廢，高士奇金鼇退食筆記謂在栴檀寺西，則正與豹房毘連。稍南有北極廟，相傳亦明代古刹云。

原經廠又西曰洗白廠，曰果園廠，曰西安裏門，曰甲、乙、丙、丁、戊及承運、廣盈、廣惠、廣積、贓罰十庫。蕪史

原果園廠在櫺星門之西，明永樂年製漆器，以金銀錫木爲胎，有剔紅、填漆二種。剔紅合有蔗段、蒸餅、河西、三撞、兩撞等式，蔗段人物爲上，蒸餅花草爲次。盤有圓、方、八角、絛環、四角牡丹瓣等式，匣有長、方、二撞、三撞四式。其法朱漆三十六次，鏤以細錦，底漆黑光，針刻大明永樂年製。比元時張成、楊茂劍環香草之式似爲過之。填漆刻成花鳥，填彩稠漆，磨平如畫，久而愈新。其合製貴小，深者五色靈芝邊，淺者回文戧金邊，價數倍於剔紅。二種皆廠製也。金鼇退食筆記　以上二條原在宮室門，今移改。

〔臣等謹按〕洗白廠久廢。考真如境廟内有隆慶戊辰御用監造廠碑記，略云：本監洗白廠成造上用兜羅絨袍公廨。又隆慶辛未修廠及添設袍作、絛作公廨作房，亦有碑。

稍西地名劉鑾塑，内有真武廟。廟有萬曆癸巳修洗白廠綠作碑云：初綠作置公廨一區於果園廠前，機作等房俱聚於此，後擇果園廠隙地建兹綠作。是洗白廠、果園廠俱在此地無疑。

原 京師像設之奇古者曰劉鑾塑。說者疑鑾與元音相近而誤。考郝伯常陵川集：燕有四賢祠，其像塑自劉鑾。則鑾别是一人，著名於正奉之先者也。正奉塑像，虞文靖特爲作記。元史方技傳云：有劉元者，嘗從阿爾尼格學西天梵相，亦稱絶藝。下云：元字秉元，薊之寶坻人。而劉同人紀帝京景物，遂目爲藝元，足資噴飯。析津日詩 原在郊坰門，今移改。

增 玄都勝境在弘仁寺西，建於元，相傳爲劉元塑像。正殿乃玉皇大帝，右殿塑三清，儀容肅穆，道氣深沉，左殿塑三元帝君，上元執簿側首而問，若有所疑，一吏跪而答，甚戰慄，一堂之中皆若悚聽嚴肅者。神情動止，如聞謦欬，真稱絶藝。金鼇退食筆記

〔臣等謹按〕玄都勝境建於元代，因内有劉鑾塑像，其地因之得名。本朝乾隆二十五年重修，賜名天慶宮。前殿額曰泰鈞，後殿額曰統元。皆皇上御書。

增 乾隆二十七年御製天慶宮像元劉鑾塑詩 南雕北塑古所傳，大都神塑猶存元。名手劉姓元與鑾，東嶽摶換稱元賢。兹天慶像鑾坯埏，棟宇剥落像巍然。呵護丁甲其敢延！爲新棟宇丹雘鮮，像弗增易如故焉。是日路便展禮虔，高居上帝絳節翩。侍臣儀從飄乎

仙。曹司聾啞解事艱，斯非典欲爲其難。以神喻人至理存，一絜矩乃爲心寒。

〔臣等謹按〕天慶宮像元劉鑾塑御製詩，是爲首見之篇，謹編載卷内。

原 正統三年五月，還甲、乙、丙、丁等庫於内府。四年八月，以新造天財甲、乙、丙、丁等庫成，欲盤移庫藏，命魏國公徐顯宗、行在户部右侍郎吴璽總理其事。明英宗實録

原 十庫自戊子之後，不全用十干，以己者已也，是以改用別名，曰承運、廣盈、廣惠、廣積、贓罰。魏忠賢從甲字庫出身，遂倚任李宗政爲掌庫，餘九庫聽宗政指揮，示優異焉。蕪史 以上二條原在宮室門，今移改。

增 十庫：甲字掌貯銀硃、黄丹、烏梅、藤黄、水銀諸物，乙字掌貯奏本等紙及各省所解胖襖，丙字掌貯絲綿布匹，丁字掌貯生漆、桐油等物，戊字掌貯弓箭、盔甲等物，承運掌貯黄白生絹，廣盈掌貯紗羅諸帛匹，廣惠掌造貯巾帕、梳籠、刷抿、錢貫、鈔錠之類，贓罰掌没入官物。已上各掌庫一員，貼庫簽書無定員。明史職官志

增 廣積庫收焰硝硫黄等物。明會典

原 十庫西有司鑰庫。蕪史

原 司鑰庫檢得天啓錢數枚，古色斑駁，進至御前。上問：昔年擬年號者誰？左右以内閣及翰林官對。上怫然。天啓宫詞註 以上二條原在宮室門，今移改。

增 嘉靖時又令工部查照永樂、宣德年間事例，差官於直隸并河南閩廣鑄造嘉靖通寶解京，貯内府司鑰庫。明會典

增 天財庫，凡正陽等九門并各鈔關本折錢及皇城各門鎖鑰，俱送本庫收。同上

〔臣等謹按〕今西安門内街北十庫，前有天王殿，殿前有修庫題名碑。所記十庫與燕史合，而冠以司鑰庫之名。其修廟碑記則云，禁城西北隅有司鑰庫，而天財庫亦屬焉。是司鑰庫乃十庫總理，而天財庫其附焉者也。再考明史職官志所記十庫，止詳九庫職事，獨闕廣積一庫，今依明會典增入。

〔又按〕天王殿，本朝康熙五十二年改爲慈雲寺，門額聖祖御書。

增十庫西曰鴿子房，曰西安門。春明夢餘録

〔臣等謹按〕鴿子房其地有二聖廟，即内府鴿子房土地祠也，有萬曆十九年重修碑記，西安門内街北之極西地也。

原檑星門迤西街南，贓罰别庫之門也，門傍東迤南曰蠶池，從陽德門外皆可以至玉河。是河也，由北安門外藥王廟西橋下入，經靈臺寶鈔司東，與護城河之西脈合流，過長安右門之北，經承天門前，再東過長安左門之北，自湧福閣會歸於皇城之巽方而總出焉。燕史　原在宫室門，今移改。

〔臣等謹按〕贓罰庫乃十庫之一，十庫周牆尚存。今栴檀寺西北衚衕猶有贓罰庫之名，則贓罰庫在十庫極北。燕史作檑星門西街南，誤也。蠶池在三座門西街南，東鄰西苑，北與羊房夾道相對。嘉靖十年三月，改築蠶壇於仁壽宫側，相傳飼蠶於

此。蠶壇詳宮室門。蠶池口内西爲天主堂，又西爲琉璃作，地名草廠。

補蠶池，明時宮人織錦之所，今止存雲機廟故基。瑤華集箋 原在宮室門，今移改。

〔臣等謹按〕雲機廟久廢，今光明殿衚衕内有名巧機營者，或卽其地。

原萬壽宮者，文皇帝舊宮也。世宗初，名永壽宮，自壬寅從大内移蹕此中，已二十年。至四十年冬十一月之二十五日辛亥夜，火大作，凡乘輿一切服御及先朝異寶盡付一炬。相傳上是夕被酒，與新幸宮姬尚美人者於貂帳中試小煙火，延灼遂熾。此後卽下詔雲南，買諸寶石及紫英石。屢進，不當意，仍責再買如命。户部尚書高燿求龍涎香，經年僅得八兩。蓋諸珍煨燼已盡，無一存者，故索之急耳。尚美人致火事，未知果否。至嘉靖四十五年八月，命拜未封宮御尚氏爲壽妃，贈其父臣爲驃騎將軍右軍都督僉事，而同封貴妃文氏乃從敬妃進封者，其父止得指揮同知，則恩禮輕重可知矣。封妃之日距聖誕僅二日，上春秋恰周一甲子，蓋極尊貴之以侑大慶上觴云。野獲編

原嘉靖壬寅宮變，宮婢楊金英欲斃上於熟寢，以繩束喉，不絶。有張金蓮者，知事不就，走告皇后，往救獲甦。乃命太監張佐、高忠捕訊，得同謀者楊玉香、邢翠蓮、姚淑翠、楊翠英、關梅秀、劉妙蓮、陳菊花、王秀蘭八人。又有徐秋花、鄧金香、張春景、黄玉蓮數人。詔悉磔之於市。上卽移御西苑萬壽宮，不復居大内。萬壽本成祖皇帝舊宮也。至辛亥，萬壽宮災，上乃暫御玉熙宮。宮近西華門孔道，列屋僅兩層。工部尚書雷禮言：玉熙宮湫隘，且地近外，非可久御。萬壽宮係皇祖受命重地，宜及時營繕。嚴嵩欲諷上還大内，具言三殿初成，工料缺乏，萬壽未宜興復。上不悦，命太常卿徐璠督工。明世廟識餘録

原世廟居西内事齋醮，一時詞臣以青詞得寵眷者甚衆，而最稱上意者無如袁文榮煒、董尚書份，然皆誕妄不典之言。如世所傳對聯云：洛水元龜初獻瑞，陽數九，陰數九，九九八十一數，數原乎道，道通元始天尊，一誠有感；岐山

丹鳳兩呈祥，雄聲六，雌聲六，六六三十六聲，聲聞於天，天生嘉靖皇帝，萬壽無疆。此袁所撰最爲時所膾炙，他文可知矣。時每一舉醮，無論他費，卽赤金亦至數千兩。蓋門壇扁對皆以金書屑爲泥，凡數十盌。其操筆中書官預備大管泚筆令滿，故爲不堪波畫狀，則袖之，又出一管，凡訖一對，或易數十管，則袖中金亦不下數十銖矣。吾鄉談相以此得二卿，且致富云。野獲編

原 嘉靖間，供事内廷奉玄修者，宰臣嚴分宜以衰老得賜腰輿，至八十再賜肩輿。其同事而恩稍下者，則夏文愍、翟文懿俱賜乘馬。二公因私用腰輿，上聞以爲僭，心銜之。夏被禍，翟被逐，已胎於此矣。同上

原 撰文諸臣，初時不過一二宰輔，既而郭勛、崔元以勛爵入，陸炳、朱希孝以緹帥入，李春芳、董份以學士入，人數既增，直房有限，得在列者方有登仙之羨，不復覺其湫隘。且房俱東西向，受日良苦。惟嚴分宜最後得，另建面南一所，甚寬潔，且命賜白金笵爲飲食器，及他食物甚備。分宜處之凡十餘年。分宜逐，卽以居徐華亭。徐徙居其内亦五年。嚴之晚節以屢出直見疏，徐懲其敗，每遇上命到閣理事，或賜沐至家，輒云戀念聖躬起居，不忍暫舍而出。上以是益憐之。高新鄭最後入直，其辨胡給事疏中云，所居凡四層十六楹最敞，則亦分宜直房之亞矣。同上

增 明世宗晚年愛静，常居西内。勳輔大臣直宿無逸殿，日有賚賜，如玲瓏雕刻玉帶、金織蟒服、金嵌寶石斗牛絛環、綵絨護膝、獨角獸補子、貂鼠煖耳、青油雨笠、御製藥酒五味湯、御藥如意湯、橙橘瓜果之類。嚴分宜記賜畫扇有海榴罌可寸許，穴其腹，藏象刻物器一百事，工巧異甚。又有水晶及牙仙人墜子。金鼇退食筆記

原 西宮再建，欽定正宮前堂曰萬壽宮，後寢曰壽源宮。宮門曰萬壽門，左門曰曦福，右門曰朗禄，後門永綏、含祥、成瑞仍舊。後過廊左曰永康門，右曰永順門。宮亭名大元，殿名凝一，門名衍慶。殿東本四宮，四十年已建萬春宮，至是三宮欽定萬和、萬華、萬寧。其西四宮，欽定仙禧、仙樂、仙安、仙明。東西二街門扁，七門隨西長街向東，四名自南起，常寧、常和、常喜、常輝，向西金寧若舊，三門自東起，攸順、攸利、金瑞，後二牆門迎祉、納康。壬戌四月，立帝社帝稷坊牌，安砌宮門牆，拓造西連房工成。六月十三日，承祐殿成。七月十八日，祐祥殿成、祐寧殿板屋成。十月三日，建

洪應雷宮。古和薹 以上七條原在宮室門，今移改。

〔臣等謹按〕古和薹所載萬壽宮門殿各名，與春明夢餘録俱同。惟春明夢餘録較詳耳。帝社帝稷坊牌今無存，詳宮室門。

原嘉靖四十五年四月，紫極殿壽源宮成，百官上表稱賀。明世宗實録

原西苑宮殿自十年辛卯漸興，以至壬戌，凡三十餘年，其間創造不輟，名號已不勝書。至壬戌萬壽宮再建之後，其間可紀者，如四十三年甲子重建惠熙、承華等殿，寶月等亭，既成，改惠熙爲元熙延年殿。四十四年正月，建金籙大典於大玄都殿，又謝天賜丸藥於太極及紫皇殿，此三殿又先期創者。至四十四年，重建萬法寶殿，名其中曰壽憩，左曰福舍，右曰禄舍，則工程甚大，各臣俱沾賞。至四十五年正月，又建真慶殿。四月，紫極殿之壽清宮成，在事者俱受賞，則上已不豫矣。九月，又建乾光殿。閏十月，紫宸宮成，百官上表稱賀。時上疾已極，雖賀而未必能御矣。自世宗升遐未匝月，先撤各宮殿及門所懸扁額，以次漸拆材木。穆宗欲以紫極宮材重建翔鳳樓，因工科都給事中馮成能力諫而止。未歷數年，惟存壞垣斷礎而已。蓋茲地爲文皇帝潛邸舊宮，因而入紹大位。且自永樂以來，無論升遐，即嬪御無一告殞於此者，故上意爲吉地而安之。禁籞初啓，命爲仁壽殿。他如洪應雷壇，上有禱必至。如凝道雷軒，上書曰恒御，皆無跡可問。惟清福殿則整麗如故。外門曰仙芳，曰丹馨，內亭曰錦芳，曰翠芬，流泉石梁，頗具幽致，且松柏列植，蒙密蔽空，又百卉羅植於庭，開花時則今上亦時一游幸。蓋其地又與萬壽宮稍隔，故得免焉。野獲編

原嚴嵩萬壽宮頌 赫赫皇明，膺運握符。於烈太祖，金陵闢都。成祖繼天，燮伐大定。駐蹕全燕，奠鼎凝命。周宅鎬京，殷居亳邑。履重馭輕，四方之極。有宮穹穹，禁苑之西。名曰仁壽，高朗軒夷。實惟斯宮，肇基帝跡。創始鴻圖，貽謀燕翼。爰二百年，我聖龍翔。受命中興，於二聖有光。以聖繼聖，克復其始。迺祓斯宮，迺慰迺止。金梁駕漢，玉棟干虹。王氣榮光，鬱鬱葱葱。皇曰我祖，明德斯肇。予實嗣之，曷循曷紹？累厚增高，重基疊構。特易隆名，嘉進萬壽。壽考維祺，自天之祐。承以五福，範衍箕疇。康寧好德，申命用休。百禄承次，坤儀用彰。安貞之吉，應地無疆。南闕端門，麗於陽德。法天行健，四隩咸宅。耀曦秩秩，寅賓出日。亦有輝朗，素月澄璧。陰陽之精，左右互弼。皇居皇處，匪曰豫佚。景綜萬幾，咸釐庶績。志加窮閻，念軫民食。亭翼豳風，殿峙無逸。南闢穀壇，以祀於稷。北鄰桑壝，后歲親蠶。德如關睢，教形葛覃。允矣風化，匹於二南。維昔農桑，王業之自。皇宅於茲，肇修苑事。分條建規，補弊興滯。皇心翼翼，齋明莊栗。昭事上帝，靈威可質。賜福降祺，百神效職。衍於烈祖，享祀一堂。衣畫袞龍，珩瑀瑲瑲。天眷聖皇，而安而室。俾爾熾昌，俾爾多益。長發其祥，螽斯蟄蟄。天

眷聖皇，壽萬斯年。綏以繁祉，受禄於天。天耀景星，地溢醴泉。元龜薦瑞，朱草呈鮮。四方賀焉，四夷服焉。我皇御歷，曷有極焉？微臣稽首，敢獻斯篇。鈐山堂集

原皇甫冲西苑即事　曉日曈曨照御堤，君王身在大庖西。雲邊鐘磬和仙樂，日下旗幢雜綵霓。侍從詔看元鶴舞，中官敕賜紫騮嘶。長生殿上長明火，不數秦王祀寶雞。華陽集

原蔣山卿宫詞　君王親著紫霞裳，白玉冠簪八寶光。夜半碧壇星月冷，九天仙樂下鸞皇。碧殿瑶壇禮上清，桂花涼露浸銀屏。雙雙玉女扶青案，跪啓琅函諷道經。南泠集

原尹耕秋興詩　銅龍春闕曉光寒，金水橋横白玉欄。見説漢皇求大藥，故邀王母到長安。黄金夜獻文成竈，青鳥朝翔太乙壇。不是歲星陪帝輦，蟠桃誰奉殿中歡。朔野山人集

原李蓘嘉靖宫詞　沉水龍涎徹夜焚，桂宫芝館結祥雲。壇前纔布諸天位，苑外先催學士文。玉貌終年侍禁闈，每逢時節賜金緋。君王不愛纖腰舞，裁作雷壇拜斗衣。泥金檢玉祝長生，萬國封章止進呈。月滿西宫更漏永，九天風落步虚聲。小車飛曳向玄都，翠羽金翹笑自扶。玉蝀橋邊長日市，内璫争買大秦珠。李太史集

原張元凱西苑宫詞　肅將上帝祀明堂，寶鼎昭回日月光。九獻不須歌舊曲，詞臣昨已撰芝房。秋殿清齋正受釐，迎和門外立諸姬。大官不進麒麟脯，御饌惟供五色芝。陳詞瘞玉奏鈞天，西苑宫牆近耤田。水旱恐煩祠后土，未央深處好祈年。夕烽千里照甘泉，一紙降魔勅已傳。急遣六丁乘羽駕，火輪金甲淨幽燕。靈藥金壺百和珍，仙家玉液字長春。朱衣擎出高玄殿，先賜分宜白髮臣。通天臺上接三台，景命重臨清醮開。拜舞不同郊社禮，科儀一一聖人裁。香通紫氣靄晴空，靈貺神休集聖躬。垂拱萬年如一日，禮臣何必議青宫。金符寶笈護雲英，鸞鶴銜將入上清。拜受玉霄龍鳳簡，元陽象一字分明。蓬萊方丈可梯航，勾漏丹砂近寄將。昨貯銀山高幾許，試持玉尺殿中量。瑞氣祥雲薄海濱，遠藩齊獻百千春。 進來白鹿高於馬，馴擾金階不畏人。桂枝山房集

原黄克晦西苑詩　雷殿清虚太液秋，至尊多在望仙樓。樹深宫闕東西合，月出星河上下流。麟圃紫芝春煜煜，兔園白鹿曉呦呦。軒轅鼎在龍髯斷，露箔風簾不上鈎。黄孔昭集

原張鳳翼西苑志感詩　芙蓉别殿未央西，烟氣晨飄雉尾齊。出洛神龜將寶籙，銜花馴鹿繞金閨。近臣拾翠供玄草，使者乘驄訪碧雞。一自六龍天上去，幾回清禁改璇題。處實堂集　以上十條原在宫室門，今移改。

增蕭良有西苑觀菊詩　禁苑春常在，黄花滿秀柯。隨風枝蕩漾，迎日影婆娑。香入靈均賦，芳傳漢武歌。誰云桃共李，占取歲華多。宛平縣志

增萬壽宫在西安門内迤南，大光明殿之東，成祖潛邸也。殿東西有永春、萬春諸宫，翼而前，爲門者三。或曰即舊仁壽宫。明世宗晚年愛静，常居西内。今朱垣隙地雜居内府

人役，間藝黍稷及堆官柴草。南曰草廠，北曰柴闌云。金鼇退食筆記

〔臣等謹按〕金鼇退食筆記所稱草廠者，今仍存其名。西爲永佑廟，又西爲大光明殿，迤南則拜斗殿也。

增壽明殿，壽明門。春明夢餘録

〔臣等謹按〕壽明殿，本朝乾隆三十九年修。殿額仍舊，殿基二重，高丈餘，殿三楹，中奉斗母，今其地猶稱爲拜斗殿云。

增永佑廟祀城隍神。城冊

〔臣等謹按〕永佑廟，雍正九年建，正殿恭懸世宗御書額曰順承協德。

原嘉靖三十六年十一月，大光明殿工成。明世宗實録

原大光明殿，門東向，曰登豐；曰廣福，曰廣和，曰廣寧。二重門曰玉宮，曰昭祥，曰凝瑞。前殿則大光明殿也。左太始殿，右太初殿。又有宣恩亭、饗祉亭、一陽亭、萬仙亭。後門曰永吉、左安、右安。中爲太極殿，東統宗殿，西總道殿。其帝師堂、積德殿、壽聖居、福真憩、禄仙室五所，毁於萬曆三十年。後有天元閣，下有闡元保祚。明宮殿額名

補崇禎十七年正月二日，帝於禁內大光明殿行祈穀禮。山書　以上三條原在宮室門，今移改。

〔臣等謹按〕大光明殿，本朝雍正十一年修，乾隆三十八年重修，恭懸御書扁聯。大

光明殿内奉玉皇，額曰鴻鈞廣運。聯曰：覆育普無私，穆然垂象；監臨昭有赫，儼若升階。太極殿内奉三清四御，額曰太初司化。聯曰：元氣薔函三，上清同契；道源分列四，統御兼成。天元閣上奉斗母后土寶月光元君，額曰溯源參妙。聯曰：月華育德資鴻運；雀御通靈洽富釐。閣下奉雷聲普化天尊，額曰鼓化持衡。聯曰：豫宣式宰扶陽令；解作兼資潤物功。又朱彝尊原書所引宫殿額名，門曰登豐、曰廣福、曰玉宫、曰永吉者，皆中門所懸額，今仍舊名。曰廣和、曰廣寧、曰昭祥、曰凝瑞、曰左安、曰右安者，皆左右門，今無額。大光明殿、太始殿、太初殿、一陽亭、萬仙亭、太極殿、統宗殿、總道殿所懸額今仍舊名。天元閣上額亦仍舊，下無額。宣恩亭、饗祉亭今爲鐘鼓亭，無額。太極殿兩旁曰三星殿、三皇殿、慈佑殿、慈濟殿，皆本朝添建，額皆清漢書。後有方丈三，亦係添建，無額，當卽原書所稱帝師堂舊址也。

增乾隆七年御製光明殿詩　今日三清境，前朝萬壽基。光明殿明萬壽宫地也。彤閶衛虎豹，青殿罩罘罳。鶴立千年柏，雲凝五色芝。瑶階裁玉砌，寶像笵金爲。詎慕神仙術？惟祈暘雨時。來齋心惕若，顧諟奉無私。

〔臣等謹按〕光明殿御製詩，恭載首見之篇，餘不備録。

【原】從南臺繞西堤，過射苑，有兔園。其中疊石爲山，穴山爲洞，東西分徑盤紆而上，至平砌又分繞至巔，布甃皆陶埏雲龍之象。砌上設數銅甕，灌水注池，池前玉盆内作盤龍昂首而起，激水從盆底一竅轉出龍吻，分入小洞，由大明殿側九曲注池中。殿旁喬松數株參立，百藤縈附於上，復懸蘿下垂，池邊多立奇石，一名小山子。西元集

【原】小山在仁壽宮之西。入清虚門，磴道盤屈，甃甓皆肖小龍文。疊石爲峯，巉巖森聳，元氏故物也。中官云，元人載此石自南至燕，每石一，準糧若干，俗呼折糧石。近歲重葺一亭，上扁曰鑒戒亭，亭中設櫥貯書，上至，以備覽。山頂曰清虚殿，俯瞰都城，歷歷可見。山腰累石爲洞，刻石肖龍，水自龍吻出，噴灑若簾。其前爲曲流觀，甃石引水，作九曲流觴。又南爲瑶景、翠林二亭，中架石梁，通東西兩池，金鱗游泳，大者可尺許。鈐山堂集

【原】大仙都殿，嘉靖二十八年三月，更大道殿。前有大道門，入清虚門曰清虚殿、鑒戒亭，俱嘉靖十三年八月建。又有曲流觀，翠林、瑶景二坊。旋坡臺，嘉靖二十八年三月，更仙臺。萬曆九年七月，添築方亭其上。四十年九月，榜曰迎仙亭。又有福巒、禄渚二坊。臺上牌額七：一玉光、二光華、三華輝、四輝真、五真境、六境仙、七仙臺。明宮殿額名

原嘉靖四十五年二月，造御憇等殿於大道殿果園中。明世宗實録

原朝元館，嘉靖四十五年五月建，萬曆二十八年五月毁。顯陽殿，萬曆二十九年五月建。景德殿，萬曆二十八年十月建。明宫殿額名

原兔兒山卽旋磨臺。天啓乙丑重陽，車駕臨幸，鐘鼓司邱印執板唱洛陽橋記攢眉黛鎖不開一闋。次年復如之。宫人相顧，以其近不祥也。天啓宫詞注

原文徵明詩　漢王游息有離宫，瑣闥朱扉迤邐通。別殿春風巢紫鳳，小山飛澗駕晴虹。團雲芝蓋翔林表，噴壑龍泉轉地中。簡朴由來堯舜事，故應梁苑不相同。甫田集

原廖道南清虚殿詩　峻極丹霄上，清虚碧海前。扶桑先見日，若木遠含烟。絶島移雲石，明河瀉瀑泉。仰看元象轉，身在蔚藍天。元素集

原陳悰詩　美人眉黛月同彎，侍駕登高薄暮還。共訝洛陽橋下曲，年年聲繞兔兒山。天啓宫詞　以上九條原在宫室門，今移改。

增兔園山在瀛臺之西。由大光明殿南行，疊石爲山，穴山爲洞，東西分徑，紆折至頂。殿曰清虚，俯瞰都城，歷歷可見。砌下暗設銅甕，灌水注池。池前玉盆内作盤龍，昂首而起，激水從盆底一竅轉出龍吻，分入小洞，由殿側九曲注池中。喬松數株參立，古藤縈繞，懸蘿下垂。池邊多立奇石，一名小山子，又曰小蓬萊。其前爲曲流觀、鑒戒亭。又南爲瑶景、翠林二亭，古木延翳，奇石錯立，架石通東西兩池。南北二梁之間曰旋磨臺，螺盤而上，其巔有甃，皆陶埏雲龍之象，相傳世宗禮斗於此。臺下周以深塹，梁上玉石欄柱，御道鑿團龍，至今堅完如故。老監云，明時重九或幸萬歲山，或幸兔兒山清

虛殿登高。宮眷内臣皆著重陽景菊花補服，喫迎霜兔、菊花酒。今山前亭觀盡廢，池亦就湮，僅餘一亭及清虛殿。金鼇退食筆記

〔臣等謹按〕旋磨臺，春明夢餘録載宮殿額名作旋波臺，朱彝尊又引作旋坡臺，其實一也。再考金鼇退食筆記云：臺下周塹、梁上石欄堅完如故，山前尚有一亭及清虛殿。則兔兒山、旋磨臺其時尚存。遺蹟今俱毁。其地東猶名拜斗殿。西爲今火藥庫。

原 司鑰庫旁有惜薪司。凡各宮取用炭，皆易州産，按尺寸鋸截，編小圓荆筐，用黄土刷筐盛之，名曰紅籮炭。廠中舊有香匠，製香餅獸炭，又造將軍等像，各成對，高三尺許，用金彩妝畫如門神，手面俱黑，名曰彩妝。於臘月二十四日奏安於宮殿各門兩旁，至次年二月仍歸本司。至魏忠賢擅政，改而大之，用傀儡體，高至八九尺，衣以綾絹，佩以兵器，夜則明燈守之。人敢怒而不敢言也。蕪史

補 楊士奇新改華蓋殿學士入奏，上望見，謂蹇義、夏原吉曰：新學士來奏事必有理，其共聽之。士奇言：惜薪司傳旨，賦北京山東棗八十萬，供宮禁香炭之用，雖是歲例，得無過多？上喜曰：朕固知學士言有理。卽命減除四十萬。明上諭録 以上二條原在宮室門，今移改。

原 正德三年八月，司禮監太監劉瑾傳旨，改惜薪司外新廠爲辦事廠，營府舊倉地爲内辦事廠。时既立西廠，以谷大用領之，瑾又立内廠，以張其威。京師謂之内行廠，比東西二廠尤爲酷烈。明武宗實録 原在郊坰門，今移改。

增 惜薪司掌印太監一員，總理僉書、掌道、掌司、寫字監工，及外廠、北廠、南廠、新南廠、新西廠各設僉書監工，俱無定員，掌所用薪炭之事。明史職官志

〔臣等謹按〕惜薪司今廢，其地猶稱惜薪司衚衕。中有雙節寺，寺内有正德元年鐘一，上鑄惜薪司佛堂字。西安門内街南之極西地也。考金鼇退食筆記云，惜薪司在西安門街南巷内，與今地正相合。則蕪史所稱司鑰庫旁有惜薪司者誤也。

欽定日下舊聞考卷四十三

城市 內城中城一

〔臣等謹按〕朱彝尊原書所分五城，與今地分不符。茲悉照現在五城界址册籍分編移改。

原 正南曰麗正門。輟耕録 原在宮室門，今移改。

〔臣等謹按〕輟耕録，元至元四年正月城京師，分十一門，各門名俱是年所定也。明史地理志，永樂間改爲九門，麗正門尚沿其舊。正統中，改爲正陽門。本朝仍其名。

增 城門上各起三滴水樓，凡九座。其月城外門上仍起敵樓，周圍各用甎石包甃。圖經志書

原 至正十年，京師麗正門樓上忽有人妄言災禍，鞫問之，自稱薊州人，已而不知所往。元史五行志

原 宋褧晚晴出麗正門詩 團團碧樹壓宮城，白鳳門楣澹日明。回首瓊華仙島上，寸雲猶欲砑新晴。燕石集

原 歐陽原功詩 麗正門當千步街，九重深處五雲開。雞人三唱萬官集，應制須迎學士來。圭齋集

原李孝光晚出麗正門和宋學士詩　暮光霞彩炫金題，絳闕高居雉堞低。上相樓臺連御苑，中郎車騎過沙堤。阜雕孤捩凌雲翮，紫燕雙翻蹀雪蹄。回首上林涼月夜，蘂珠多是鳳鸞棲。五峯集

原正陽門，洪武、永樂時尚沿元故名麗正。洪熙元年，正陽門名始見於實録。至正統二年十月，行在户部奏，麗正等門已改作正陽等門，其各門宣課司宜改從今名。從之。北平古今記

〔臣等謹按〕洪熙實録無正陽門之名，此條所引誤。

原正統己未夏四月，正陽門月城成。楊文敏集

原關帝廟在正陽門月城之右，每年五月十三日致祭。先十日，太常寺題遣本寺堂上官行禮。是日，民間賽會尤盛。凡國有大災則祭告之。廟有董太史書焦太史所撰碑記，時稱二絶。萬曆末特加封三界伏魔大帝神威遠鎮天尊，旨由中出，未嘗從詞臣擬定也。燕都遊覽志

原掌道經廠太監林朝，神廟時最有寵。漢壽亭侯封號，實朝所奏請也。蕪史

〔臣等謹按〕春明夢餘録，廟建於明初，廟中現存明萬曆間加封碑，作神威遠振天尊，門額又作遠鎮。燕都遊覽志蓋從門額也。

增全天敍正陽門關帝廟詩　草昧雲龍合，神霄鐵馬驤。壯心懸日月，獨力荷倫常。赫怒空羣醜，行師世一匡。英雄青簡淚，車騎白雲鄉。神器何來沸？炎精憎不芒。太阿迷倒柄，冠履錯恒方。冀北黄巾噪，關東赤斾央。老瞞眈虎視，孫竪劚鴟張。卓紹都勍敵，荆徐百戰場。覑顏尸爵禄，狡志啓封疆。膏血腥分土，戈鋋混八荒。紅塵飛欃箭，白日掃欃槍。涿野游麟定，中原覽鳳翔。寒烟嘘燧火，遠署樹樓桑。競逐平原鹿，誰憐燬室魴？髯侯決聖主，赤手挽天

潰。豐沛從龍種，雲逵齒雁行。深心憂國憯，大義報劉長。語用金蘭契，情同魚水忘。尊王探左氏，憤亂結中腸。杖策狥京雒，搴旗畧沔陽。時欣乘驥附，勇克捷鷹揚。却敵千軍廢，盟心百煉剛。運謨殲鬼蜮，裂眥殪天狼。戀主心逾石，辭曹語益莊。下邳聊玩寄，官渡亦劻勷。立績酬隆禮，披衷暴太陽。無辭就桀尹，終學報韓良。大業荆南創，英風夏口飈。濟師收四郡，蕩寇領全襄。拒肅陰謀伐，從詩亮節張。笑談渾褫魄，樽俎竟隳防。縶縛金虓怒，俘囚白馬戕。刺顔遄頓轡，誅華漫停觴。敦悦稱名將，艱危念國殤。精忠一劍在，火德萬夫望。帝京景物畧

〔臣等謹按〕焦竑碑存廟内。尚有四碑，一明萬曆癸丑張橋撰，耿志煒書。一萬曆丁丑趙端庭撰，白紹經書。其義聖忠王四大字碑，則天啓元年建也。禮部題定祀典碑，天啓七年建也。今並存。

增關帝廟在正陽門月城之右，本朝康熙十六年御書忠義扁額。大清一統志

〔臣等謹按〕九門月城俱有關帝廟，而士民香火之盛，以正陽門爲首。至春秋祀典，在地安門廟内。本朝加封位號及改正謚法，俱詳載地安門條下。

增觀音大士廟在月城東偏，與關廟對。本朝乾隆九年重修。廟壁有明萬曆壬辰修築都城碑記，兵部職方司郎中虞淳熙撰文。五城寺院册

增張照觀音大士廟碑記　京師正陽門甕城内，自明代以來，東西建雙廟，東祀觀音大士，西祀後漢關侯。關侯廟明有焦竑，國朝有施閏章，並爲碑記。碑雖無存，而記載於籍。惟大士廟未有聞，皇帝以命臣照。臣惟釋迦以一大乘教普度，情與無情，同歸覺海。嘗曰：如來者無所從來，亦無所去，故名如來。然則分之爲過去、未來、現在三身，而實無過去者、未來者、現在者，如如不動而已。乃此如如不動之中，四智出焉。爰有文殊、普賢、觀音。文殊是如來妙觀察智，普賢是如來平等性智，觀音是如來成所作智。佛是三聖大圓鏡智。以是四智，圓滿三身，然後竪窮三際，横亘十方。同是一如，固無如者。然則天二當陽，現吾三身而度世，固必以無緣大慈無作而成所作矣。古之祀典法施於民則祀之。況修己治人，無適而非用其妙用，安得不像設君室而尸祝之耶！如以梵爲非族，不在祀典，則不知觀音本自無身，又安得有中外也？京師五方輻輳，正陽門尤萬民所具瞻。游斯廟者，仰慧日之普明，蔭大雲之

慈妙，知十九應身之各自具足，二十五圓通之真教在音，目擊而音聞焉，本清淨心，運慈悲用，何莫非吾皇之錫汝保極歟？乾隆九年甲子元旦，尚書臣張照奉勅恭撰并書。

〔臣等謹按〕焦竑碑現存廟中，施閏章碑今無。張照文云俱無存，蓋未深考也。

原孟兆祥字允吉，交河人，天啓壬戌進士，官刑部右侍郎。崇禎十七年三月，守正陽門。賊至，死於門下。子章明，崇禎癸未進士，收父屍歸葬。母何氏亦死。章明與其妻王氏俱自經。昭忠録

原孟公預製漆棺一具貯邸中，致身許國，蓋其素志也。畿輔人物志

原任皞臣贊　忠臣何求，孝子之門。孝子何德，資父事君。嗟彼袁粲，今罕厥倫。惟公父子，奕世揚芬。表忠紀

〔朱彝尊原按〕天啓壬戌，先太傅文恪公充會試總裁官，是科得人最盛。先後殉難死者，自孟公外，則有田公景猷、馬公如蛟、王公國訓、盧公象昇、汪公喬年、黃公絅、王公徵、衛公景瑗、焦公覲祖、黃公孫茂、倪公元璐、王公家彥、吳公麟徵、尹公洗、龍公文光、祁公彪佳、徐公石麒、華公允誠、黃公道周、傅公冠、馬公思理、張公國維、王公錫袞、李公兆，其時地不同，自靖一也。

〔臣等謹按〕朱彝尊所載明季殉難諸臣，我國家定鼎之初，即賜謚典。如孟兆祥謚忠靖，倪元璐謚文正，王家彥謚忠毅，吳麟徵謚貞肅，皆見明史。乾隆四十一年，我皇上褒嘉義烈，命將明史及通志諸書所載未經予謚者，俱分別予謚。凡賜謚者一千五百八十四人，列祀典者一千九百二人。如盧象昇謚忠肅，祁彪佳謚忠惠，徐石麟謚忠懿，黃道周謚忠端，張國維謚忠愍，汪喬年、傅冠謚忠烈，尹洗、王錫袞謚烈

愍，馬如蛟、龍文光、王徵、衛景瑗謚忠節，王國訓、黄絅、黄孫茂、華允誠、馬思理謚節愍。下至匹夫之諒，咸蒙秩祀，所以扶植綱常者至矣。

原 大明門前棋盤天街，百貨雲集，乃向離之景也。穀城山房筆塵

原 棋盤街府部對列街之左右。天下士民工賈各以牒至，雲集於斯，肩摩轂擊，竟日喧囂。此亦見國家豐豫之景。長安客話

原 棋盤街在正陽門内，直宫禁大明門之前。每朝會諸典，京營將先期領營軍護衛駐足其中，樹幟甚盛。若乃天街步月，雖城中多曠，觀乎此屬第一。燕都遊覽志以上三條原在宫室門，今移改。

〔臣等謹按〕棋盤街，今大清門外仍其名。街東坊曰敷文，爲東江米巷；街西坊曰振武，爲西江米巷。

原 玉河卽西苑所受玉泉注入西湖，逶迤從御溝流而東，以注於大通河者。堤在東長安門翰林院東畔，有坊二，署曰玉河東西堤，其南北有三石梁。西堤舊有高柳，垂蔭水面。崇禎己巳冬，城守官軍禦寒無具，盡斫爲薪，僅存翰苑牆東一帶矣。燕都遊覽志

〔臣等謹按〕玉河三石梁今皆完固。翰苑牆東兩岸楊柳鬱葱可觀。其東西二坊無考。

增 玉河源出宛平縣玉泉山，匯爲昆明湖，分流而東，南入德勝門西水關，至皇城内太液池，由大内經金水橋流出玉河橋，達正陽門東水關，東流少北至東便門東水關，出注通

惠河，亦名御河，元時曰金水河，以其自西門入，故名。大清一統志

【原】何景明艷曲　御溝連上苑，大道接平沙。紫陌三千里，青樓十萬家。城中楊柳樹，風起暮飛花。大復山人集

【原】游潛詩　玉河清淺曉粼粼，緑漾平沙柳色新。兩岸樓臺春似畫，紫騮風滾落花塵。夢蕉存稿

【原】汪佃玉河柳詩　御溝新柳暗如烟，萬縷長條碧可憐。不是灞橋分手處，更誰攀折到離筵？東麓稿

【原】蔡羽玉河橋曉行詩　太液新波出建章，轆轤聲近想宮牆。殘星拂樹天橋淨，隔岸啼鶯禁籞長。紫氣凝香開北極，蒼龍乘日起東方。君王垂拱臨朝早，銀燭光中散鷺行。林屋集

【原】歐大任玉河堤上見新月詩　弦月纖纖照馬蹄，竹書猶把署中棲。溝前垂柳穿林影，禁裏新鶯過水啼。緹騎紛隨秦苑北，朱旗深護漢宮西。倦游不記長安道，千里關河怨解攜。歐虞部集

【原】王家屏玉河新柳詩　水繞沙堤曲，橋看御柳眠。柔條輕著雨，嫩葉暗抽烟。影落澄波細，陰垂畫檻偏。亭亭依漢苑，遲日待鶯遷。復宿山房集

【原】李先芳再過玉河堤作　馬蹄日日逐紅塵，白髮青山應笑人。昨日玉河堤上過，杏花開盡不知春。東岱山房稿

【增】馬祖常玉河詩　御溝春水曉潺湲，直似長虹曲似環。流入宮牆纔咫尺，便分天上與人間。大興縣志

【增】文衡山在詞林日，寓居禁城東玉河岸。春水一灣，新柳髿髿，每集文人吟咏其中。常自作燕山客舍圖，題云：燕山二月已春酣，宮柳烟霏水映藍。屋角疏花紅自好，相看終不是江南。春明夢餘録

【增】李孚青玉河新柳賦　皇都春早，紫甸寒輕。苑花穿蝶，宮樹流鶯。披玉河之新柳，裊弱質之盈盈。夫其芽點嫩黄，稊抽淺緑。好風之管領無邊，皓露之霑濡才足。紅牆東側，匼匝一灣；碧沼西頭，迷離幾曲？曉烟捲去，分明春水微波；夜月含來，亦似秋天初沐。纖穠骨格，忍被亞夫營裏之名；婉潤豐標，不作何妥巷邊之族。踠地金縷，瀰空麴塵。歐小侯之寶馬，蔭華胄之雕輪。摇颺龍池，十里之亭臺隱隱；依微鳳閣，千門之篝瓦鱗鱗。江北江南，梁苑之花似雪；三眠三起，漢宮之樹名人。原夫如線如絲，宜晴宜雨。等腰最削，賞眉偏嫵。横青兩岸，中淹蘭葉之舟；濃黛一堆，旁罨桃花之塢。評量才質，雲階月地之品流；檢校風情，騷客詞壇之宗主。既種性之殊恒，自結根之得所。乃有漢南抛擲，灞上攀牽。關山何處，洛中可憐。溧陽酒樓，無端三月；武昌堠館，重來幾年。此則短葉披塵，凄心𨻶𨻶；長條拂路，雅意纏綿者矣。至若中散門前，柴桑宅裏。桐分蔭以滿齋，槐夾直而成市。柳刺史柱林江上，幾歲栽培；杜拾遺秦川道中，連朝徙倚。金城摇落，擁腫十圍；板渚棲遲，綿延千里。雖邀顧盼之歡，未極遭逢之美。别有上林池館，樂遊綺羅。坊名永豐，殿號靈和。毬場晝藉，舞榭晨搓。帶蟬正好，翻燕如何！映酒

歆枝，全身似舞；隔簾吹絮，逸韻疑歌。然而京北街心，章臺樓角。縱極目以延縁，究殊情於今昨。覩此日之芳菲，冪御溝而綽約。先禁籞之朱櫻，壓階墀之紅藥。停寸晷以徘徊，記千株之約畧。神州沃壤，帝里濃膏。甘泉浹潤，太液分鐃。綴景瀛洲，昔藏鴉於密葉；飛華露掌，寧繫馬於柔條。一桁西山，嵐氣淋侵乎御陌；八星南耀，光芒騰射乎魁杓。歸院曾迷，插門亦可。子城陰處，零殘雪以猶霏；東面風過，排長衢而倍𩙪。王恭濯濯，對月爭妍；張緒依依，臨風獨坐。一夜絲絲新剪，能忘疇昔之染衫；五更寶炬如城，却憶清明之賜火。皇清文穎

增 金鉉字伯玉，崇禎元年進士，十七年春，改官兵部主事，巡視皇城。城破，鉉趨入朝，見宫人紛出，知帝已崩，即投金水河。家人爭前挽之。鉉口嚙其臂，得脱，遂躍入水。水淺，濡首泥中乃絶。賊居大内踰月出。金水河冠袍泛泛見水上，内官指之曰：此金兵部也。弟錝辨其屍，得鉉首，合以木身，歸如禮而殮。明史列傳

〔臣等謹按〕明金鉉，國初謚忠潔。

原 永樂十五年六月，於東安門下東南建十王邸，通爲屋八千三百五十楹。明成祖實録

原 宣德三年四月，新作公主府三所於諸王邸之南。明宣宗實録

原 烏蠻市在王府街之會同館。燕都遊覽志

〔臣等謹按〕明諸王公主府久廢，其地今名王府大街。烏蠻市無考。

原 明照坊六舖。五城坊巷衚衕集

原 宋褧明照坊對雨詩 章臺車馬去如流，白雨霏烟拂畫樓。九陌平鋪明似練，兩溝急瀉碧如油。美人虹見西山霽，少女風來北里秋。涼意滿襟簾幕卷，宫鴉歸樹夕陽收。燕石集

原 保大坊四舖，有府軍前衛、府軍左衛、羽林左衛、金吾左衛、金吾前衛、金吾後衛、虎賁左衛，迎禧觀、捨飯、旛竿寺。五城坊巷衚衕集

原 旛竿寺本永樂年建，日給光禄粟米三石，後府屬衛月辦柴薪萬二千五百斤，煮飯施貧

民。明武宗實録

原嘉靖元年正月，四川道監察御史鄭本公請出錢賑濟京師凍餓窮民。户部議，朝廷舊設養濟院，窮民各有記籍，無籍者收養蠟燭、旛竿二寺，衣布薪米廚料約歲費萬金，所存活甚衆。今院籍混淆，或以丁壯竄名，或以空名支費。二寺復設内官校尉，乾没罔利，民無所依，弊端坐此。請委官查記籍，革虚冒。其二寺添設内官校尉盡行罷減，惟遣光禄寺及宛、大二縣官以時更理其事，合用柴斤，令於臺基廠關支，五城兵馬日拊視道路窮民就食二寺。命如議行。明世宗實録

〔臣等謹按〕捨飯、旛竿寺在雙碾衚衕，本朝康熙三十二年重建，改名興福禪林。碑稱捨飯寺起於元至元間，歷明至今四百餘年云云，而無旛竿之名。考明張爵坊巷衚衕集所載捨飯旛竿寺，在雙碾衚衕下，南爲翠華衚衕，北爲弓絃衚衕。以地考之，則斯寺之爲旛竿寺無疑。又按明代施賑，止蠟燭、旛竿二寺，内官監放，虚冒無實。我朝五城設十廠，中城則給孤寺、佑聖庵，東城則華嚴寺、海會寺，南城則安國寺、積善寺，西城則增壽寺、萬明寺，北城則永光寺、廣善寺。每年十月一日起，至次年三月二十日止，坊官散給，御史稽查，都察院堂官不時察看，貧民均得仰沾實惠矣。

原延禧寺、迎禧觀在明照坊，俱有勅建碑。明順天府志

〔臣等謹按〕延禧寺在弓絃衚衕，明萬曆三十八年修，兵科給事中吴某撰碑。本朝康熙二十三年重修，有碑。考坊巷衚衕集，弓絃衚衕隸保大坊，順天府志作明照坊，誤也。迎禧觀在王府大街，碑云天順庚辰歲建。考朱彝尊原書，迎禧觀前條引坊巷衚衕集作保大坊，此條引順天府志作明照坊，互異。今以坊巷衚衕集所繪圖與現在地面詳勘，當以保大坊爲是。

補興福院在都城保大坊北，其主僧尼舍塵，至元中，平章政事王公毅、樞密副使吴公珪、福建宣慰使李公果始買今院地。至大德中，平章政事賈公與其夫人林氏引見於皇后，下教出財帛建其殿曰慈尊。延祐五年告成，奉旨禁護，掌教者錫名清修妙行以褒美之。清容居士集

〔臣等謹按〕興福院今無考。

原崇真萬壽宮在府南蓬萊坊，元至元中建，翰林學士王構爲記。真人張留孫、吴全節相繼居此，俗名天師庵。明一統志

補崇真萬壽宮有五色薔薇，是閒閒吴真人手種。巢睫集

增張留孫字師漢，信州貴溪人。少時入龍虎山爲道士，有道人相之曰：神仙宰相也。至元十三年，從天師張宗演入朝。世祖與語稱旨，遂留侍闕下，建崇真宮於兩京，俾留孫居之。其徒吴全節字成季，饒州安仁人。至元二十四年

至京師，從留孫見世祖。每歲侍從行幸，所司給廬帳車馬衣服廩餼，著爲令。元史釋老傳

原延祐七年七月，命元教宗師張留孫修醮事於崇真宮。元史英宗紀

原世祖混同海宇，而神德真君張公入覲，上悦，卽兩都皆建崇真宮居之，號公天師。吴文正集

原吴澄瑞鶴記　泰定元年春，左丞相傳旨，命元教大宗師吴全節於崇真萬壽宮虔告於天，有祈有報。元教之士供給於齋宮者千人。將事之時，有鶴自東南來者三，俯臨祠壇，飛繞久之乃去。成事之日，有鶴自青冥下者二，復臨祠壇飛鳴久之而上。瑞應上聞，有旨命詞臣撰録。若稽諸古，一變之樂能致羽物，九成之韶能來儀鳳。況聖天子敬天之誠乎？誠之所感，何所不至。鶴者羽物之族，儀鳳之倫，其致其來，固其宜爾。吴文正集

原果囉洛納延題崇真宮陳鍊師壁間竹梅邀倪仲愷同賦　空谷天寒雪如堵，短篷載酒滄江浦。繫船偶傍竹籬根，一樹梅花纔半吐。別來京國久相思，夢斷愁聞畫角吹。忽見新圖寫幽趣，令人却憶剡溪時。寄語南城倪博士，取琴對此彈秋水。中秋月上不須歸，共倒清樽醉花底。金臺集

原張翥中秋玩月崇真萬壽宮詩　西風吹月出雲端，松柏流光繞石壇。上國山河天廣大，仙家樓觀夜高寒。似聞玉杵鳴玄兔，疑有瑤笙下翠鸞。只把酒杯供醉賞，不知零露滿金盤。蜕菴集

原曾棨崇真萬壽宮訪葛太常作　崇真宮闕禁城東，舊説真人住此中。鳳去緱山虚夜月，鶴歸華表怨秋風。飛花入户丹房静，古木垂蘿碧殿空。一笑忽逢勾漏令，將因暇日問參同。巢睫集

〔朱彝尊原按〕元有二崇真宮：一在上都，易之詩所云珠宮灤水上是也；一在大都，今之天師庵。

補馬祖常崇真宮西梨花詩　春日梨花下，相逢把臂行。香痕憐粉白，酒暈惜紅輕。影動簾穿燕，聲來樹度鶯。共當拚一醉，莫待鬢華生。石田集

補倪瓚張尊師祠醮致瑞鶴詩　我識白雲君，尚有赤松子。仙署閟清嚴，社公隨役使。步虚禮初日，飛神謁鈞天。時有五白鶴，飛飛繞香烟。手栽千樹桃，風吹劫灰燼。避世星壇西，深山聞清磬。倏來密霧集，忽逐冷風還。定裏遺瑶瑟，空中鏘珮環。清閟閣集

〔臣等謹按〕崇真宮一名天師庵。明一統志云，在府南蓬萊坊。畿輔志云，在大興縣

南。今無考。按坊巷衚衕集，天師庵在草廠眉掠衚衕，與惠民藥局毗連敍次。今藥局遺址尚存，則天師庵疑與相近。

原 昭回坊、靖恭坊在北安門東，共十四鋪。有圓恩寺、福祥寺、裟衣寺。五城坊巷衚衕集

原 福祥寺在靖恭坊，有勅建碑。明順天府志 以上二條原書列在北城，今移改。

〔臣等謹按〕福祥寺在今蓑衣衚衕前，舊作裟衣寺，中有明弘治十一年黎珏撰記。正德戊辰修，侍講沈燾撰碑。萬曆癸丑重修，大學士趙志臯撰碑。裟衣寺今廢。再按朱彝尊原書，二寺隸北城，今移改。圓恩寺詳北城本條下。

原 小時雍坊五鋪。五城坊巷衚衕集

原 崔子鍾好劇飲，嘗至五鼓，踏月長安街，席地坐。李文正時以元相朝天，偶過早，遥望之曰：非子鍾耶？崔便趨至輿旁，拱曰：吾師得少住乎？李曰：佳。便脱衣行觴。火城漸繁，始分手别。藝苑卮言

原 金幼孜晚出西長安門詩 白髮毿毿老從官，籃輿自便懶登鞍。京華久住交游少，惟有西山耐久看。金文靖集

原 王穉登春雪曲 春風吹雪下桑乾，添得城中一夜寒。鳷鵲樓高消不盡，長安街上馬頭看。燕市集

原 雙塔寺即元慶壽寺，在西長安街。塔二：一九級，一七級。春明夢餘録

原 九級者額曰特贈光天普照佛日圓明海雲佑聖國師之塔，碑題燕京編修所次二官王萬慶撰。畧曰：海雲名印簡，山西之寧遠人。八歲禮中觀沼公受戒，修童子行。年十一，能開衆講義，濟衆凶歲。金宣宗聞之，賜號通元廣慧大師。寧遠城陷，師與中觀皆執。青

吉斯皇帝遣使語太師國王曰：老長老、小長老可好！自是天下稱小長老焉。一夕，夢神速其行，乃來燕。時中和老人章公住燕之慶壽寺，夢僧杖而入門，踞獅子座，是日師至。師每言於大官人胡土克曰：孔子聖人，宜世封以祀。又言：顔子、孟子後及習周孔學者皆宜免差役，勤服其業。從之。詔試僧道，不通經者還編户。師所著語録曰雜毒海。前後得其法者十四人。可庵朗公繼主慶壽寺焉。七級者額曰佛日圓照大禪師可庵之靈塔。今寺尚有海雲、可庵二像，衣皆團龍魚袋。海雲像，其弟子劉秉忠作贊。帝京景物畧 按：青吉斯，舊作成吉思，今照蒙古源流改正。胡土克，義見前，舊作忽都護。今譯改。

增大蒙古國燕京大慶壽寺西堂海雲大禪師碑記略　師山西嵐谷寧遠人，俗姓宋氏。禮中觀沼公受戒，修童子行。崇慶改元，受金朝衞紹王恩賜，納具足戒，時年始十一。後三年，從中觀寓嵐州之廣惠寺，已能陞座講演經文。時天下凶儉，人相食，師竭力濟衆。宣宗聞之，賜通元廣慧大師之號。初，寧遠城陷，師與其師中觀皆被執。青吉斯皇帝遣使語太師國王曰：老長老、小長老可好！存濟無令欺辱。由是天下皆以小長老稱之。及師在嵐州，太師國王復將兵至城下，中觀慮城陷不免，謂師曰：吾老矣，死亦爲宜。汝方妙齡，求生路可也。師泣曰：死生有命，今在危難之際，豈忍棄師而獨求生！況衲子家風，又何有死生之可惑而亂於心乎？中觀聞之喜曰：汝心既定計，汝緣當在北方，吾亦與汝俱北矣。中觀示寂，師爲殯葬，守其墳。夢神人告曰：今時已至，當行矣。乃來燕。時中和老人章公住燕之慶壽寺，夢一僧携杖徑入方丈，踞獅子座。是日師來，中和與問答，深有所契，遂以衣鉢付之。癸巳，丞相霞哩奉詔來燕，謁師請訓，法名受戒。師聞丞相以嚴爲治，乃勸之以幽燕殘民，遭罹變故，正宜安輯。丞相從之，遂成善治。至如胡土克大官人蝗災之問，師對以官政民心共感之致。問出獵，則對以救人爲急。問刑賞，對以仁恕爲心。及使臣來謁，師亦勸以慈悲安利衆生。使臣雖不能悉從，亦重其教焉。初，孔聖之後襲封衍聖公，元措自汴渡河，復曲阜廟林以祀。師言於胡土克大官人曰：孔子天生聖人，襲封凡歷五十一代，有國者皆使之承襲祀事，未之或闕。大官人從其請，使復襲爵以繼祀事焉。師復請顔子、孟子後及習孔周之業者皆免差役，使勤其教。凡與當世王侯論治民之道，必以儒教爲先。歲在丙申，朝廷差官選僧道。丞相霞哩問之曰：今奉聖旨試經，不識字者令還俗。師對曰：僧本不尚世學，以悟爲期，豈宜與聘士同科？丞相以是言白於大官人奏聞，由是考試無復退落。尋有詔，聽僧道如故。按：霞哩，滿洲語斜眼也，舊作厦哩。今譯改。

〔臣等謹按〕慶壽寺海雲禪師本末，朱彝尊原書引帝京景物略載王萬慶碑文多有脱落舛誤處，即如碑云受金朝衞紹王恩賜納具足戒，時年始十一，後三年能陞座講經。而帝京景物略則云年十一能開衆講義。又通元廣慧大師慧字誤作惠。又奉旨試經一節只載試僧道不通經者還編户一語，而截去師言於霞哩，霞哩言於大官人奏聞考試無復退落等句，則事實全失。今原本現存寺壁，文多漫漶，故節録以資考證云。

【原】至元三年四月，勅僧道祈福於中都寺觀，詔以僧機爲總統，居慶壽寺。元史世祖紀

【原】耶律楚材爲慶壽寺化萬僧疏　隱迹林泉，置死生於度外；隨身瓶鉢，寄口腹於人間。欲隆三寶之風，强遣萬僧之化。何須異味，惟求野菜黄虀；不用多般，只要山田脱粟。湛然居士集

【原】至順二年三月，繪皇太子真容奉安慶壽寺之東鹿頂殿，如累朝神御殿儀。元史文宗紀

【補】中統元年，賜慶壽寺海雲師陸地五百頃。續文獻通考

【補】忠烈王三十二年，王如元，欲與前王俱東還，王維紹等譏搆兩宫，謀廢嫡，以瑞興侯琠尚前王公主爲嗣。三十三年，元成宗崩，前王與皇姪阿裕爾巴里巴特喇太子及右丞相達爾罕等定策，迎立懷寧王海山爲帝。奉太子旨，捕王維紹等囚之，遷王於慶壽寺。東國史略　按阿裕爾義見前。巴里，梵語威也，巴特喇，好也，舊作愛育黎拔力八達。今譯改。

【原】北京慶壽寺碑，金党懷英八分書，最妙。正統中惜爲中人所毁。格古要論補

【原】党懷英工篆籀，當時稱爲第一。金史文藝傳

原懷英小篆，李陽冰以來鮮有及者。滏水集

原慶壽寺舊有石刻金章宗飛渡橋飛虹橋六大字，嘉靖十七年燬。春明夢餘録

補慶壽精藍丈室之前，松檜盈庭，景色蕭爽。嘗引流水貫東西梁。今水堙橋廢，止存二石屏，上刻飛渡橋飛虹橋六大字，筆力遒婉，勢極飛動，有王禮部無競風格。寺中相傳亡金道陵筆也。秋澗集

原姚廣孝住北平慶壽寺，事上藩邸。明成祖實録

增道衍字斯道，長洲人。出家妙智庵。太宗卽位，授資善大夫太子少師，復姓姚，賜名廣孝，輔太子南京。命蓄髮三，終不肯；賜兩宮人，亦不近。永樂六年，朝北京，居慶壽寺。江南通志

原宣德七年二月，監察御史李得全劾僧録司右覺義大旺於慶壽寺擅創樓閣，上命錦衣衛執大旺等付都察院鞫之。明宣宗實録

原慶壽寺僧覺貴創毘盧閣，高出數十丈。虞祥爲禮科給事中，抗疏論其罪。宣宗怒，命毁閣，下覺貴於獄。明英宗實録

補成化間，太監王高休沐，居慶壽寺，時有兵部尚書某往謁之。會都御史王越、户部尚書陳鉞亦至。高良久始出，揖諸公坐，謂曰：昔王振用事，六卿多通私謁，人以爲擅權。今諸公見訪，安知外人不議高耶？且諸公訪高，不識以高爲何如人？兵部曰：公聖人也。高作色曰：大而化之之謂聖，孔子尚曰則吾豈敢，高何人而敢謂聖人？辨之亹亹將百言，衆惴不能出氣。高既卒，諸公相次以事敗。瑯琊漫抄

原慶壽寺亦名大慈恩寺，在禁牆西，俗呼曰演象所。初，文皇欲爲姚廣孝建第，廣孝固辭，竟居慶壽寺中，後退居天寧寺。百官遂於慶壽習儀。燕都遊覽志

【增】慶壽寺西有雲團師與可庵大師二塔，正當築城要衝。時相奏世祖。有旨命圈裹入城内。於以見聖德涵融者如是。析津志

【原】正統十三年二月，修大興隆寺。寺初名慶壽，在禁城西。金章宗時所創。太監王振言其朽敝，上命役軍民萬人重修，費至鉅萬。既成，壯麗甲於京都諸寺。改賜今額，樹牌樓，號第一叢林，上躬臨幸焉。十三年十月，工完。督工太監尚義、工部右侍郎王永和、内官黎賢、主事蒯祥，各賞鈔有差。明英宗實録

【補】興隆寺有八景，弘正間都下諸公賦詩成卷，馬東田爲之跋尾。今詢之寺僧，罕有知者。人海記

【增】大興隆寺碑李晏撰　春明夢餘録

【原】姚少師廣孝故配享太廟，學士廖道南疏請革之。上亦以廣孝釋氏之徒，不當配食，乃撤廟主移祀於大興隆寺。明世廟識餘録

【原】嘉靖九年，右春坊右中允廖道南奏：太廟功臣配享，永樂以來，附以姚廣孝。今大興隆寺有廣孝影堂像，削髮披緇，不可上比聖祖開國功臣之例，乞爲釐正。旨下禮部議。於是大學士張璁、桂萼咸曰：廣孝事文皇帝，雖有帷幄之謀，厥後加以穹秩，錫以顯爵，亦足以酬其勞矣。又列於功臣，與享太廟，削髮披緇，榮沾俎豆，揆之義理，實非所宜。列祖在天之靈必有所不安者。廣孝配位相應撤去。但係先朝功臣，載在祀典，合無移祀於大興隆寺祠内，每歲春秋，遣太常官致祭。庶宗廟之禮秩然有嚴；報功之典，兼盡無遺矣。上是之，告於皇祖太宗而行。遣祭文曰：皇帝遣太常寺賜祭於榮國恭靖公贈少師姚廣孝曰：當昔成祖文皇帝靖難之時，爾克贊成祖，以平多難。成祖不爾棄，與諸功臣并行封贈，配食廟庭。朕勑禮曹還爾位於兹寺中。今特遣祭，爾其歆承！明嘉靖祀典

【原】十四年四月，大興隆寺災。御史諸演言：佛者非聖人之法，惑世誣民。皇上御極，命京師内外毀寺宇，汰尼僧，將挽回天下於三代之隆。今大興隆寺之災，可驗陛下之排斥

佛教深契天心矣。又言寺基甚廣，宜改爲習儀祝聖之處。上不可。部議請改僧録司於大隆善寺，并遷姚廣孝牌位，散遺僧徒。明典彙

原 嘉靖十五年五月，諭改大興隆寺爲講武堂。同上

原 嘉靖初廢大慈恩寺，從錦衣衛之請，卽其地改爲射所。上以金鼓聲徹於大内，擬改建元明宫，別以大興隆地爲射所。都督陸炳言：大興隆地亦逼禁城，惟安定門外有廢官廳，宜將宣武門外民兵教場移此，而移射所於民兵教場，射所舊地改爲演象所。得旨允行。湧幢小品

原 今京城内西長安街射所亦名演象所，故大慈恩寺也。嘉靖間毁於火，後詔遂廢之，爲點視軍士及演馬教射之地。象以非時來，偶一演之耳。會試放榜次日，新郎君並集於其市官廳内，請見兩大座主，榜首獻茶於前。亦可作南宫一佳話。竊謂慈恩寺名正與唐曲江名暗合，何不卽以雁塔題名事屬之，每三年輒許南宫諸彦泚筆記名姓於中，亦清朝盛事。而僅充芻牧决拾之場耶！野獲編

原 崇禎甲申三月十九日，都城破。工部尚書兼東閣大學士吴橋范公景文先已絶粒不食，至是見賊騎縱横，望闕哭，於雙塔寺旁井中死之。畿輔人物志

〔朱彝尊原按〕昭忠録稱范公死於龍泉庵井中，未詳孰是。

〔臣等謹按〕明史，景文殉節於雙塔寺井中，昭忠録誤。國初謚曰文忠。

【原】程鉅夫大慶壽寺大藏經碑　聖人之書，皆不得已而有言者也。西方之聖人，虛空爲本，寂滅爲宗，而積其書至五千四十八卷，其得已哉！蓋迷待法而悟，故不可以無法；法待言而立，故不可以無言。書者，言之寄也。於是後世尊其書，建大寶藏而藏之，名曰大藏經。俾學之者沿經以求法，悟法以成佛。然則由言語文字以至虛空寂滅，經之功不既大矣乎？國家崇信佛法，建大佛寺必置經藏，叢天下之工書者，泥黄金繕寫以示其嚴。選天下之善鍥者，刊美木傳刻以致其廣。京師諸寺日飯僧，端坐羣誦，撞鐘吹螺，晝夜不絕。歲又一再遣使乘驛奉香幣，徧天下亦如之，斯盡恒河沙界並受其福。於虖至矣！東南海濱之國，高句麗古稱詩書禮義之邦，奉佛尤謹。皇元之有天下，聞風來附。世祖皇帝結之恩，待之禮，亦最優異。父子繼王，並列貳館。今王又以聰明忠孝爲皇帝皇太后所親幸。大德乙巳，乃施經一藏入大慶壽寺，歸美以報於上。寺爲裕皇祝釐之所，於京城諸刹爲最古。皇慶元年夏六月，請某爲文勒之石。王名章，好賢樂善，有德有文。逮事世祖，以皇甥爲世子，入宿衛，被賞識。成宗朝選尚公主。大德末年，從今上平内難，立武宗有功。爲推忠揆義協謀佐運功臣，開府儀同三司，太子太師，上柱國，駙馬都尉，瀋王，征東行中書省右丞相，嗣高麗國王。今上卽皇帝位，策勳加太尉。寺住持西雲師名子安，法行高卓，累朝所器重，賜號佛光慈照明極淨慧大禪師，官榮禄大夫，大司空，領臨濟一宗事。雪樓集

【原】趙孟頫慶壽僧舍卽事詩　白雨映青松，蕭颯灑朱閣。稍覺暑氣銷，微涼度疏箔。客居秋寺古，心跡俱寂寞。夕蟲鳴階砌，孤螢炯叢薄。展轉懷故鄉，時聞風鳴鐸。松雪齋集

【原】吳萊從丞相園入慶壽寺詩　我來燕山遊俠場，九衢飛沙白日黄。大車高馬紛騰驤，賓客追逐如風狂。丞相花園雕玉房，杏栟粉橑相低昂。雪崖冰谷寒不僵，土脈瘴盈芒樹長。美人素手行瓊觴，清歌艷舞調絲簧。鶯金蝶粉醉有香，燕丹遺俗今則常。倚城孤塔屹寶坊，天仙夕降飄鳴璫。青旗絳節狻猊牀，凌冬翠柏列兩行，下引碧竇跨虹梁。誰歟造者完顔王。衰年上壽面生光，第一齋僧無諫章，九州四海遂不康。寒烟蔓草吁可傷，蕭然極目捎平岡。燕南趙北天茫茫，快騎黄鶴歸故鄉。淵穎集

【原】楊一清興隆寺詩　三日興隆寺裏齋，綵幢繚繞覆天街。過門不敢長驅馬，上有君王萬歲牌。石淙藁

【原】韓邦靖飲興隆寺詩　萬里烟塵暮，相逢老衲衣。盤飧無肉食，生計有柴扉。病骨春仍健，浮名靜覺非。紛紛明日事，潦倒夜深歸。韓汝慶集

【原】吳國倫雙塔寺詩　石塔參差御苑西，凌空雙雁識招提。梵鈴風起聲相激，仙掌雲分勢欲齊。似引飛鳧朝帝闕，豈煩鳴馬護禪棲。長安落日馳車騎，何處逢人路不迷！甔甀洞稿

【原】王衡詩　草掩荆扉久，徒行亦偶然。爲貪楊柳色，忽到杏花前。珠勒分弓影，春衫傍酒船。都緣無底興，隨意繞牆眠。王緱山集

〔臣等謹按〕大慶壽寺創於金章宗時。明正統中重修，易名曰大興隆寺，又曰慈恩

寺。嘉靖初，寺廢，後卽其地爲射所，名曰講武堂，又以爲演象所。今西長安街北有雙塔慶壽寺，殿廡數楹，乃本朝乾隆二十九年重修，雙塔在寺西偏。再考寺北稍東有關帝廟。又東北半里許亦有名慶壽寺者，中有明崇禎間重修廟碑記，敘寺名原委，與諸書相同。又云，射所中有殿宇，祀北極關帝，西爲庫藏。歲戊寅修廢補缺，於庫中得石刻，上鐫帝君聖號，遂捐資遷奉，乃建此寺。是慶壽寺地本宏廠，頽廢已久，今前後兩寺皆非其舊。特以雙塔尚存而地仍遺址，故兩寺雖後來重建，猶均存慶壽之名耳。金章宗及党懷英書今俱無考。

原朝爽樓在雙塔寺後，呂氏園中樓也。燕都遊覽志

〔臣等謹按〕呂氏園無考。今雙塔寺後有名菜園者，或卽其地歟！

欽定日下舊聞考卷四十四

城市 内城中城二

原 李長沙賜第在西長安門西，俗呼李閣老衚衕是也。渌水亭雜識　原在北城，今移改。

原 李文正公東陽賜第在灰廠小巷李閣老衚衕。長安客話

原 李文正賜第久析爲民居。嘉靖乙酉，麻城耿公定向首議贖還爲公祠，祀公像。有雙履，履二寸許，絆繫之，一粗紵小衫，公舉奇童時著以見景帝者。耿爲具篋，撰文鏤篋蓋，藏之祠。帝京景物略

增 懷麓堂，李文正第堂名也。公名東陽，字賓之，茶陵人。春明夢餘録

〔臣等謹按〕李東陽賜第爲祠久廢，今其地猶名爲李閣老衚衕。中有耿氏房園，雖已頽圮，地甚寬敞，應即其遺址。

原 湛園即关仲詔先生宅之左。先生自叙曰：歲丁酉，居長安之苑西，爲園曰湛，有石丈齋、石林、仙籟館、茶寮、書畫船、繡佛居、竹渚、敲雲亭。曲水繞亭可以流觴，即以

灌竹。竹外轉而松關，又轉而花逕，則飲光樓在望，衆香國蓋其下也。別逕十數級，可以達臺，是爲猗臺，俯瞰蔬圃。燕都游覽志

原 米氏萬鍾嗜石成癖，宦游四方，所積惟石而已。最奇者有五，一靈壁石，高四寸有奇，延袤坡陀，勢如大山，四面如畫家皴法，岩腹近山脚特起一小方臺，凝厚而削。臺面刻伯原二字，小篆絶佳。伯原，元杜本字也。一靈壁石，非方非圓，渾樸天成，週遭望之皆如屏嶂，有脈兩道，作殷紅色，一脈闊如小指，一細如縷絲，自頂上凹處垂下，如湫瀑之射朝日。石高可八寸許，圍徑尺，其聲鏗亮，色純黑，凝潤如膏，俱磬山産也。一英德石，高四寸，長七寸，如雙虬盤卧，玲瓏透漏，千蹊萬徑，穿孔鈎連。一兗州石，大如拳，灰褐色，巉嵓渾雅，堅緻有聲。或曰出嶧山深谷中。一仇池石，大亦如拳，聲如響磬，峯巒洞壑，奇巧殊絶。公刻其底曰小武夷。五石各具形勝，皆數百年物。奇石記

原 古雲山房，米太僕萬鍾之居也。太僕好奇石，蓄置其中。其最著者爲非非石，數峯孤聳，儼然小九子山也。又一黄石，高四尺，通體玲瓏，光潤如玉。一青石，高七尺，形如片雲欲墮。後刻元符元年二月丙申米芾題。又有泗濱浮玉四篆字。太僕常以所蓄石令閩人吴文仲繪爲一卷，董思白、李本寧爲之跋尾。春明夢餘録

原 米萬鍾自題湛園詩　主人心本湛，以湛名其園。有時成坐隱，爲客開清樽。閒雲歸竹渚，落日深松門。登臺候山月，流輝如晤言。勺園集

原 袁伯修寓近西長安門，有小亭曰抱甕，伯修所自名也。亭外多花木，西有大柏六，長夏涼陰滿階。梨樹二，花甚繁，開時香雪滿庭。隙地皆種蔬，宛似村莊。小奴負甕注水，日夜不休。燕都游覽志

〔臣等謹按〕湛園、古雲山房、抱甕亭今俱廢。

原 永樂二十二年十一月，賜衍聖公孔彦縉宅於京師。彦縉數來朝，皆館於民家。上聞之，顧近臣曰：四夷朝貢之使皆有公館，先聖子孫乃寓宿於民家，何以稱崇儒之意？遂

命工部賜宅。立齋閒録

增英宗復辟，孔宏緒入賀，朝見便殿。帝握其手置膝上，語良久。宏緒纔十歲，進止有儀，帝甚悦。每歲入賀聖壽，帝聞其賜第湫隘，以大第易之。明史列傳

〔臣等謹按〕明史列傳，仁宗踐阼，孔彦縉來朝，賜宅東安門外，是卽立齋閒録所記賜宅事也。按闕里文獻考云，宅在東安門北，今已不可考。後英宗聞賜第湫隘，以大第易之，卽今太僕寺街第也。

增崇禎十七年甲申三月十七日，太僕寺街查氏一門九女子投繯死。十九日，流賊破城，入其室，顔如生。賊曰：僞死也。引刀試之，駭而去。是日繩絶，二女復甦，一度爲尼，一壽終。查氏烈女編

增陳儀查氏七烈傳略　七烈者，查氏三女子兩娣姒，一黄氏女子，一廉氏母，皆以亡明甲申三月城破之前一日，致命於查氏之廬者也。黄氏，查之自出，廉因其女爲查側室，同居同死，故附於查氏云。查氏四姑，前己酉副榜忠之女，適黄氏。黄之族有附客魏者，黄翁勸與往還。四姑私誡其夫曰：權貴如冰山，一朝傾頽，禍及我。由是與之絶。及客魏誅，翁一門獨完。中年夫歿，攜幼女依兄以居。兄國英、國才，國英妻周氏，娣張氏，國才妻也。四姑之依於兄也，與嫂氏尤相愛。每挑燈讀古今節孝事，幼女四人從旁聽之，或至泣下。四女者，長女字二姑，周氏子，次三姑四姑張氏子，黄氏幼女亦字三姑家，人以其姓别之，隨母四姑居於舅氏者也。國英已歿，崇禎甲申三月，流寇猝至，外城陷，國才謂周氏曰：内城破不移時，吾查氏三世居京師，爲民望，與國俱滅無恨。奈弱累何！時張氏、黄四姑、廉氏母女皆在坐。廉氏者國才之妾，其母寡無子，依女以居，稱爲廉母云。周氏曰：叔無慮，未亡人幸以清白之軀從爾兄地下，何苦爲？國才顧謂張氏曰：嫂未有命，吾不敢言。今既決，大事畢矣。趨前再拜。張氏四人齊聲應曰：孺人就義，我輩欣相從。周氏趣召四女至，語之。二姑曰：兒等志早定，俟母命耳。忽門外呼聲動天，周氏急揮國才出，卽羅拜天地，以次就縊。國才至暮歸殮，唯妾廉氏與幼女四姑二繩欲絶，胸間猶微温，解之而蘇。同縊者九人，死者七人：周氏年四十四，張氏年三十六，廉母與黄四姑皆長於周氏二歲，二姑、三姑俱年十六。亂稍定，廉氏度爲尼，年纔二十，幼女後適王氏，今八十餘矣。縊時年十二。陳子翽集

原普恩寺在安富坊。明順天府志

〔臣等謹按〕普恩寺今存，内有明成化壬子丁酉年重修碑。

原永樂十五年三月，建洪恩靈濟宮於北京，祀徐知證及其弟知諤。初，徐温事吴楊行密，及温養子徐知誥代楊氏有國，封知證爲江王，知諤爲饒王。嘗帥兵入閩靖羣盜，閩人德之，爲立生祠於閩縣之鰲峯，累著靈應。宋高宗敕賜祠額靈濟宮。入國朝，靈應尤著。上聞，遣人以事禱之，輒應。至是命立廟皇城之西，賜名洪恩靈濟宮，加封知證爲九天金闕明道達德大仙顯靈普濟清微洞元沖虚妙感慈恩護國庇民洪恩真君，知諤爲九天玉闕宣化扶教上仙昭靈博濟高明宏静沖湛妙應仁惠輔國佑民洪恩真君。明成祖實録

原神父封翊亮真人，繼又進封爲真君。神母曰淑善仙妃，金闕配曰真應仙妃，玉闕配曰恭靖仙妃。西園聞見録

原男子曾甲，世居閩縣金鰲峯下灌園。園中有破祠，其神常棲箕，自稱兄弟二人，南唐徐知誥之弟知證、知諤也。晉開運二年，率師入閩，秋毫無犯，閩人祀我於此。自是書符療病，驗若影響。永樂間，成祖皇帝北征不豫，詔曾甲入侍，運箕有驗，遂封知證清微洞元真人，知諤弘靖高明真人，勅有司建廟。晉安逸志

〔臣等謹按〕明史禮志閩縣所祀靈濟宮，乃徐温子知證、知諤。晉安逸志作知詳，詳字乃諤字之誤，今改正。

原正統元年正月，御製洪恩靈濟宮碑文。明英宗實録

原英宗御製靈濟宮碑略　神之先蓋出顓頊之後，封國於齊。至偃王，修行仁義，得國人心，致後嗣之繁。逮神伯仲，皆南唐義祖忠武皇帝之子，伯封江王，仲封饒王。初奉命守金陵，後俱奉命率師入閩，愛民之至，民用慕戴，建生祠於金鰲峯之北，圖像致敬，如嚴父焉。一日謂衆曰：來歲我與汝别，然不忍汝違。及期相繼化去。未幾，神降於人，言並奉上帝命，列職斗宫。於是閩人益虔祀禮。祠下有潭，遇旱禱者，潭出赤蛇，雲氣隨起潭面，甘雨如注，

潢溪霖潦暴溢，民庶倉皇望祠致懇。忽有役夫如雲，操畚锸疏瀹，水不爲患，而竟失役夫所在。宋熙寧中，閩人劉彝知桂州，禦蠻寇，韓世忠戰大儀鎮，吴玠戰和尚原，皆得神助以捷。蓋神生有至德，殁著明靈，爲國家生民殄遏邪沴，愈遠而愈盛也。我皇曾祖太宗文皇帝臨御，常夢二神人言南處海濱，來輔家國。上異之，明日適有禮官言閩中靈濟二真君事，正符所夢，遂專使函香迎請神像至於北京，而於宮城之西南作洪恩靈濟宫以奉祀事。因神舊號，加以徽稱。惟神至仁，有禱輒應。歲時薦祭，式豐以嚴。皇祖仁宗昭皇帝、皇考宣宗章皇帝率循舊章，咸隆祇禮。朕承天序，仰體先志，增崇祠宇，賓奉威靈。復加神號曰九天金闕明道達德大仙顯靈溥濟清微洞元沖虚妙感慈惠護國庇民崇福洪恩真君，九天玉闕宣化扶教上仙昭靈博濟高明宏静沖湛妙應仁惠輔國佑民隆福洪恩真君，因祠之成，書神世系及功德之大者，刻諸貞石以示久遠。同上

原 成化二十二年，重加尊號，伯曰九天金闕總督魁神洪恩靈濟慈惠高明上帝，仲曰九天玉闕總督罡神洪恩靈濟仁惠弘靖上帝，神父加封高上神主慈悲聖帝，神母加封安寧護國恭靖元后，金闕妃天房衛保節靖元君，玉闕妃天房衆母顯佑元君。西園聞見録

原 倪文毅岳官禮部，值遣祭金闕、玉闕真人，奏曰：徐知證、知諤，唐叛臣之裔也，祀典不敢議。畜德録

原 弘治元年八月，禮部侍郎倪岳言：金闕上帝、玉闕上帝、神父聖帝、神母元后、金闕元君、玉闕元君，誕妄不經，一年數祀，不無煩黷。且維皇上帝，主宰於天，而兄弟並稱上帝，其僭已甚。況父母及妃並受隆名，稱帝稱君，僭擬益甚。所有名號，乞依永樂中封者爲正，以後加增一切祭祀，俱宜罷革。奉旨：靈濟宫祭祀照舊，真君并父母妻仍舊封號，新加上帝等號俱革去。西園聞見録

原 弘治十八年十一月冬至，遣祀靈濟宫。大學士劉健等言：靈濟真君冒名僭禮，惑世誣民，臣等讀聖賢書，心知邪僞，而身與周旋，則講讀皆成虚文，輔導更爲何事？且有其

誠則有其神，無其誠則無其神。臣等心既不信，誠從何生？强使驅馳，雖祭何益？乞將前項祭祀革罷，免令臣等行禮。上曰：二真君之祭，據禮當革，但先朝行之已久，姑仍其舊。今後不必遣内閣重臣，止令太常寺官行禮。明孝宗實録

原 崇禎十五年，給事中左懋第疏言：二真人乃叛臣之子，不宜受朝臣拜跪，請以帳幕隔之。報可。春明夢餘録

增 皇城西，古木深林，春峨峨，夏幽幽，秋冬岑岑柯柯，無風風聲，日無日色。中有碧瓦黄甃，時脊時角，靈濟宫也。永樂十五年建，祀玉闕、金闕二真人像，機胎木體披衣，首機其項，手機髃肘，足機髖膝，撼之欲動，福州原像也。帝京景物略

原 知證，温第五子，在吴歷刺史、節度使。烈祖受禪，封江王，改王魏。徐氏諸子，知證最爲長，卒年四十三。馬氏南唐書

原 知諤，温第六子，起家爲太子中舍，累遷刺史、節度使。知詢敗，以知諤爲金陵尹。烈祖受禪，封饒王，進王梁。嘗游秣山，除地爲廣場，編虎皮爲大幄，率僚屬會於下，號曰虎帳。忽遇暴風，飄虎帳碎如飛蝶，知諤驚，遽棄歸，數日病卒。同上

封知證爲江王，知諤爲饒王。知誥卒，子景立，改元保大。二年二月，閩始亂，王延曦、延政連兵相攻。景因其亂，遣查文徽、臧循發兵攻建州，擒王延政。福州爲李仁達所據，因以仁達爲節度使。景欲罷兵，而查文徽、陳覺等請乘勝取仁達，景以覺爲宣諭使，召仁達朝金陵，不受命。覺因發汀建信撫州兵攻仁達。時魏岑安撫漳泉，亦率兵會之。景又以王崇文爲招討使，王建封爲副使，益兵會討，馮延魯、魏岑、陳覺皆爲監軍。仁達送款於吴越。吴越兵救至，覺等争功，進退不相應，延魯先戰，大敗而走，諸軍皆潰。其後福州詐言吴越戍兵殺仁達，遣人請建州節度使查文徽。文徽與建州刺史陳誨下舟閩江趨應之。文徽留誨屯江口，自進屯西門，伏兵發，文徽被擒，誨與越人戰勝之。考景前後遣將攻閩者具載於史，未嘗有知證、知諤領兵之事，則所云屯兵金鰲峯下者，妄也。且知諤之死在知誥昇元三年五月，於時景未卽位，猶未加兵於閩。惟知證之卒在景保大五年三月，正當王延政之次年，而陳覺

等之敗亦在是月，又與明年化去之言戾。至云兄弟相繼，則尤妄之妄矣。二百年來，淫祀矯誣，無有能正之者。倪岳、周洪謨等亦但言其篡臣逆子不宜載祀典，未能舉史傳事實始末以證流傳之訛。宜當時之不能盡革也。蟫窠別志

原 京師靈濟宮講學莫盛於癸丑甲寅間。是時大學士徐階、禮部尚書歐陽德、兵部尚書聶豹、吏部侍郎程文德主會，皆有氣勢，縉紳可扳附得顯官。故學徒雲集至千人。丙辰而後，諸公或歿或去，惟階尚在，而講壇爲之一空矣。戊午歲，太僕少卿何遷自南京來，復推階爲主盟，仍爲靈濟宮之會。然遷名位未可恃，號召諸少年，多無應者。明世廟識餘録

原 成化間山西妄男子侯得權詭姓名李子龍，謀入內爲逆，伏誅。乃開西廠於靈濟宮前，詔太監汪直領官校百餘人刺事。雙槐歲抄

原 宣城第園在靈濟宮前，府第中園也。衆木參天，夾竹桃二大樹。層臺高館，不下數十，張席者日無虛地。燕都遊覽志

增 王世貞靈濟宮詩　欲暝天全白，將窺月漸升。龍啣員嶠燭，星燦紫微燈。綺色深三殿，鐘聲徹五陵。醉須攜興往，春事日相仍。弇州山人稿

增 費宏過靈濟宮詩　匹馬春行困馳逐，巍然仙宮驚在目。簷牙高啄總塗金，殿趾重鋪皆砌玉。雕牆畫壁擁周遭，梔茜爲泥間青緑。諸天相去僅尺五，世界依稀藏一粟。龜趺屹屹載穹碑，揩眼含辛三四讀。乃云二闕在清都，能與蒼生造冥福。誰知無益只勞民，敲骨椎髓心剜肉。神輸鬼運未應難，即使爲之當夜哭。憶昔鳩工庀材日，健卒赬肩車折軸。是時秦晉正苦饑，不雨經時巫可暴。爺孃食子夫食妻，米石寧論錢一斛！地下真應有刼灰，人間忍見生妖木。星摇石語皆緣此，下土狂夫謂神酷。誰能因鬼見上帝，移椽往覆逃亡屋。百金可惜臺可無，薄已憂民除祕祝。歸來偶讀漢文紀，稽首吾君繼芳躅。帝京景物略

增 李夢陽冬日靈濟宮十六韻　貝闕崑崙外，浮生此路疑。蓬萊移舊國，塵世出瑶池。蕞爾雙仙跡，飛騰後晉時。論功竟恍惚，讖兆且逶迤。慫恿精靈託，呼噓霹靂隨。先皇親議號，繼聖必修辭。爵陟王侯上，尊同帝者師。龍襦分內錦，宮女準昭儀。雨露宮城切，星辰天仗移。琳琅摇繡栱，松柏蔭丹墀。瓶內金花湧，龕前紫鳳垂。晴還日月秘，暝則鬼神悲。玉鼎推龍虎，瑶編述姹兒。漢惟欒大顯，秦竟羨門欺。五帝非無術，千齡今見誰？累朝明誓册，玉櫃少人知。空同集

〔臣等謹按〕靈濟宮久廢，今土人呼靈清宮者即其舊址。濟呼爲清，聲之轉也。考陸游南唐書，稱義祖生六子，及烈祖開國，惟知證、知諤在。知證第五，王江，改王

魏。元宗嗣位尊禮，内宴用家人禮，起舞拜跪爲壽。知證亦以叔父自處，卒年四十三。知諤第六，初封饒王，進王梁，鎮潤州，游蒜山，忽暴風，懼而屬疾，數日卒。常語客曰：人生七十爲大限。吾生長王家，窮極歡樂，一日可敵世人二日，年三十五其死乎！至是如其言，斂以衮冕及上方秘器，謚曰懷。與朱彝尊所引馬氏南唐書大同小異。是知證、知諤皆未嘗有功於閩，蟬窠別志辯之極詳。明代靈濟宮之建，淫祀非禮，其廢宜矣。

原 積慶坊四鋪有紅羅廠、戰車廠、太平倉、惜薪司、嘉興寺、半藏寺、興化寺。五城坊巷衚衕集

〔臣等謹按〕紅羅廠、太平倉久廢，今護國寺南其地猶以是名。戰車廠、惜薪司無考。嘉興寺今存。半藏寺在嘉興寺東。考寺碑云：建於元至正間，爲僧義佛駐錫之所。師早膺祖印，定慧不羣，人羡所居，名半藏焉。至正七年，其徒智存奉狀徵銘，丞相布哈奏請賜額義利。明嘉靖中重修，改名保安寺。再考元宰相名布哈者二十餘人，此碑所載至正七年布哈丞相，以元史宰相表考之，乃博爾濟布哈也。興化寺在半藏寺東北半里許，寺中有明嘉靖等年重修碑四，今其地猶名興化寺街云。按：博爾濟，蒙古語一輩奴也，舊作別兒怯。今譯改。

增 旌勇祠在半藏寺西，本朝乾隆三十三年勅建，祀將軍明瑞，配以扎拉豐阿、觀音保、

李全、王玉廷，御書旌勇祠及折衝抒藎額。

增御製原任將軍公明瑞建祠碑文　朕惟藎臣授命，書竹册以揚名；懋典褒忠，飾丹楹而舉祀。惟馳驅之共勵，斯義烈之常新。載妥崇祠，並垂貞石。爾雲貴總督將軍兵部尚書一等誠嘉毅勇公明瑞，譽隆門胄，望著巖廊。玉塞從戎，早炳雲臺之圖畫；金符出鎮，久揚月窟之旌麾。屬因炎海之鯨波，俾司總制；爰及期門之虎旅，分統戎行。城指三江，兵分兩路。自懸軍而深入，每陷陳以登先。蓐食方傳，絶嶂則壘摧十六；銜枚並進，橫橋則兵渡三千。已成破竹之形，輿圖在掌；更作因糧之計，膽略從心。而乃中軍獨効長驅，别隊不聞後繼。天戈決盪，仍整旅而孤行；地絡陰森，遂全師而獨殿。毒鋒屢及，竟至捐軀；急遞俄傳，良深扼腕。既易名以表烈，復裕後以延庥。考制而立專祠，推恩而及同難。爾都統扎拉豐阿，護軍統領觀音保，總兵李全、王玉廷，或以將門宿衛，志切同仇；或以專閫分裨，心期共命。率虎羆而奮武，冒矢石以抒忠。義不獨生，禮宜配食。嗚呼！璇題璀璨，長迴日月之輝；雕琰崒峨，永壯風雲之氣。靈其式鑒，尚惟永歆！

原關帝廟在皇城地安門東者曰白馬廟，隋基也。姚彬盜馬廟在三里河天壇，亦隋基也。春明夢餘録

原白馬祠，昔慕容氏都燕，羅城有白馬前導，因以爲祠。元混一方輿勝覽

原果囉洛納延白馬廟詩　祠宇當城角，霜蹄刻畫真。房星何日墮？駿骨自能神。曾蹴陰山雪，思清瀚海塵。長疑化龍去，騰踏上雲津。金臺集　以上三條原在北城，今移改。

增漢壽亭侯廟在宛平縣東，成化十三年建。俗呼白馬關帝廟，蓋隋之舊基也。每歲五月十三遣太常官致祭。春明夢餘録

增商輅撰關帝廟碑　漢壽亭侯廟在都城西北隅，蓋洪武中建。我太宗文皇帝嘉侯功烈，特頒龍鳳黄紵絲旗一面，揭竿竪之，以彰威靈。每歲正旦、冬至及朔望祭祀，香燭等儀具有恒品。列聖相承，崇奉益嚴。第歲日滋久，殿堂門廡浸以頽圮。成化丁酉春二月初吉，皇上申命内官監太監宿政，董衆工，發羣材，重加修葺。朽者更之，腐者易之，圮者正之，缺者補之，漫漶者增飾之。塗以丹漆，傅兹藻繪。於是正殿、兩廊、重門，皆焕然一新。掄木植竿，内製暗花柳黄紵絲旗揭之，并製紵絲大紅織金等袍服，青織金雲幡，被之懸之。添設神桌神龕黄綾帷幔，朱紅竹簾，黄銅香鑪，花瓶燭臺，凡供用之器罔有不備。後嫌於窄隘，復命太監金輔賚内帑白金若干，偕宿政市民居房地展之，并付本廟永奉香火。内植松柏，外列垣墉，規模廣大，觀者起敬。政等以竣事聞。上深嘉悦，命臣輅撰文，勒之穹碑，垂示永久。臣輅頓首受命。謹按：侯姓關氏，諱羽，字雲長，本河東解人。聞涿郡先主聚徒鄉里，匡扶漢室，遂往歸之。時與張飛翼德齊名。先主及二人寢則同牀，恩若兄弟，遂累建奇勳，三分天下，使炎鼎獲存，漢統復續。侯之功居多。侯精忠大義，炳若日星，千載之下，凛然猶有生氣。祠廟之設，遍於天下。然涿郡發迹之地，順天爲涿之會府，都城有廟，揆理尤宜。祭法曰：聖王之制祭祀也，以勞定國者祀之，以死勤事者祀之。侯蓋兼之矣。歷代累封王爵，備極褒崇。我皇明重定典禮，忠臣烈士一依當時秩號，此漢壽亭侯之稱所謂有合於先王之制也歟！當天子懷柔百神之日，聿新祠宇，祗薦祀事，所以報大功於異代，祈景貺於方來，無非爲國家爲生民計也。自是以往，陰陽調而風雨時，五穀熟而民人育，國有禎祥，物無疵癘，永濟斯世於雍熙太和之盛，則侯之所以翊贊乎佑我聖明者，其功不亦偉乎！臣輅謹敍述其事而系之以詞曰：桓桓虎臣，生丁漢季。資兼文武，至誠忠義。修髯如戟，雄才卓異。傾心先主，力扶宗社。蹙魏蹐吴，所向風靡。漢祚復延，厥功爲最。侯之勳業，著於當代。侯之英靈，昭於永世。洪惟天朝，奄有四海。護國庇民，神功甚大。立廟都城，用伸報祀。肆惟皇上，述事繼志。聿新祠宇，度越前制。惟侯陟降，洋洋如在。佑我皇明，永錫帝系。聖壽萬年，鴻圖億載。福禄自天，有隆無替。成化十三年六月十三日。五城寺院册

〔臣等謹按〕白馬關帝廟在地安門西，朱彝尊原引春明夢餘録在地安門東，誤也。且

春明夢餘録另載一條云，在宛平縣東，其地相合，因增載於此。再考商輅碑云，廟建於洪武年間，成化十三年重修。今碑尚存廟中。春明夢餘録作成化十三年建，亦非。又按廟之以白馬得名者，元混一方輿勝覽以慕容氏都燕羅城有白馬前導，因以爲祠，而廟碑載明英宗夢見帝乘白馬，故名，所説不同。然神之昭布顯赫，益可想見矣。

增關帝廟在地安門西，每年春秋二仲月及五月十三日遣官致祭。本朝順治九年，勑封神爲忠義神武關聖大帝。雍正三年，封神曾祖爲光昭公，祖裕昌公，父成忠公，崇祀後殿。五年修廟，御書忠貫天人扁懸廟中。畿輔通志

〔臣等謹按〕廟中有聯曰：浩氣丹心，萬古忠誠昭日月；佑民福國，千秋俎豆永山河。今上御書。

增乾隆三十三年加封神爲忠義神武靈佑關聖大帝，四十一年特命改謚忠義。禮部冊

增世宗憲皇帝御製關帝廟後殿崇祀三代碑文　自古聖賢名臣，各以功德食於其土。其載在祀典，由京師達於天下，郡邑有司歲時以禮致祭者，社稷山川而外惟先師孔子及關聖大帝爲然。孔子祀天下學官，而關帝廟食偏薄海内外。其地自通都大邑下至山陬海澨村墟窮僻之壤，其人自貞臣賢士仰德崇義之徒，下至愚夫愚婦兒童走卒之微賤，所在崇飾

廟貌，奔走祈禳，敬畏瞻依，凛然若有所見。蓋孔子以聖，關帝以神。神之陟降上下，顯赫鑒觀，以警動覺悟，保佑扶持，與斯人呼吸相應答者，感而通，微而著，洋洋乎忠義正直之氣充塞於宇宙之間，與日月星辰同其明，江河山嶽同其體，風霆雨露同其功用。宜其英靈之振古常新，而爲歷代賢豪所莫能並也。本朝崇奉，典禮綦隆。我世祖章皇帝順治九年，勅封神爲忠義神武關聖大帝，較往代封號尤尊且正。京師白馬關帝廟爲奉神之所，歲遣大臣將事惟謹。朕纘緒膺圖，尊隆秩祀。登極之初，既加封先師五代，以展尊師重道至意。更念神福國庇民，禦災捍患。英風冠古，浩氣不磨。生有自來，鍾靈孔厚。宜追封三代，晉爵上公。爰允禮臣之議，加封神曾祖光昭公，祖裕昌公，父成忠公，博稽史册，名諱弗傳。特用闕疑，以彰敬慎。虔製木主，於雍正五年六月供奉後殿，春秋崇祀，著爲令典。夫禮繇義起，而善則稱先。事神事人，理無二致。神威靈赫濯，昭灼於千萬世，則神之先人享明禋，崇美報，歷千萬世而勿替，以稱國家昭事明神之盛典，禮制攸宜，至宏遠也。是用勒文貞石，紀奉祀所始以貽示來兹，俾有考焉。

增御製重修關帝廟碑記　人之道，非聖無以臻其極，至聖不可知而謂之神。如書所頌乃聖乃神，與夫炎帝之稱神農，夏禹之稱神禹者，希焉。若神之道，旼旼穆穆，自日星河嶽爰逮坊庸門霤之各顓其職，靡不緣司契以定主名，則純乎神而非人之所得預者。生爲英，歿爲靈，其功德勿沫於世，世亦相與俎豆尸祝以神之。然未有不推乎正直聰明足立萬禩人倫之表，故罣然尊而宗之以爲神聖焉。蓋聖而神之，所以著聖道之精，神而聖之，所以明神道之正。若是者嘗求諸先聖先師而外，厥惟關聖大帝克以當之。考神生値炎漢之季，炳大節，鋤姦回，本末具載志傳。要之，超倫軼羣，其志在春秋，其氣浩然常塞乎天地，以故前代屢致褒崇，至我朝而逾顯。且神蹟不可殫記，而於行師命討爲益彰。自順治九年勅封忠義神武，迨康熙雍正間，詔晉三代公爵，增置五經博士。及朕臨御，以神原謚因襲陳壽舊史，名義未孚，每廑於懷。我國家久仰靈威，近於西師之役，復昭蒙佑順，因特加封曰忠義神武靈佑，並允太常議，於地安門外神廟，恭書新號神牌，門殿易蓋黃瓦，其歲渝舊葺隊剥者亟之髹之，俾稱茂典。以今年仲冬月訖工。宋臣蘇軾言，神在天下如水之在地中，無所往而不在。顧由斷港絶潢達乎河濟江淮，不能不以溟澥觀其匯。由墟落鄽市赴乎赤畿望緊，不能不以都會統其歸。於焉求神之所憑依，詎惟是褒大其封，鼎新其宇，用備昭報之靡文云爾哉！將闡夫神與聖之所從來，所以爲人道扶植綱常，助宣風教。卽制祀之原胥不外是。其他稗野所載，怪偉荒忽，事蹟不見正史者，闕而不書，懼褻神並誣聖也。

增 賢良祠在白馬關帝廟旁，雍正八年勅建。世宗憲皇帝御書額曰崇忠念舊。祀王公大臣之有功國家者。王二人：怡賢親王、和碩超勇襄親王策凌。公七人：愛星阿、圖海、福善、費揚古、賴塔、伊德、兆惠。侯三人：李國翰、張勇、施琅。大學士二十六人：范文程、巴克什、達海、額色黑、甯完我、魏裔介、王熙、阿蘭泰、李之芳、張玉書、張英、吴琠、李光地、張鵬翮、富寧安、朱軾、田從典、高其位、馬齊、伊桑阿、福敏、黄廷桂、蔣溥、史貽直、梁詩正、來保。尚書十二人：姚文然、魏象樞、湯斌、顧八代、徐潮、馬爾漢、趙申喬、勵杜訥、徐元夢、楊名時、汪由敦、李元亮。左都御史一人：拉布敦。都統三人：根特、馮國相、傅清。將軍六人：佛尼勒、莽依圖、王進寶、孫思克、阿爾納、和起。總督十四人：孟喬芳、李國英、靳輔、于成龍、趙良棟、傅臘塔、齊蘇勒、楊宗仁、李衛、那蘇圖、陳大受、鶴年、喀爾吉善、鄂弼。巡撫三人：陳瓖、徐士林、潘思榘。副都統一人：褚庫巴圖魯。凡七十八人。大清一統志

〔臣等謹按〕賢良祠今又增入大學士公一人：傅恒。尚書公一人：阿里袞。大學士八人：徐本、尹繼善、陳宏謀、劉綸、劉統勳、舒赫德、高晉、英廉。内大臣議政大臣一人：哈世屯。尚書二人：米思翰、錢陳羣。將軍一人：伊勒圖。總督六人：高斌、吴達善、方觀承、何煟、袁守侗、薩載。巡撫一人：李湖。

【增】世宗憲皇帝御製賢良祠碑文　朕維國家鍾昌隆之運，誕降賢臣；宇宙成熙皡之風，端資良弼。故徽聲聿播，旗常銘勒於生前；而元祀攸崇，俎豆歆承於身後。用以寵褒已往，勸勵方來。所由沛殊恩，舉曠典也。爾和碩怡賢親王，忠孝自天，敬勤成性。嘉猷入告，啓乃心以沃朕心；庶績咸熙，圖國事卽如己事。勳高爕理，立臣道之儀型；禮極哀榮，備人生之祉福。爾大學士公圖海等，際王迹肇基之始，業贊運籌；當皇朝一統之期，績參佐命。我皇考聖祖仁皇帝緜膺歷祚，簡公卿以翊昇平；載定寰瀛，選將帥而宣威武。中朝外任，多令名清節之完人；跨海窮邊，著破敵開疆之偉略。朕眷懷舊德，詢訪僉謀。既祠宇之告成，叙官階而列位。於戲！念鴻功於同氣，自古希倫；追盛烈於羣賢，於今不泯。綸章丕錫，永垂圖牒之輝；珉石深鐫，式焕星雲之色。凡百有位，其咸觀感於兹。

【原】藥王廟在北安門海子之西偏。廟東瀕海子，宜賓初月，萬柳沿堤，客多載酒其間，鷗波魚藻，真長夏時一清涼界。燕都遊覽志

【原】藥王廟，天啓中魏忠賢所建也。落成時，帝加獎諭，賜賚甚厚。當年必有豐碑，而今無片石，葢爲人所踣矣。涍水亭雜識　以上二條原在北城，今移改。

〔臣等謹按〕藥王廟今存，廟旁有碑座一，而碑已無存，應卽魏閹重修時所立，後人

惡而踏之耳。

增皇城内河來自玉泉山，經高粱橋分而爲二：一灌城隍；一從德勝水關匯入後湖，至藥王廟西橋下流入禁地。春明夢餘録

〔臣等謹按〕今藥王廟東有橋名西步糧橋，玉河水由此入西苑。春明夢餘録作在藥王廟西，誤。再地安門東有東步糧橋，即蕪史所云北安門外文昌宮迤東步糧橋者是也。

欽定日下舊聞考卷四十五

城市 内城東城一

原 明時坊西四牌十六舖，東四牌二十六舖，有羽林右衛、武功左衛、武功右衛、武功中衛。五城坊巷衚衕集

〔臣等謹按〕五城坊巷衚衕集，羽林右衛在保大坊，武功左衛、武功中衛在小時雍坊，武功右衛在思城坊。朱彝尊原書俱作在明時坊，誤。然其地今無可考矣。

原 南之左曰文明。輟耕録 原在宮室門，今移改。

增 文明門卽哈達門。哈達大王府在門内，因名之。析津志

〔臣等謹按〕明史地里志，文明門，正統間改爲崇文門。本朝仍其名。

原 薛瑄夏日出文明門詩 文明門外柳陰陰，百囀黃鸝送好音。行過御溝回望處，鳳凰樓閣五雲深。敬軒集

原 蔡汝楠夏日登崇文城樓詩 王京城闕鬱崔巍，炎夏追攀逸興催。亭午薰風吹解帶，半空爽氣接行杯。桑乾水映罘罳出，碣石雲移睥睨開。自是憑高多古意，從來賦客慣登臺。自知堂集

原 吴匏庵園居有海月庵、玉延亭、春草池、醉眠橋、冷澹泉、養鶴闌。今訪其遺跡已不

可得。析津日記

原 海月庵在皇牆之西，吳文定寬之居。春明夢餘録

原 吳寬海月庵冬日賞菊圖序略　弘治二年十月二十八日，翰林諸公會予園居賞菊，既各有詩，宜有圖置其首，乃請鄉人杜謙寫之。大率寫其意，不求甚似。至於衣冠古雅，亦不必似今人，而況草木之産乎？同集者謝鳴治、李賓之、陳玉汝、林亨大、李世賢、陸廉伯、王濟之，兒奭捧卷而進，亦與焉。匏翁家藏集　以上三條原在中城，今移改。

增 陳璚詩　旋看掃地畫亭形，匠石掄材搆欲成。喜挈樽罍賢宅相，賀隨燕雀老門生。一庭滿覆槐陰緑，四座平分海月明。高扁玉延題詠動，媿將糠粃先耆英。玉延亭圖

增 吳寬玉延亭成次韻玉汝　偶栽山藥得佳名，牆下幽亭一日成。車馬勒回無俗士，壺觴傾盡平生。升階脱屨長頭近，倚檻觀書老眼明。此後來遊誰復障，繞籬須爲惜殘英。同上

增 王鏊喜玉延亭新成小詩落之　海月西來合有亭，亭中讀易定康成。一時地勢皆增勝，再到風光已隔生。書帶草青新雨歇，臨池水黑斷虹明。玉延爲客翁爲主，應笑靈均嗅落英。同上

增 李世賢和詩并序　玉延亭成，承玉汝以原倡見示，久失奉賀，是用補作一首以附詩壇。屋角高槐偃蓋形，槐陰又見一亭成。林疏不礙溪雲度，天闊先看海月生。修竹幾竿臨水活，幽花數朶隔籬明。也知獨樂非君意，鎮日相過總俊英。同上

增 李東陽詩　玉延亭上三年約，金谷園中四韻成。前度看花非老眼，後堂開燕祗諸生。時時杖履穿林影，面面軒窗坐月明。擬斷芳葷就靈藥，夜泉和露煮瓊英。同上

增 陸容和詩　此地原無潤鑿形，藥闌花圃比來成。經營自己無餘願，服食應非羨久生。抱甕不辭三徑遠，把書隨意四簷明。也知人好居還好，文酒時時走俊英。同上

〔臣等謹按〕玉延亭、海月庵，析津日記云，訪其遺跡已不可得。而春明夢餘録以爲在皇牆之西，故朱彝尊原書列之中城西偏。其實亦傳聞之詞耳。今考河南彭氏所藏張見陽補畫玉延亭圖，有趙寬賦序云：春坊先生所居崇文街第，有園一區，名亦樂，中有亭曰玉延。賦首又云：並東郭之青陽。則斯亭應在東城。又考毛澄重建玉

延亭記云：園中別有庵曰海月，玉延爲庵之輔，則海月庵與玉延亭毗連亦無疑。故移於東城。特其舊址今亦無可考耳。圖中和詩甚多，今第取吴寬原序所有諸人之詩增載。

增賢良寺舊在東安門外帥府衚衕，雍正十二年建。本怡賢親王故邸，捨地爲寺，世宗憲皇帝賜名賢良寺，御撰碑文以記。乾隆九年，皇上御書心經塔碑，勒石於寺，二十年移建於冰盞衚衕。大清一統志

增世宗皇帝御製賢良寺碑文　賢良寺者，朕弟和碩怡賢親王故邸第也。朕臨御之初，晉王藩爵，膺總理之寄，竭忠誠之悃。帷幄訏謨，邊防大計，以及方田水利，理財用人，皆能區畫精詳，贊襄治化，朕用賴焉。八年以來，有如一日。功在社稷，澤在生民。實聖祖篤孝之子，朕之愛弟而純臣也。是由國家昌運，祖宗景福，篤生我王，畀予一人，顯一代之偉人，爲本朝之良弼。稽諸史策，概不多見焉。生平鉅細皆由至性，雖聲容言動，皆能純摯感人，使接者莫不愛敬。且淡漠於富貴，希闊於聲色。崇儉約己，樂善博施。常留意空宗，超有妙悟。豈佛氏所謂菩薩再來者歟！王遺言以邸第作佛宫，今既没，因成其願。勑寺額曰賢良，識其實也。命禪者主之，建大法幢，集大法衆，吹大法螺，演大法義，長爲吾王冥福。詎不善歟！寺功既竣，紀王勳德，並勒貞珉，與佛日同

昭，法燈永炳云。

〔臣等謹按〕崇文門北去里許爲單牌樓，曰就日。又北爲四牌樓，東曰履仁，西曰行義，南北曰大市街。單牌樓西，東長安門街，北自王府大街至崇文門街。朱彝尊原書皆隸中城，今以現在地界考之，屬東城。故原書中城卷内澄清坊以下各條移敍於後。又按教忠坊原書屬之北城，今四牌樓以西，至東直門大街交道口以南，皆屬東城。故原書北城卷内教忠坊以下各條亦移敍於後，合爲一卷。其崇文門大街以東，仍依原書，由明時坊起，於下卷内以次編敍。

原 澄清坊九舖，有成壽寺、元極觀。五城坊巷衚衕集

原 成壽寺在澄清坊，内有勅建碑。明順天府志 以上二條原在中城，今移改。

〔臣等謹按〕澄清坊成壽寺在今椿樹衚衕，明成化元年内監夏時所建也。時有弟，詔封翊教禪師，勅住此寺。萬曆癸丑重修，詹事葉雲舉爲之記。元極觀在乾魚衚衕，今存。

原 燈市在東華門王府街東，崇文街西，亙二里許。南北兩廛，凡珠玉寶器以逮日用微物，無不悉具。衢中列市棋置，數行相對，俱高樓。樓設氍毹簾幕，爲宴飲地。一樓每日賃直至有數百緡者。夜則燃燈於上，望如星衢。市自正月初八日起，至十八日始罷。

鬻燈在市西南，有冰燈，細剪百綵，澆水成之。按宋時燈市乃從九月菊燈始，今止正月内數日耳。燕都游覽志 原在中城，今移改。

增上元十夜燈，始於太祖。今北都燈市起初八，至十三而盛，迄十七乃罷也。燈市者，朝逮夕市而夕逮朝燈也。市在東華門東，亙二里。市之日，省直之商旅，夷蠻閩貊之珍異，三代八朝之骨董，五等四民之服用物，皆集。衢三行，市四列，市樓南北相向，朱扉繡棟，素壁緑綺疏，其設氍毹簾幕者，勳家戚家宦家豪右家眷屬也。向夕而燈張，燈則燒珠，料絲則夾畫堆墨等，紗則五色明角及紙，及麥稭，通草則百花、鳥獸、蟲魚及走馬等。樂作，樂則鼓吹雜耍絃索，鼓吹則橘律陽撼東山海青十番，雜耍則隊舞細舞筒子觔斗蹬罈蹬梯，絃索則套數小曲數落打碟子，其器則和必斯、都哩默色、察爾奇等。烟火施放，則以架以盒，架高且丈，盒層至五。其所藏械，壽帶、葡萄架、珍珠簾、長明塔等。於斯時也，絲竹肉聲，不辨拍煞，光影五色，照人無妍媸，烟罥塵籠，月不得明，露不得下。永樂七年，令元宵節賜百官假十日。今市十日，賜百官假五日。内臣自秉筆篆近侍，朝臣自閣部正，外臣自計吏，不得過市。猶古罰帟幕蓋帷意。其他例得與吏士軍民等過市，市樓價高，歲則豐，民樂。樓一楹有一夕賃至數百緡者。帝京景物略 按：和必斯，蒙古語樂器名也，舊作胡撥四。都哩，蒙古語式樣也，默色，器械也，舊作土兒密失。察爾奇，滿洲語扎板也，舊作叉兒機。今俱譯改。

原石崑玉燈市詩 燈市百貨蘩，類聚還分局。雜沓掩塵埃，穹窿象山谷。波斯細舉名，最下亦珠玉。滿城恣意觀，履舄時交觸。側肩趁友朋，轉盼遺童僕。樓上樓下人，徙倚自相矚。重器與嬌容，迴還日不足。倘非挾厚藏，焉用空馳逐！惟我獨閒行，煇煌聊飽目。佻佻白面郎，囊裹金如粟。訪古探瑰奇，十僅償其六。本擬快於心，旁觀容有蹙。爲君話所從，原出巨家櫝。向購此場中，而今在此鬻。佇看市道間，何事無翻覆？物類火傳薪，人寰風轉燭。擠諸海陸珍，權與豪華蓄。姑數杖頭錢，來酣春酒熟。燕都游覽志

原范景文詩 御溝春暖漲冰絲，風暖沙吹日影移。珠綴九微光燦爛，張燈不待月高時。王孫約隊簇金貂，玉勒青驄綺陌驕。文貝珊瑚看不盡，東華門外市三條。朱樓一帶鬱嵯峨，陣陣香風襯綺羅。龍燭薰風喧不夜，天街到處月明多。月明處處度笙簫，春色分明念四橋。有酒勸君須盡醉，百年能得幾元宵！冰餐堂稿

原徐顥燈市詞 東技門東燈市開，千官萬姓擁塵灰。悔不多錢買身貴，鞍籠喝道下驢來。燕都游覽志

原劉侗竹枝詞 田家歌舞魏家漿，海淀園林恭順香。桃李莫分先後種，恩波一片是春光。帝京景物略

原汪歷賢詩　長安燈市晝兼宵，游女争呈馬上腰。踏遍燈光不歸去，更留同伴走三橋。錦韉朱勒未曾收，猶傍燈殘續冶游。好向高粱看柳色，清明上巳在前頭。燕都游覽志

原賀世壽燈市詩　冰條未破玉河流，春氣先蒸市上樓。錦簇花團喧笑語，幾家都尉幾通侯。九微燈影六街連，景色仍如萬曆年。只有官人歸去早，酒壚不待月中天。同上

原王應遴燈市詩　千官休沐逐良期，不見牙牌掛阿誰。聞説昔年三學士，召來殿上撰燈詞。星毬蓮炬半空懸，火歎梨花罩酒筵。莫道米珠薪桂地，誰人肯惜買燈錢。哥窰倭漆載盈車，估客蕃兒莫自誇。寶玩聖明原不好，故令結市在東華。同上

原王驤燈市曲　迎春纔罷更喧騰，盡説繁華較舊增。國事正當宵旰日，君王大内不看燈。逐隊人過燈市來，喧喧街鼓動成雷。若關豐儉應如此，一歲何妨月一回？出炕新花不耐寒，裝來盆盎也難觀。衆中最苦惟梅樹，壽字香烟屈曲蟠。同上　以上八條原在中城，今移改。

增王廷陳燕京元夕曲　大道朱樓錦繡圍，歌鐘萬户繞春輝。樓前火樹嶙峋照，化作紅雲片片飛。香車一一渡星橋，翠袖雙雙引玉簫。但訝遊人争辟易，不知夫婿漢嫖姚。萬柳千花巧自妝，春風吹散綺羅香。誰教月色模糊甚，惱殺幽并游冶郎。帝京景物略

〔臣等謹按〕燈市久廢，今東安門外稍北猶存燈市口之名。

原法華寺在明照坊，俱有勅建碑。明順天府志　原在中城，今移改。

〔臣等謹按〕法華寺在今豹房衚衕，明景泰中太監劉通捨宅爲寺。天啓中重修，詔賜藏經璽書，有大學士黄立極碑記。

原仁壽坊八舖有府軍後衛、金吾右衛、隆福寺、仰山寺。五城坊巷衚衕集　原在中城，今移改。

〔臣等謹按〕五城坊巷衚衕集，金吾右衛在南薰坊，朱彝尊原書作仁壽坊，誤。府軍後衛，坊巷集不詳其地。仰山寺云有前後街，今俱無可考。隆福寺在大市街西馬市

北，其街猶以寺得名。明景泰年間建，有碑在寺中。

原景泰三年六月，命建大隆福寺，役夫萬人。以太監尚義、陳祥、陳謹，工部左侍郎趙榮董之。閏九月添造僧房。四年三月工成。明景帝實録

原景泰五年四月，新建隆福寺成，車駕擇日臨幸，有司已夙駕除道。太學生濟寧楊浩上疏：陛下卽位之初，首幸太學，海内之士，聞風快覩。今又棄儒術而崇佛，豈可垂範後世耶？儀制郎中章綸亦言：以萬乘之君，臨非聖之地，史官書之，傳之萬世，實累聖德。上覽疏，卽日罷行。時又有太學生西安姚顯疏言：王振竭生民膏血，修大隆興寺，車駕不時臨幸。請自今凡内臣修蓋寺院，悉行拆毁，以備倉廒之用。時不能用。自正統至天順，京城内外建寺二百餘區，大臣諫官不言，而二生言之，一時名震中外。明典彙

原大隆福寺爲景帝所建，至撤英宗南内木石助之。未幾，又從山西巡撫都御史朱鑑言，謂風水當有所避忌，乃命閉正門不開，禁鐘鼓聲。又拆寺門牌坊所謂第一叢林者，而無救於禍難。成化間，又以妖僧繼曉建護國大永昌寺，致勞憲宗親幸。不逾时曉誅，寺毁。二寺皆逼近禁籞。隆福今尚存，而永昌無寸椽片瓦矣。野獲編

原京師鉅剎，大興隆、大隆福二寺爲朝廷香火院，餘皆中官所建。菽園雜記　以上四條原在中城，今移改。

增大隆福寺，三世佛、三大士處殿二層，三層左殿藏經，右殿轉輪，中經毘盧殿至第五層，乃大法堂。白石臺欄，周圍殿堂，上下階陛，旋繞雕欄，踐不藉地，曙不因天，蓋取用南内翔鳳等殿石欄杆也。帝京景物略

增隆福寺在東城大市街之西北，明景泰四年建。本朝雍正元年重修。每月之九十日有廟市，百貨駢闐，爲諸市之冠。有世宗御製碑文，又御書真如殿匾曰慈天廣覆。乾隆十一年，皇上御書匾二，曰法鏡心宗，常樂我淨。大清一統志

〔臣等謹按〕真如殿聯曰：覺海澄圓無所住；義天高廣本來空。皇上御書。

增世宗皇帝御製隆福寺碑文　京城之內東北隅有寺曰隆福，肇建於明景泰三年，逾歲而畢工。營構之費悉出於官，蓋以爲祝釐之所。自景泰四年距今二百七十餘年，風雨侵蝕，日月滋久。朕昔曾經斯寺，有感於懷。茲乃弘施資財，庀材召匠，再造山門，重起寶坊。前後五殿，東西兩廡，咸葺舊爲新，飾以采繪。寺宇增輝煥之觀，佛像復莊嚴之相。既告厥成，因勒貞石，以紀其事。夫佛之爲道，寂而能仁，勸導善行，降集吉祥，故歷代崇而奉之。然朕非以自求福利。洪範曰，斂時五福，用敷錫厥庶民。言王者之福以被及羣生爲大也。然惟我皇考聖祖仁皇帝功德隆厚，歷數綿長，四海兆人胥登仁壽之域。自古帝王備福之盛，無有比倫。朕纘嗣鴻基，思繼先志，使遐邇烝民，嚮教慕義，俱植善果，各種福田。藉大慈之佑，感召休徵，錫以繁祉。井里安阜，耄期康寧，享太平之福永永無極。則朕所以受上天之景福承皇考之慶澤者，莫大乎是。此朕爲蒼生勤祈之至願也夫。

原教忠坊十舖，元殺宋文丞相於此地，故名。五城坊巷衚衕集

原至元十六年，帥臣張宏範執文天祥至大都囚之。上屢欲赦出相之，不從。十九年十二月初九日，戮於燕南城柴市。中堂事紀　以上二條原在北城，今移改。

〔臣等謹按〕據春明夢餘録，柴市卽今府學舊基，在都城東北隅。元時城偏於北，故中堂紀事稱爲南城也。

原天祥北行，十月至燕館，供帳如上賓，天祥義不寢處，坐達旦。四日，張宏範至，具言不屈狀。五日，送兵馬司，械繫空宅中；十餘日解手縛，又十餘日得疾，十二月去械，猶繫頸。自是囚兵馬司者四年。其爲詩有指南前録三卷、後録五卷、集杜二百首，皆有自序。劉岳申文信國公傳

原公至柴市，觀者萬人。公問市人曰：孰南面？或有指之者，公卽向南再拜，索紙筆書二詩云：昔年單舸走維揚，萬死逃生輔宋皇。大地不容興社稷，邦家無主失忠良。神歸嵩嶽風雷變，氣吐烟雲草樹荒。南望九原何處是？塵沙黯澹路茫茫。衣冠七載混旃裘，憔悴形容似楚囚。龍馭兩宮崖嶺月，貔貅萬竈海門秋。天荒地老英雄喪，國破家亡事業休。惟有一靈忠烈氣，碧空長共暮雲愁。是日大風揚沙，天地晝晦。公既死，世祖臨朝歎曰：文丞相好男子，不肯爲吾用，殺之誠可惜也。是後連日陰晦，宮中白晝或秉燭行。適張真人來朝，世祖問之。對曰：此殆殺文丞相所致也。乃贈公特進金紫光禄大夫開府儀同三司檢校太保中書平章政事廬陵郡公，謚忠武。令簽樞密院事王積翁書神主，灑掃柴市，設壇祀之。丞相博囉初行奠禮，狂飈旋地起，卷主入雲中。博囉等改書前宋少保右丞相信國公，天始開霽。趙弼文信公傳

補歲在壬午，乃至元十九年也，於是祥興亡且三年矣。宋瑞囚中作贊，并序曰：吾身居將相，不能救社稷，安天下，軍敗國亡，辱爲俘囚，其當死久矣。被執以來，欲引決而無間。今天與之機，謹南向再拜以死。其贊曰：孔曰成仁，孟曰取義。惟其義盡，是以仁至。讀聖賢書，所學何事？而今而後，庶幾無媿。宋丞相文天祥絶筆。龔開文信公傳

原江南十義士舁公藁葬都城小南門外五里道旁。大德二年，繼子陞至都順城門内，見石橋織綾人婦，公舊婢緑荷也。爲陞語劉牢子，乃引到葬處，大小二僧塔，其大者小石碑刻信公二字，遂以歸葬廬陵。帝京景物略

補張千載，字毅父，廬陵文文山友也。文山顯貴，屢以官辟，皆不就。文山自廣還，至吉州城下，千載來見曰：丞相赴北，某亦往。遂以故宋官營求江西省咨之北，寓於文山囚所側近，日以食奉之。凡留燕三年，潛造一櫝，文山受刑後，卽藏其首，仍訪文山妻歐陽夫人於俘獲中，俾出，火其屍。千載拾骨置囊并櫝南歸，付其家葬之。啽囈集

原文丞相祠，國初北平按察司副使劉崧立。名勝志

原永樂六年，大常博士劉履節奉命正祀典，謂天祥忠於宋室，而燕京乃其死節之所，請祠祀。從之。祠堂三楹，前爲門，又前爲大門。祠之西爲懷忠會館，江右士夫歲時集會於此以祭公者也。宣德四年，保定李庸爲府尹，重拓其祠。信國所著有日録、吟嘯集、指南録、集杜詩，並刊板祠中。春明夢餘録　以上七條原在北城，今移改。

增文信國正氣歌　天地有正氣，雜然賦流形。下則爲河嶽，上則爲日星。於人曰浩然，沛乎塞蒼冥。皇路當清夷，含和吐明庭。時窮節乃見，一一垂丹青。在齊太史簡，在晉董狐筆。在秦張良椎，在漢蘇武節。爲嚴將軍頭，爲嵇侍中血。爲張睢陽齒，爲顏常山舌。或爲遼東帽，清操厲冰雪。或爲出師表，鬼神泣壯烈。或爲渡江楫，慷慨吞胡羯。或爲擊賊笏，逆豎頭破裂。是氣所磅薄，凛烈萬古存。當其貫日月，生死安足論！地維賴以立，天柱賴以尊。三綱實係命，道義爲之根。嗟予遘陽九，隸也實不力。楚囚纓其冠，傳車送窮北。鼎鑊甘如飴，求之不可得。陰房闐鬼火，春院閟天黑。牛驥同一皂，雞棲鳳凰食。一朝蒙霧露，分作溝中瘠。如此再寒暑，百沴自辟易。嗟哉沮洳場，爲我安樂國。豈有他繆巧，陰陽不能賊。顧此耿耿在，仰視浮雲白。悠悠我心悲，蒼天曷有極！哲人日已遠，典型在夙昔。風簷展書讀，古道照顔色。吟嘯集

〔臣等謹按〕文丞相祠在府學衚衕內府學之東，其西爲名宦祠。懷忠會館今無考。

原宣德二年二月，遣順天府官祭宋丞相文天祥，歲爲例。明典彙

原歲仲春、仲秋，有司陳設爵三、果五、帛一、羊一、豕一，祝文曰：皇帝遣順天府尹某致祭於宋丞相信國文公曰：卿昔宋臣，以身殉國。忠義大節，炳若日星。時維仲春秋庸伸常祀。卿其有知，尚克享之。明嘉靖祀典

原歷代忠臣廟皆府尹致祭，凡祭必用祭服，獨此用常服。湧幢小品

原楊士奇文丞相祠記　北京之有公祠，洪武九年前北平按察司副使劉崧始建於教忠坊，今順天府之右，而作塑像焉。永樂六年，太常博士劉履節奉上命正祀典，始有春秋之祭於有司，歲以順天府行事。宣德四年，府尹李庸遵旨葺而新之。東里集

【原】正統十三年十二月，順天府尹王賢奏：宋丞相文天祥故元時塑以儒士像，今宜考究宋時丞相冠服改塑。從之。明英宗實録

【原】韓雍請謚文信公疏　竊見宋丞相少保信國公文天祥，弱冠立朝，臨危許國。志專恢復，屢折挫而不移；心切匡時，蹈艱危而不變。既而國亡被執，繫獄累年。誘之以大用而不從，脅之以刀鋸而不屈。卒之南向再拜，殺身成仁。收三百年養士之功，立千萬載爲臣之極。有指南録以著其忠愛，有集杜詩以寄其憂傷。其精忠大節，與日月争光，與天地悠久。誠足以正人心而扶世道也。顧於没後贈謚未加，實爲缺典。乞勅禮部、翰林院儒臣考議，加以贈謚，録其子孫，并將順天府學之西天祥祠堂遺像改塑丞相冠服，仍令有司春秋祭祀。其於綱常誠非小補。韓襄毅集

【原】信公至景泰中，賜謚忠烈，人多不知。羅文恭公集

【原】甘瑾讀文丞相傳作　萬里冰天泣楚冠，南雲歸計路漫漫。尚圖一旅興王易，不念孤兒立國難。樓櫓海門西日暗，劍歌江介朔風寒。九京痛憶遺編在，千載奸諛掩面看。明詩統

【原】章懋謁文丞相祠詩　元宋興亡迹已陳，忠臣祠宇尚如新。夕陽古樹烟猶暝，夜雨荒階草自春。慷慨六歌空灑淚，間關百戰竟捐身。穆陵地下應含笑，不負臚傳第一人。楓山集

【原】黄仲昭謁文丞相祠詩　故宫芳草泣銅人，滄海樓船是紫宸。赤手欲擎西墜日，丹心誓掃北來塵。山河萬里雙垂淚，廟宇千年獨愴神。翹首燕山知幾仞，至今高節共嶙峋。永軒集

【原】顧清謁文山祠詩　碧殿長松鎖十尋，曉雲將雪助蕭森。貂蟬不改厓山制，金石疑聞孔壁音。南去星潮嗟往事，北來祠廟豈公心？春風一掬唐衢淚，幾爲先生濕短襟。東江集

【原】歐大任謁文信國祠　憶昔南冠日，厓山恨未忘。魂沉柴市月，淚盡薊門霜。白雁啣江草，黄龍逐海航。中原冠劍在，歌舞待巫陽。歐虞部集

【原】葉向高謁文丞相祠辭　余夙覯夫載籍兮，心傺侘而鬱紆。唁信國之逢殃兮，中情要眇其焉如？日余留覽乎皇之都兮，瞻元宫之岌嶫。循周垣而延佇兮，涕淫淫其交睫。惟宋室方舍夫夷庚兮，猰貐下而噬齊民。夜昏昏其未央兮，紛旦又重之以晦冥。蘭艾雜糅而不分兮，駑騎並道以争馳。彼靈瑣之莫儆兮，厥宗忽然而賓之。荃服敦瘁以祇辟兮，紛獨有此姱節。介忠冑信兮，欲鞭焚輪而掃狂孽。何持命之蹇塞兮，羌抑忌而逢殃。雖顛頓吾猶未悔兮，諒予情其信芳。技已殫而刃已極兮，憯昊天之莫顧。終俯首而受維兮，悲窘步於中路。衷慅慅以遭悶兮，悄見愠乎魑魅。下天眇而不見天兮，上又當乎飃戾之衝飈。荃畢命而抵節兮，更申申其詈之。日夏商周之忽没兮，競逐鹿而喪馬。羌孰雠而孰君兮，爾何懷乎故社？豈荃心之忍聞兮，掩吾耳而欲走也。甘蹈刃以如飴兮，亦明哲之所厚也。嗟大廈之既顛兮，狂瀾傾而誰柱？諒昭質其未虧兮，安能忍與此終古？羣磨牙吮血以相向兮，羌不可以久留。乃遂焉而逢殃兮，

澨駕言乎焉遊。驅玉虬而乘翳兮，張孔蓋而拂翠旌。奄靈衣之披披兮，日余從夷齊於首陽之陘。神邈邈其高馳兮，氣耿耿而成虹。叫帝閽猶未闢兮，極勞心之忡忡。帝感荃之精誠兮，命神龍奮而驅之。廓日月而重朗兮，固荃心之所求。阽微軀而危死兮，孰與夫忍辱而攘尤？荃既畢此願兮，辭閶風而來下。蓀房邃以岧嶢兮，搴芳洲之杜若。余薦沆瀣以醞醴兮，羞瓊靡以匏瓟。受哀絃於太娥兮，涓延和之以清商。靈肅肅而若覩兮，冀爲熿燭乎予誠。跪於邑以陳辭兮，勃颷颯而風生。陳辭兮未終，靈倏舉兮雲中。眇予思兮無極，悵四海兮安窮！悲乎哉，狂瀾潰兮夫誰能以不波？綱常墜兮，微哲人其奈何！蒼霞草

【增】楊士奇重修文丞相祠記　孟子曰：我知言，我善養吾浩然之氣。知言者，盡心知性而有以究極天下之理。浩然之氣即天地之正氣。具於吾身，至大而不可屈撓者。知之至，養之充，而後足以任天下之大事。天下之事莫大於君父。文丞相甫冠奉廷對，即極口論國家大計。未幾，元兵渡江，又上書乞斬嬖近之主遷幸議者。以一人心安社稷，固已氣蓋天下矣。自是而斷斷焉殫力竭謀，扶顛持危，以興復爲己任。雖險阻艱難，百挫千折，有進而無退。不幸國亡身執，而大義愈明。蓋公志正而才廣，識遠而器閎，浩然之氣以爲之主，而卒之其志弗遂者，蓋以天命去宋也。雖天命去宋，而天理在公，必不可已。故宋亡，其臣之殺身成仁者不少，論者必以公爲稱首。公事具宋史，而公鄉人劉岳申撫公所著日録、吟嘯集、指南録、集杜二百首及宋禮部郎官鄧光薦所述督府忠義傳以作公傳，視史加詳實焉。北京之有公祠，洪武九年，前北平按察副使劉崧始建於教忠坊今順天府學之右，而作塑像焉。永樂六年，太常博士劉履節奉命正祀典，始有春秋之祭於有司。歲以順天府尹行事。宣德四年，府尹李庸始至，謁公祠下，顧瞻祠宇敝陋弗稱，遵用詔旨葺而新之。凡祀神之器靡不備具。又求岳申傳刻石，將使人人皆知世之爲臣者光明震動焜焜烈烈有公也。於戲！忠孝人道之大節，治化所先，而崇禮先賢，表勵後人，尤守令之急務。庸其達爲政之本與！庸字執中，保定唐縣人。寬厚明敏，自太學生授工科給事中，上親擢爲順天府尹。愛人之心，劇繁之才，上下皆稱之。而盡心學校，敬賢尚德，如飾昌平之狄梁公、劉諫議祠而嚴其祀事之類，皆其知本之務，皆可書也。因並書之，以示來者。春明夢餘録

【原】鄧剡贊　目煌煌兮疏星曉寒，氣英英兮晴雷殷山。頭碎柱兮璧完，血化碧兮心丹。嗚呼，孰謂斯人不在世間！中齋稿

【補】王炎午望祭文丞相文　嗚呼！扶顛持危，文山、諸葛作相雖同，而公秉鈞。名相烈士，合爲一傳，三十年間，人不兩見。事繆身執，義當勇決。祭公速公，童子易簣。何知天意，佐忠憐才。留公一死，易水金臺。乘風捐軀，壯士其或。久而不易，霜雪松柏。嗟哉文山，山高水深。難回者天，不負者心。常山之髮，侍中之血。日月韜光，山河改色。生爲名臣，死爲烈星。不然勁氣，爲風爲霆。干將莫邪，或寄良冶。出世則神，入土不化。今夕何夕，斗轉河斜。中有光芒，非公也耶！梅邊集

【補】姚廣孝謁文丞相祠詩　凜凜宋忠臣，赫赫元世祖，禮遇各有道，聲光照千古。舊祠燕城東，松柏森牖户。英靈貫日月，勁氣鼓雷雨。有司奉朝命，維時薦芳醑。客來拜庭除，欲退復延竚。逃虚子集　以上三條原在北城，今

移改。

增羅倫宋丞相文信國公祠堂記　公名天祥，甫弱冠，奉廷對，陳君道之大本，經世之急務。文思神發，萬言立就。可謂天下之大材也。董宋臣主議遷幸，公上章乞斬之。賈似道誤國要君，公嘗以義裁之。吕師孟偃蹇傲命，公又上章乞斬之。勤王詔下，重臣宿將縮頸駭汗，公提孤兵獨往當之。敵次皐亭，三軍震動，宰相遁荒，公挺身獨往説之。可謂天下之大勇也。夫慷慨就義，決死生於一旦，中人猶或能也。若歷履萬死，其執彌堅，其志彌勵，非仁者其能然乎？方公之使北，詆罵激烈，當死。脱京口，走真州，如揚州，趨高郵，抵通州，苗再成逐之，李庭芝疑之，無日而不當死。然後遵海道，涉鯨波，始立二王，開督南劍。敗績於空坑，當死。仰藥於潮陽，當死。絶粒於南安，當死。至就囚燕獄，從容南向，再拜而死，震動天地，照耀萬世。可謂天下之大忠也。宋之亡，死國事者多矣，陸秀夫、張世傑死於海，李芾死於潭，趙昂發死於池，江萬里死於饒，姚旹死於常，趙時賞死於洪，先君武岡公死於吉。督府行朝，死者不可勝數。雖然，死矣未有如公之出萬死而後死。微子之去，箕子之囚，龍逢、比干之諫，伯夷、叔齊之餓，諸葛武侯之鞠躬盡瘁，備於公之一身矣。自古亡國之臣未有如公之烈也。收宋三百年養士之功，立千萬載爲臣之極，不在於公乎！公非仁者之勇，浩然塞於天地之間者乎！公去今二百年，順天府祠公於學宫，鄉郡祠公於城南，公之子孫祠公於富田。富田之祠，元季兵燹，爲横民所奪。龍鳳間，僉事李公飲冰復之，正統間，知府陳公本深繼之，景泰間，都憲韓公雍奏加謚號，録用子孫。今成化二年，僉憲李公齡來掌學事，以公九世孫繼宗入學，俾公鄉人周丕憲割田贍之。是皆有功於名教，可書，故書之以詔後世之爲人臣者。一峯集

增虞集哭文丞相詩　徒把金戈挽落暉，南冠無奈北風吹。子房本爲韓仇出，諸葛寧知漢祚移。雲暗鼎湖龍去遠，月明華表鶴歸遲。不須更上新亭望，大不如前灑淚時。道園學古録

增曾棨謁文丞相祠　國事艱危屬秉鈞，平生慷慨竟捐身。百年社稷歸元主，萬古祠堂表宋臣。已見高名垂宇宙，還瞻遺像肅簪紳。猶疑碧血生芳草，留得清芬歲歲春。巢睫集

增王鏊謁文丞相祠　義氣横天白日陰，巍然遺像學宫深。千金欲得留侯士，三擊難回豫讓心。自昔奸諛誰不死？如今元社亦銷沉。黄昏柴市風沙慘，回首行人淚不禁。震澤集

增邊貢謁文山祠　丞相英靈迴未消，絳帷燈火颯寒飈。乾坤浩蕩身難繫，道路間關夢且遥。花外子規燕市月，水邊精衛浙江潮。祠堂亦有西湖樹，不遺南枝向北朝。華泉集

原明崇禎十七年三月戊申，左都御史李邦華縊於文丞相祠。甲乙彙略

原三月十八日，賊破外城，李公移宿吉安館文信公祠下，烹賜豕，祀信公。詰朝，内城陷，奔赴大内，闕門閉，歸館沐浴，整衣冠北面再拜。三揖信公曰：邦華鄉邦後學，合死國難，請從先生於九京矣。取白縑書贊繫腰間，曰：堂堂丈夫，聖賢爲徒。忠孝大節，誓死靡渝。臨危授命，庶無愧吾。君恩莫報，鑒此癡愚。縑尾書人生自古誰無死，留取丹心照汗青之句，囑家人護總憲印繳還朝廷，勿汙賊手。移席正直，持束帛繫信公坐楣，投繯而絶。三月十九

日辰時也。李邦華傳 以上二條原在北城，今移改。

增永樂六年太常博士劉履節奉命正祀典，始春秋祭於有司。祠二碑，一楊士奇，一羅倫。按公授命至元壬午十二月初九日，風沙晝晦，宮中皆秉燭行，百官入亦秉燭前導。世祖以問天師張，悔之，贈公特進金紫光禄大夫太保中書平章政事盧陵郡公，謚忠武，命王積翁書神主，洒掃柴市，設壇祀之。丞相博囉行初奠禮，忽旋風起，捲神主雲中，隱隱雷鳴如怨怒聲，晝愈晦。乃改前宋少保右丞相信國公，天乃霽。帝京景物略

增考文天祥所著日録諸書，相傳並刊板祠中，今皆無有。惟唐李邕所書雲麾將軍李秀斷碑二礎，尚甃於壁。破屋三間，塑像兀坐，冠進賢冠，朱衣色黯。神座之右石刻半像執笏，冠如明世國公，笏刻孔曰成仁，孟曰取義數語。帝京古跡考

〔臣等謹按〕石像、雲麾將軍斷碑二礎及吴涵記今存東壁。又有嘉靖中南京户部主事李世德詩石，庭中有石刻本傳楊士奇碑，今無考。又按劉侗帝京景物略載，祠内尚有羅倫碑。今考羅倫文末段乃記文丞相鄉祠本末，似不應勒石於此。劉侗所記未足爲據也。

原良鄉縣有雲麾將軍碑，爲學博瘞爲柱礎。閩人董生見之，言於宛平縣李襲美蔭。蔭委曲寓書於令，輦致嵌其署壁間，匾曰古墨齋。黎惟敬、王敬美皆有記。耳談

原此碑後移少京兆署中，止二礎。其四礎相傳萬曆末爲王京兆惟儉攜之大梁。春明夢餘録

原李言恭雲麾將軍斷碑歌 蒼頡史籀不可起，蝌蚪鳥跡今已矣。書苑千載尊鍾王，乃有北海接其軌。得意最是雲麾碑，當年落筆風雨隨。何意斷之作柱礎，神物終爲造化私。年多委置荆蓁裏，瓦礫冰霜竟誰視。數字糢糊蒼蘚封，雙螭斷缺樵童毁。吾黨好古有李侯，忽焉搜致如琳璆。一朝載入長安市，拂拭光芒動斗牛。莫嗟此物久淹棄，隱顯鬼神或有意。李侯邀我把酒看，白日高堂氣自寒。人生蹤跡亦類此，屈不知已伸知已。貝葉齋稿 以上三條原在中城，今移改。

增唐雲麾將軍李秀碑，靈昌郡太守李邕文并書，逸人太原郭卓然摹勒，并題額。李秀，字元秀，范陽人。唐玄宗朝，以功拜雲麾將軍左豹韜衛翊府中郎將，封遼西郡開國公。卒於開元四年，葬范陽福禄鄉。碑刻於天寶元年。李北海

有兩雲麾碑，一爲李思訓，在陝西。一爲此碑，其官同，其姓同也。然此碑筆法遒逸，大勝陝碑。秦人有著石墨鐫華者，乃以爲一碑，且以此碑爲趙松雪所臨，誤矣。此碑舊貯良鄉縣庫中，不知何時入都城。宛平令李蔭掘地得六礎，洗視乃雲麾碑，建古墨齋以覆之。後移少京兆署中，止二礎，其四礎傳謂萬曆中王京兆惟儉攜去汴中。天府廣記

〔臣等謹按〕明趙崡石墨鐫華唐雲麾將軍碑跋云，北海書得意者，碑在蒲城。朱秉器又謂良鄉亦有此碑，蒲城者爲趙文敏臨書。今蒲城碑尚在，爲李思訓葬處，北海真蹟，非文敏所能。良鄉本肥媚，文敏書無疑。據此則孫承澤之駁摘趙崡，乃因朱秉器之言而誤。且所云肥媚者，亦約畧傳聞之詞，其實未見良鄉碑，故不知其爲李秀，而誤與思訓爲一人也。至秀碑之遷徙始末，吴涵記之甚詳。碑始斷而斵之爲礎者，良鄉學生某；以其石告者，閩人董生；輦致之而作古墨齋以貯之者，宛平知縣李蔭；其後攜六礎之四至汴而留其二者，爲順天府尹王惟儉；自府署又遷之置文丞相祠壁者，爲順天府丞吴涵。孫氏書悉未及之也。至四礎之入汴，不知所在。

原普德寺俗呼大佛寺，建置歲月無碑記可考。析津日記

〔臣等謹按〕大佛寺在柴市西口稍南，寺門前有碑四，俱漶漫不可讀。

欽定日下舊聞考卷四十六

城市 內城東城二

原蘇州衚衕有苦井，弘治間正月朔日晨，有術士汲其水往甜井中易水而來，向井詋詛而下之，此井遂變爲甜水。七修類稿

〔臣等謹按〕井在蘇州衚衕內麻線衚衕三元庵前，居民至今資以汲飲。

增大石橋在崇文門內東南，又東有泡子河橋。畿輔通志

〔臣等謹按〕張爵坊巷衚衕集，泡作河，卽泡子河。

原泡子河在崇文門之東城角，前有長溪，後有廣淀。高堞環其東，天臺峙其北。兩岸多高槐垂柳，空水澄鮮，林木明秀，不獨秋冬之際難爲懷也。北有呂公祠，以乞夢有驗；歲大比，諸士子争往焉。河上諸招提，苦無廣大者。水濱之頹園廢圃，多置不葺。城內自德勝河外，惟此二三里間無車塵市囂，惜命駕者少耳。燕都游覽志

〔臣等謹按〕泡子河在今崇文門東城角觀象臺前，河身尚存，經呂公祠南石橋出南水

門入通惠河，與燕都游覽志所記合。

原 泡子河南岸有方家園、張家園、房家園，北岸有張家園、傅家東西園，中吕公堂，西楊氏泌園，東玉皇閣，北去貢院里許。帝京景物略

〔臣等謹按〕帝京景物略方家園諸處，卽燕都游覽志所謂頹園廢圃者也。當時已然，今更無可考矣。吕公堂卽永安宮，在泡子河東。

補 高工部道素，初名斗光，萬曆丙辰，公車入都，乞夢於泡子河吕公堂，夢黄冠告之曰：君與高斗光同年。答曰：是吾名也。黄冠曰：君乃是高道素。寤而異之，遂更名。後三年乙未榜發中第三十六名，其同榜第九十名爲高斗光，山東嘉祥人也。閒史掇遺

增 顧秉謙吕公祠碑記略　都城之巽方，有純陽吕公祠，建於成化初年。嘉靖中，錦衣千户陸君檜擴新之，萬曆壬子，上允全真之請，葺祠。甲寅工竣，勅賜護國永安宮。五城寺院册

增 葛一龍秋夜同武仲宿吕公堂詩　草木自烟翳，居廛半水周。帝城偏一角，仙路入高秋。月曬地霜起，風翻天漢流。如期同襆被，清極夢難游。帝京景物略

〔臣等謹按〕吕公祠南有太清宮，卽帝京景物略所稱玉皇閣也，明萬曆時建，有國子監司業顧起元碑。

增 顧起元太清宮碑記　京師之巽隅，惟水豬焉，是曰泡子河，卽元人所開通惠河也。河東涯地殊爽塏，蒲柳宛然，沙鷗水燕，翔泳以嬉，纖鱗瀺灂藻荇間，過之者若滌囂紛而游溟涬矣。舊有天仙祠一區，僅庇風雨，爲鴻臚丞梁君所創。萬曆二十有一年，鍊師劉君静祝結静於此，覩其卑隘，拓而大之。已而徹於天聽，皇上特出帑金俾塑福禄壽三星聖像，又建鉢堂石觀音，爲祝釐瞻衆之所，更其額曰太清宮。構創既成，鍊師請予爲記。五城寺院册

增 慈雲寺在泡子河西岸，明萬曆六年建。本朝順治十年修，今俗稱爲十方院。同上

原 于少保祠額曰忠節，在崇文門内東裱背巷，公故賜宅也。祠三楹，中塑公像，歲春秋

遣太常寺官致祭。公被刑於天順元年，復官於成化二年，賜謚肅愍在弘治二年，改謚忠肅在萬曆十八年。春明夢餘録

增崇文門内東半里有祠曰忠節，明時以祠少保兵部尚書于公謙。公當正統己巳之變，首定景帝繼統之策，宗社不墟，其功大矣。英宗復辟，徐有貞、石亨、曹吉祥輩以奪門爲功，有貞因謂上曰：不殺于謙，今日之事無名。公遂被害。時天順元年也。成化二年始復官。又二十三載賜謚肅愍，爲弘治二年。又一百一載，改謚忠肅，爲萬曆十八年。蓋百有三十三載而後論定。祠三楹，中塑公像，春秋太常致祭。初英宗雖殺公，繼而羣奸敗，已知公寃。憲宗曰：先帝已知其枉，朕心實愍其忠。及神宗時，將改公謚，大司馬王一諤夢公來誦一詩，中有空山血淚憑誰訴，萬里忠魂獨自歸之句。會浙撫傅孟春疏請改謚，始改忠肅。大興縣志

〔臣等謹按〕明史于謙本傳載，謙自奉儉約，所居僅蔽風雨，帝賜第西華門，固辭。春明夢餘録云，祠在崇文門内，其非西華賜第可知。今祠亦廢。考裱背衚衕内有福德祠，地甚狹，相傳卽其舊址。又于謙賜謚，帝紀及本傳俱係弘治二年十二月，春明夢餘録大興縣志並作三年，誤也。今改正。

原至元十六年建司天臺於大都，儀像圭表皆銅爲之。元史天文志

原觀象臺在城東南隅。臺上有渾天儀，鑄銅爲器，四柱以銅龍架而懸之。又有簡儀，狀相似而省十之七，止周圍數道而已。玉衡亦以銅爲之，如尺而首尾皆曲，有二孔，對孔直闚以候中星。又有銅毬，左右轉旋以象天體，以方函盛之，函四周作二十八宿真形。南面有正統御製銘。臺下小室有量天尺，鑄銅人捧尺北面，室穴其頂，以候日中測景之長短。中爲紫微殿，殿旁有銅壺滴漏。其簡儀乃耶律楚材製。春明夢餘録

時幾。皆皇上御書。簡儀、仰儀及諸儀表並元郭守敬所製，史載甚明。春明夢餘録以爲耶律楚材，誤矣。殿東小室曰壺房，即浮漏堂。内有銅人一，銅壺五，曰日天壺，夜天壺，平水壺，萬水壺，分水壺。日月交食前三日調壺，置銅人於萬水壺上，南面抱箭。箭又名量天尺，長三尺一寸，鐫晝夜時刻，上起午正，下起午初。壺中安箭舟如銅鼓形，水長舟浮，則箭上出，水盈箭盡，則洩於池。箭上時刻與赤道符，晝夜一周再注水，亦如之。雖陰雨時刻無差。是銅人爲調壺用，並不占日晷短長。東廂五間爲測量所。别有室三楹，爲晷影堂。南北平置銅圭於石臺，長一丈六尺二寸，闊二尺七寸，周以水渠，南端置銅表，高八尺，上設横梁，用影符以取中景。本朝加表二尺，上施銅葉，中穿圓孔，徑二分，午正景自孔透圭面成橢形，南爲上景，北爲下景，中爲中景。京師夏至景二尺九寸四分八釐，冬至一丈九尺九寸四分，以次盈縮。北端設圭，高三尺五寸，冬至上立圭二尺七寸四釐，並無銅人。春明夢餘録謂銅人捧箭以候日中，蓋以銅漏與日表混而爲一耳。

〔臣等謹按〕紫微殿今存。殿内扁曰觀象授時。聯曰：敬協天行所無逸；順敷星好勅

原太史郭公守敬言：曆之本在於測驗，而測驗之器莫先儀表。今司天渾儀，宋皇祐中汴京所造，不與此處天度相符。比量南北二極，約差四度，表石年深亦復欹側。乃盡考其

失而移置之。既又别圖爽塏，以木爲重棚，創作簡儀、高表，用相比覆。又以爲天樞附極而動，昔人嘗展管望之，未得其的，作候極儀。極辰既位，天體斯正，作渾天象。象雖形似，無適所用，作玲瓏儀。以表之矩方測天之正圓，莫若以圓求圓，作仰儀。古有經緯，結而不動，公則易之作立運儀。日有中道，月有九行，公則一之，作證理儀。表高景虚，罔象非真，作景符。月雖有明，察景則難，作闚几。曆法之驗，在於交會，作日食月食儀。天有赤道，輪以當之，兩極低昂，標以指之，作星晷定時儀。以上凡十三等。又作正方案、丸表、懸正儀、座正儀凡四等，爲四方行測者所用。又作仰規覆矩圖、異方渾蓋圖、月出入永短圖凡五等，與上諸儀互相參考。元名臣事略

原 舊儀既多蔽礙，且距齒但有度刻而無細分，以管望星，漸外則所見漸展，尤難取的。郭公所謂儀，但用天常、赤道、四游、三環、三距。設四游於赤道之上，與相套在内同。附直距於四游之外，與雙環兩間同。結線距端，凡測日、月、星，則以兩線相望，膀取其正中所當之刻、之度、之分、之杪之數。舊表八尺，謂夏至之景尺有五寸，千里而差一寸。唐一行已嘗駁議。公所爲表，五倍其舊，懸施横梁，每至日中，以符竅夾測横梁之景，折取中數，與舊表殊。元文類

增 仰儀之制，以銅爲之，形若釜，置於甎臺上，内畫周天度，脣列十二辰位，蓋俯視驗

天者也。元史天文志

原 元立簡儀，爲圓室一間，平置地盤二十四位於其下，屋背中間開一圓竅以漏日景，可以不出户而知天運。前代立八尺之表以量日景，故表短而晷景短，尺寸易以差。元立四丈之表，於二丈折中開竅以量日景，故表長而晷景長。尺寸縱有毫杪之差，則少矣。玲瓏儀，鏤星象於其體，就腹中仰以觀之，此出色目人之制也。草木子

原 姚燧簡儀銘　舊儀昆侖，六合包外。經緯縱横，天常衺帶。三辰内循，黄赤道交。其中四游，頫仰鈞籥。凡今改爲，皆析而異。繇能疏明，無窒於視。四游兩軸，二極是當。南軸攸沓，下乃天常。維此攲傾，取軸渠應。鏤以百刻，及時初正。赤道上載，周列經星。三百六十，五度奇贏。地平安加，立運所履。錯勒於隅，若十二子。五環三旋，四衡挈焉。兩綴闚距，隨捩留遷。欲知出地，究兹立運。去極幾何，即游是問。赤道重衡，四弦末張。上結北軸，移景相望。測日用一，推星兼二。定距入宿，兩候齊視。巍巍其高，莫莫其遥。蕩蕩其大，赫赫其昭。步仞之間，肆所賾考。明乎制器，運掌有道。法簡而中，用密不窮。歷校古陳，未與侔功。猗歟皇元，發帝之藴。畀厥羲和，萬世其訓。牧庵集

原 仰儀銘　不可形體，莫天大也。無競惟人，仰釜載也。六尺爲深，廣自倍也。兼深廣倍，絜釜兑也。振溉不洩，繚以澮也。正位辨方，曰子卦也。横縮度中，平斜再也。斜起南極，平釜鐓也。小大必周，入地畫也。始周浸斷，浸極外也。極入地深，四十太也。北九十一，赤道齘也。列刻五十，六時配也。衡竿加卦，巽坤内也。以負縮竿，子午對也。末旋機杖，竅納芥也。上下懸直，與鐓會也。視日漏光，何度在也。暘谷朝賓，夕餞昧也。寒暑發斂，驗進退也。薄蝕終起，鑒生殺也。以避赫曦，奪目害也。南北之偏，亦可概也。極淺十七，林邑界也。深五十二，鐵勒塞也。淺赤道高，人所載也。夏永冬短，猶少差也。深故赤平，冬晝晦也。夏則不没，永短最也。二天之書，曰渾蓋也。一儀即揆，何不悖也。以指爲告，無煩喙也。闇資以明，疑者沛也。智者是之，膠者怪也。過者巧曆，不億輩也。非讓不爲，思不逮也。將窺天朕，造物愛也。其有俟然，昭聖代也。泰山礪兮，河如帶也。黄金不磨，悠久賴也。鬼神禁呵，庶勿壞也。同上

〔臣等謹按〕梅文鼎云，仰儀銘與史多異同，而異者較勝，豈牧庵作銘後復有定本

耶？今以元史天文志考之，不可形體，史作不可體形。振溉不洩，繚以澮也，史作環鑿爲沼，準以溉也。子午對也，史作本午對也。末旋機杖，史作首旋機板。視日漏光，史作視日透光。深五十二，鐵勒塞也二句，史錯簡於猶少差也句下。淺赤道高，史作黄道夏高。深故赤平，史作黄道浸平。二天之書，曰渾蓋也。一儀卽揆，何不悖也。史作安渾宣夜，昕穹蓋也。六天之書，言殊話也。一儀一揆，孰善悖也。過者巧曆，史作古今巧曆。其有俟然，史作其有俊明。泰山礪兮，史作泰山礪乎。庶勿壞也，史作勿銘壞也。卽如振溉不洩，繚以繪也，乃言釜口周圍爲水渠環繞，注水取平也。若云環鑿爲沼，準以溉也，其言疏矣。末旋機杖，窾納芥也，乃言直竿必圓，取其可以旋轉，而竿末則方，其形類板，板之心爲圓窾甚小，僅可容芥子也。今云機板，義自相通，而首旋則非旨矣。極淺十七，林邑界也。深五十二，鐵勒塞也。乃地偏於南，如林邑在交趾之南，故見北極之高十七度，而南極之入地亦十七度爲最淺。地偏於北，如鐵勒在朔漠之北，故見北極之高至五十餘度，而南極之入地亦五十餘度爲最深。然則二句當相對言，而不當錯簡於後矣。凡此諸說，其同異處並集長於史，故當據以爲定本，而并可以證天文志之缺焉。

原 楊桓渾象銘　於昭聖皇，德惟天希。密察乾坤，動符化機。乃命太史，考順求違。制器象天，具體而微。度數棋布，星次珠輝。道分黄赤，擬議圓規。兩極低昂，中主璇璣。匱方象地，極樞以維。地本天函，術取外圍。反而觀之，其趣同歸。體雖至約，用足明大。象設目前，人居天外。觀天之裹，合象之背。日月交錯，五行進退。造化無窮，不出户内。始終參求，簡儀是配。於昭聖皇，夙夜睿思。先天天合，後天奉時。先後惟天，聖皇無爲。元文類

原又玲瓏儀銘　天體圜穹，三辰在中。星雖紀度，天實無窮。天度之數，環周三百六十五度四分度一。因星而步，推日而得。月次十二，往來盈虧。五星參差，進退有期。判爲寒暑，分爲四時。太史司天，咸用周知。制諸法象，各有攸施。萃於用者，玲瓏其儀。十萬餘目，經緯均布。與天同體，協規應矩。徧體虚明，中外宣露。元象森羅，莫計其數。宿離有次，去極有度。人由中闚，目卽而喻。先哲實繁，兹制猶未。逮我皇元，其作始備。實因於理，匪鑿於智。於萬斯年，寶之無墜。同上

原又高表銘　聖人修政，惟農是本。農之所見，時則爲準。過與不及，民安究之。動措由中，聖人授之。時在於天，術何以得？制器求之，乃見天則。日月周運，閏餘歲成。盈虚消息，在表斯徵。分至既辨，氣序乃會。朔晦一定，弦望由對。爰演斯曆，用詔民時。百工允治，庶績用熙。表中以正，圭平以直。不言而喻，與時偕極。天德芒芒，參以明焉。民生皡皡，振以興焉。惟昔八尺，景促分密。爲用雖可，每艱辨析。聖皇御極，百度維新。乃五其昔，其用益神。表高之法，先哲匪憚。其顛景虚，取的是患。表梁上陳，景符下依。符竅得梁，景辰精微。揆月有方，闚几是映。几限容光，圭表交應。器術之密，推步之精。歷古於今，斯畢其能。上天之載，無聲無臭。聖王儀刑，在其左右。仁民育物，以對天祐。眉壽萬年，寶兹悠久。同上

原吴師道九月二十三日城外記游作　杪秋暇日休弦歌，五門城外觀新河。斗門決水已數日，淺沙漫漫無餘波。縱横疏鑿引别派，監官督役猶撝訶。循堤側足懼疏惡，驚見崩拆當盤渦。故橋舊市不復識，祇有積土高坡陀。城南靡靡度阡陌，疏柳掩映連枯荷。清臺突兀出天半，金光耀日如新磨。璣衡遺製此其的，衆環倚植森交柯。細書深刻皇祐字，觀者歎息爭摩挲。司天貴重幸不毁，回首荆棘悲銅駝。長春宫苑最宏麗，飛樓湧殿凌層坡。喬松夭矯百歲物，復有偃蓋低婆娑。平生數聞百一帖，樂石壁置周簷阿。金源中葉盛文物，玉堂學士鏘鳴珂。旁搜紙墨作藻飾，欲與唐晉爭嵯峨。至今摹搨傳好事，道士却换人間鵝。仙杯珍襲巨桃核，御畫雲鶴題宣和。不知何處有此木，偶而結實良非他。瑶池漢殿語茫昧，遂使世俗猶傳訛。尋幽訪古意未已，起視落日歸禽多。却過林亭思清絶，盆葉采采黄金窠。蟹螯斫雪新醖碧，對此不樂將如何。景華酒壚萬歌舞，錦韉翠袖近嫦娥。儒冠已受俗子笑，況復衰容雙鬢皤。下帷閉閣來跡少，骯髒不肯俟門過。清游良友幸追逐，未忍返棹尋魚簑。今朝不飲心已醉，笑看坐客朱顔酡。鳳城半掩歸路暝，爭道擊轂如飛梭。九衢冥濛漲塵霧，漸見燈火稀星羅。作詩寫實不可緩，馬上已復成微哦。吴禮

集部

補揭傒斯銅儀詩　法象坤儀重，來從汴水遷。飛龍纏四極，黃道界中天。望絕秋毫末，循環太古前。荒臺明月夜，應有淚潺湲。秋宜集

〔朱彝尊原按〕元之都城在東北，白馬廟、柴市、瓊華島皆在南城，今之觀象臺則在南城之外。讀吴正傳城外紀遊作可信已。

〔臣等謹按〕元都城偏於東北，今鐘鼓樓地爲元之中心閣，德勝門外土城關舊址猶存。蓋當時觀象臺尚未築入城内，故吴正傳紀遊詩謂爲南城外耳。

補宋真宗時，司天冬官正韓顯符造銅候儀，本李淳風遺法。嗣後沈括、蘇頌等造儀象浮漏，亦臻奇巧。自靖康之亂，儀象之器盡歸於金。元都燕，其初襲用金舊，而規環不協，難復施行。太史令郭守敬盡考其失，創作諸儀，從古儀象測驗之精無能出其右者。至今簡儀、仰儀、圭表、影符等器在觀象臺。古今律曆考

增至元十七年，新曆告成，守敬與太史諸公同上奏曰：臣等竊聞帝王之事，莫重於曆。自黄帝迎日推策，帝堯以閏月定四時成歲，舜在璇璣玉衡以齊七政，爰及三代，曆無定法。周秦之間，閏餘乖次。西漢造三統曆，百三十年而後是非始定。東漢造四分曆，七十餘年而儀式方備。又百二十一年，劉洪造乾象曆，始悟月行有遲疾。又百八十年，姜岌造三紀甲子曆，何承天造元嘉曆，始悟以朔望及弦皆定大小餘。又六十五年，祖沖之造大明曆，始悟太陽有歲差之數，極星去不動處一度餘。又五十二年，張子信始悟日月

交道有表裏，五星有遲速留逆。又三十三年，劉焯造皇極曆，始悟日行有盈縮。又三十五年，傅仁均造戊寅元曆，頗采舊儀，始用定朔。又四十六年，李淳風造麟德曆，以古曆章蔀元首分度不齊始爲總法，用進朔以避晦晨月見。又六十三年，僧一行造大衍曆，始以朔有四大三小定九服交食之異。又九十四年，徐昂造宣明曆，始悟日食有氣刻時三差。又二百三十六年，姚舜輔造紀元曆，始悟食甚泛餘差數。以上計千一百八十二年，曆經七十改，其創法者十有三家，自是又百七十四年。欽惟聖朝統一六合，肇造區夏。專命臣等改治新曆。臣等同創造簡儀高表，憑其測到實數，所考正者凡七事。一曰冬至。自丙子年立冬後，依每日測到晷影，逐日取對，冬至前後日差同者爲準，得丁丑年冬至在戊戌日夜半後八刻半，又定丁丑夏至得在庚子夜半後七十刻。又定戊寅冬至在癸卯日夜半後三十三刻，己卯冬至在戊申日夜半後五十七刻半，庚辰冬至在癸卯日夜半後八十一刻半，各減大明曆十八刻，遠近相符，前後應準。二曰歲餘。自劉宋大明曆以來，凡測景驗氣得冬至時刻真數者有六，用以相距，各得其時合用歲餘。今考驗四年，相符不差，仍自宋大明壬寅年距至今日八百一十年，每歲合得三百六十五日二十四刻二十五分，其二十五分爲今曆合用之數。三曰日躔。用至元丁丑四月癸酉望月食既推求日躔，得冬至日躔赤道箕宿十度，黄道箕九度有畸，仍憑每日測到太陽躔度，或憑星測月，或憑月測日，或徑憑星度測日，立術推算，起自丁丑正月至己卯十二月，凡三年，共得一百三十四事，皆躔於箕，與月食相符。四曰月離。自丁丑以來至今，憑每日測到逐時太陰行度推算變從黃道求入轉極遲極疾并平行處，前後凡十三轉，計五十一事，內除去不真的外，有三十事得大明曆入轉後天，又因考驗交食，加大明曆三十刻，與天道合。五曰入交。自丁丑五月以來，憑每日測到太陰去極度數，比擬黃道，去極度得月道交於黃道，共得八事，仍依日食法度推求，皆有食分，得入交時刻與大明曆所差不多。六曰二十八宿距度。自漢太初曆以來，距度不同，互有損益，大明曆則於度下餘分附以大、半、少，加私意牽就，未嘗實測其數。今新儀皆細刻周天度分，每度爲三十六分，以距線代管窺，宿度餘分並依實測，不以私意牽就。七曰日出入晝夜刻，大明曆日出入晝夜刻皆據汴京爲準，其刻數與大都不同。今更以本方北極出地高下，黃道出入內外度，立術推求每日日出入晝夜刻，得夏至極長日出寅正二刻，日入戌初二刻，晝六十二刻，夜三十八刻，冬至極短，日出辰初二刻，日入申正二刻，晝三十八刻，夜六十二刻，永爲定式。所創法者凡五事。一曰太陽盈縮。用四正定氣立爲升降限，立招差，求得每日行分初末極差積度，比古爲密。二曰月行遲疾。古曆皆用二十八限，今以萬分日之八百二十分爲一限，凡析爲三百三十六限，依垜疊招差，求得轉分進退，其遲速度數逐時不同，蓋前所未有。三曰黄赤道差。舊法一百一度相減相乘，今依算術勾股弧矢方圓斜直所容，求到度率積差差率，與天道實爲脗合。四曰黄赤道内外度。據累年實測内外極度二十三度九十分，以圓容方直，矢接勾股爲法，求每日去極，與所測相符。五曰白道轉周。舊法黄道變推白道，以斜求斜，今用立渾比量得月與赤道正交，距春秋二正黄赤道正交一十四度六十六分，擬以爲法，推逐月每交二十八宿度分，於理爲盡。郭守敬行狀

增大德二年，起靈臺水渾，運渾天漏大小機輪凡二十有五，皆以刻木爲衝牙，轉相撥擊。上爲渾象，點畫周天星度，日月二環斜絡其上。象則隨天左旋，日月二環各依行度退而右轉。同上

增初公年十五六，得蓮花漏圖，已能盡究其理，及隨張忠宣公奉使大名，因大鼓鑄，即今靈臺所用銅壺。又得尚書璇璣圖，規竹篾爲儀，積土爲臺，以望二十八宿及諸大星。及夫見用，覩其規畫之簡便，測望之精切，智巧不能私其議，羣衆無以參其功。同上

增按郭太史守敬授時曆，得之測驗爲多。所製簡儀，用二線以代管闚，可得宿度餘分，視古爲密。然推星兼二之用，史志未言，得斯銘以補之，洵有功於來學。二銘補注

增或問：渾儀如毬，而簡儀之五環三旋並只單環，何也？曰：渾儀雖如毬，而運規以測，亦只在單環之上。今以單環旋而測之，即與渾儀無二，而去其繁複之累與測時掩映

之患，以較渾儀，不啻勝之。今者西器或用一環之半爲半周儀，或四分環之一爲象限儀，並因之而益簡之，以測渾體，初無不足。同上

增 世有謂：郭公陰用回回法者，非歟？曰：非也。元世祖初，西域人進萬年曆，稍頒用之。未幾旋罷者，以其疏也。今札瑪里迪音之測器具載史志，其所爲晷影堂地理志者無有與郭公相似之端。至於線代管闚，實出精思創制。今西術本之，亦以二線施於地平儀，而反謂郭公陰用回曆，是未讀元史也。同上 按：札瑪里迪音舊作札馬魯丁，今對音譯改。

原 正統二年二月，行在欽天監監正皇甫仲和等奏：南京觀星臺設渾天儀、璇璣玉衡、簡儀、圭表以闚測七政行度、凌、犯、遲、留、伏、逆。北京齊化門城上觀測未有儀象，乞令本監官一人往南京，督匠以木如式造之，赴北京較北極出地高低準驗，然後用銅鑄造，庶占象不失。從之。四年十月，造渾天儀、璿璣玉衡、簡儀。五年九月，御製觀天之器銘。明英宗實録

原 明英宗觀天器銘 粵古大聖，體天施治。敬天以心，觀天以器。厥器惟何？璿璣玉衡。璣象天體，衡審天行。歷世更代，垂四千禩。沿襲有作，其製寖備。卽器而觀，六合外儀。陽經陰緯，方位可稽。中儀三辰，黄赤二道。日月暨星，運行可考。内儀四游，横簫中貫。南北西東，低昂旋轉。簡儀之作，爰代璣衡。制約用密，疏朗而精。外有渾儀，反而觀諸。上規下矩，度數方隅。别有直表，其崇八尺。分至氣序，考景咸得。縣象在天，制器在人。測驗推步，靡忒毫分。昔作今述，爲制彌工。既明且悉，用將無窮。惟君勤民，事天首務。民不失寧，天其予顧。政純於人，天道以正。勒銘斯器，以勵予敬。同上

增 正統十二年冬，監正彭德清言：北京北極出地度太陽出入時刻與南京不同，冬夏晝長

夜短亦異。今宮禁及官府漏箭皆南京舊式，不可用。有旨，令內官監改造。明史天文志

【原】景泰中，欽天監奏：觀星臺在東城上，喧擾不便，而屋宇牆壁多壞。乞徙至東長安街臺基廠，則高與西長安街二塔相對，足爲青龍白虎之象，於堪輿家所言形勢相宜。帝允其請。六年三月，造內觀象臺簡儀成，八月，以勞擾罷徙。明景帝實録

【增】成化中，尚書周洪謨復請造璇璣玉衡，憲宗令自製以進。明史天文志

【原】弘治十四年十二月，改造觀象臺渾儀及簡儀。明孝宗大政紀

【原】先是，欽天監監正吴昊，請改造觀象臺原製渾儀及修改簡儀，禮部請令監正張紳議之。紳謂：原製渾儀時未經校勘，黄赤二道相交於奎、軫，不合今之四正陽經，故南北圓軸不合兩極出入地度陰緯，而東西闚管又不與太陽出没相當，是以推驗無準。從前不用簡儀，雖用以測驗，然當時鑄造雲柱頗短小，亦稍不合天樞，故推測經星去極亦有差謬。今改造渾儀，宜以赤黄二道改交於壁、軫，則與今之四正陽經相合，而圓軸闚管亦無不相合相當者，簡儀雲柱則比舊少加高大足矣。禮部復請令紳等呈木樣，至是樣成，禮部請如昊等所奏。從之。明孝宗實録

【原】嘉靖二年九月，修觀象臺占風竿及渾天儀簡儀。明世宗實録

〔臣等謹按〕占風竿今仍其制，亦名順風旗竿，上有鐵籠二十八道，以象二十八宿之

數也。

增嘉靖七年，始立四丈木表，以測圭影定氣朔，由是欽天監之立運儀、正方案、懸晷、偏晷、盤晷諸式具備於觀象臺，一以元法爲斷。明史天文志

原觀象臺一名瞻象臺，高百尺許，與城堞女牆並峙，距棘闈咫尺耳。上有璇璣玉衡、渾天、立運諸儀，傳爲耶律楚材所製，乃正統十一年倣元人所製也。燕都游覽志

欽定日下舊聞考卷四十七

城市 内城東城三

【原】今京師巽隅逼城觀象臺之巔有渾天儀，其質皆銅。有四柱，以龍承之，懸儀於上，製作精工，銅亦古潤，作紺色。旁另有一儀，式小不及其半，交道亦減。又有玉衡如尺。又有銅毬象天圜體，外列二十八宿，上列正統七年御製銘。予按此非本朝人所辨，意必故元舊物。按宋沈括云，司天監銅渾儀，景德中韓顯符所造，依劉曜時、孔挺、晁宗、解蘭之法。天文院渾儀，皇祐中舒易簡所造，用唐梁令瓚、僧一行法。至熙寧，括監太史局，受詔改造渾儀，置之天文院，而移天文院舊銅儀於朝服法物庫。蓋宋世渾儀有三，金人入汴，諸法物俱北去，此固蒙古得之完顔者耳。至正統而重修則有之。且銘有昔作今述句，非創矣。野獲編

【原】于慎行簡儀贊：芒芒元運，莫莫三辰。譬彼輻轂，轉於一輪。舊儀洵美，而狀渾淪。卓哉良史，創物維新。其新匪他，維舊而析。四游兩軸，當乎二極。南軸攸沓，天常下直。維北欹傾，軸焉足式。赤道上載，列宿周天。三百六十，五度寄焉。樞機所運，五環三旋。去極之度，游則昭然。囊括兩儀，珠輝七曜。象在靈臺，不言而告。邈矣斯人，何識之妙。配皇等極，昭茲神造。穀城山房集

原張一桂贊 於維帝王，憲天出治。敬天以心，測天以器。爰稽往古，實造渾儀。考時布令，仰觀俯闚。厥體至圓，厥形左運。璇璣玉衡，推步斯訓。度刻雖具，細分未全。以管望之，漸外漸懸。及勝國時，郭太史氏。逖覽幽探，獨臻至理。實通舊制，簡儀乃成。四游上附，直距外經。三距三環，天常赤道。結環距端，遠近相較。兩線相望，於以測之。日月極遠，分秒適宜。纖悉咸備，惟精惟密。簡要可遵，百世莫易。我思古人，太衍太初。三樞七直，視此爲疏。赫赫皇朝，損益前代。尚象明時，獨茲不廢。都城東隅，崇臺巍然。爲國重器，於萬斯年。八科館課

增崇禎二年，禮部侍郎徐光啓兼理曆法，請造象限大儀六，紀限大儀三，平懸渾儀三，交食儀一，列宿經緯天毬一，萬國經緯地毬一，平面日晷三，轉盤星晷三，候時鐘三，望遠鏡三。報允。明史天文志

增臺上有渾天儀、簡儀、銅毬、量天尺諸器。本朝康熙十二年，以舊儀年久多不可用，御製新儀凡六，一天體儀，一赤道儀，一黃道儀，一地平經儀，一地平緯儀，一紀限儀，陳於臺上，至今遵用。其舊儀移藏臺下。大清一統志

增天體儀 諸儀之中，其最象乎渾天而爲用甚大者莫天體儀若也。蓋天體儀乃渾天之全象，而其爲用則又諸儀之用之所統宗也。然諸儀中最爲難制者亦莫若天體儀，爲夫畢肖乎天形且便於用之爲難也。其難於畢肖天刑者，難以取圓故也。其難便於用者，難於周圍均輕而無偏垂故也。其取圓，則以子午圈或地平圈爲準。先應分子午圈，劃爲四象限，次定兩相對之界，以爲南北二極。每一象限則分爲九十度，而兩極各爲九十度之界。子午圈則以兩面度及字彼此準對，每一度以對角線之比例，而另以六十細分，又每一分更細而四分之，而每四分之一則當十五秒也。則以游表識之焉。又子午立圈以向東之規面爲正面，而儀之中心乃正對於斯。其南北兩極各作圓半孔以受儀之半軸，其他半以伏兔圓半孔受之。兩半圓相合以螺旋轉定之，而兩極上下以圓鋼樞而受儀之全軸焉。夫欲儀之旋轉齊圓而畢肖乎天之形體，則必以子午圈內規面之齊圓爲準也。欲其均輕而便於用者，則又必以權衡之理爲準也。蓋權衡之爲義，本乎天行之平耳。夫惟渾天之恒平行，是以左右上下無或有輕重之偏焉，而天體儀之所爲最象乎渾天者，大端正在於此。輕重學有云，平衡之梁，其心在中，其兩端加重各等，一端扶之以手，手離，自不動矣。則天體儀亦然。任意旋轉，手離，則儀不動矣。其圓形之心及徑與重之心及徑同在一所故也。安儀於子午圈之中，行令其輕，而形令其圓，其象天也如此，此制器尚象之爲第一義也。次之，令其準合於地平圈。地平圈，其坐架約高四尺七寸，而

座之上下有兩圈，上圈爲地平之面，寬八寸，於子午正對處各闕其口，深與子午圈側面，寬與其規面相等，總以恰容子午圈，不寬而亦不隘爲當其可焉。至兩圈内規面平合而左右上下環抱乎儀周圍，則須留五分之縫，爲便於安高弧而進退游表。隨用規器於地平上面多作平行圈線，以別度與字之間處，必於劃度處展之，於劃字處縮之，便以長方對角之線細分宮度。地平之上面，共分内外中三層。内層劃有地平經度，分四象限而各爲九十度。其經度之上下則劃有度數字，平距圈線内外界之上，所刻字以正南正北各爲初度，以正東正西各爲九十度，界下所刻字反是，以爲測驗時便於用故耳。内層則以周渠爲限界，渠之深寬相等，即五分内堪容高弧之足，即地平經度表也。自周渠以外，則地平中層矣。其上下平距圈線者，即限界京師地平日晷時刻也。每一時分八刻，而每一刻則十五分。午正初刻，即自子午圈正面南邊交地平而起。子正初刻，相對於兩圈北邊相交處。日晷源表者，即天體過南北之軸也。但本軸在儀體之中不見，故儀面上過南北兩極不拘何圈，俱可以代表也。地平面上，其外層圈線者，即分定三十二方之線也。此外圈亦分四象限，各有八方之線，亦名風線。蓋地平周圍從三十二方風之有名者而起。凡定方向及細心觀候天象者，必應分別之。夫地平及子午兩圈因在天體面之外，係外圈。此兩圈全備如此，則儀面上之諸圈可定以爲内圈，前南北兩極當其中，而劃赤道圈以四象限分之，令各象界線與子午卯酉四正正對。次則另用規器而以各象限初度爲心，以末度爲界，劃四半圈，正對各兩半，相遇於南北兩極，而成兩全圈。其一定春秋二分，名爲過極分圈，一定冬夏二至，名爲過極至圈。二分在黄赤二道相交之界，二至爲黄道緯南緯北至遠二界，即二十三度三十一分三十秒也。故過極至圈上自赤道緯北之二十三度三十一分三十秒爲界，而以一象限末度爲心，用規器作圈，而定黄道以二分、二至、四象限分之，每象限則三宮，每宮則三十度，而每度依對角線之比例分六十分，此爲黄道之經度也。至於赤道，則自西而東分三百六十度，以春分界爲初度，此赤道經度也。兩道緯度依過分、過至兩圈而定焉。次又以赤道南北二極爲心，相距三十九度五十五分爲界，而用規器作京師恒見界圈。又以黄道南北二極爲心，而黄道南北各作兩圈，兩圈互相距三十度，各圈所分之宮度數與黄道圈之宮度數相對。次於黄赤二極及於天頂即地平之極加匾圈四分之一，以定黄赤及地平各圈之緯度，總命之曰緯弧。以九十度分之，每一度依對角線之比例以六十細分之，故緯弧之寬以對角線之長方形及所刻度數字爲定，則其劃度分從下而上，即從黄赤地平各圈之經度界定初度而起。緯弧各有横表，上下任意轉移之，以定緯度之分。黄赤二道之緯弧上端有圓孔以安之於本極，下端有一匾弧以十字直角形横交之，以密合於本道之經度線焉。蓋緯弧必以直角交本道之經圈，横條之長約緯弧之二十度，其寬與緯弧等。若地平之緯弧另有製法。蓋高弧及天頂悉依北極出地度安置，故子午圈上抱合天頂。另有游表，中開一長方口，以入子午圈，下出小螺柱安貫高弧上端不脱，表正面另有螺旋轉，可以任游移而定之於天頂。高弧下端則另有表，如平足，與地平上面平行，足底有如突起之形，入地平上周渠如坳入之形，而以直角交地平經圈以定其度分也。其黄赤二道經緯之度今備如此，則二十八宿星座等天象有定位矣，有次第矣。夫星宿依黄赤等各道之經緯度布刻儀面之上，以本象線聯之，以大小六等印記別識之，以黄道十二宮次界線各於本宮次總歸之。蓋黄道每一宮界爲心，相去三宮爲界，用規器作過黄極各大圈，凡天上諸星諸點在一宮兩界線中者，即命其在某宮之度分也。從來曆家造星毬、星圖、星表，必以測驗爲據，而定其經緯，測驗愈久愈密。古人但以目之所見略定星象，以東西南北總別之。後代歸之於黃赤兩道之宮次，又復歸之於宮度，今世猶爲加密，而定其經緯度分秒矣。蓋歷年愈久，則測驗愈合也。夫先代如元明之儀，頗爲粗略，用以測天，往往不能定諸星經緯之細微。今新制之大儀，則渾天大小諸星俱可考測而定，此近古所未有也。照現在之星表、星圖、新儀面上普列一天之星，過此以往，以六儀互用而考測之，則於數年考測之後而更加精詳矣。夫星毬最爲合天象之儀，星宿列其上，與列在天者無異，則一舉目而識之矣。若舊法之圖，星毬所布列星天上所無者，或不分別其大小之等第，則儀殊不象於天，而觀天者之目反混亂而失據矣。如星毬上凡有密點象者，如天漢積尸氣、傳説、牛宿第四、第八星等，皆密合微小之星，止用遠鏡窺測，可分別之。舊法疑其非星，因稱爲氣耳。又子午圈外規面上安有時圈，其全徑二尺，以北極爲心，其上側面分二十四小時，每時四刻，共九十六刻，每刻十五分，每一分以對角線之比例又以六分之，則每一分當十秒也。其指時刻之表，以螺柱定於北極樞，因能隨天體而轉。又能隨本螺柱左右自轉，以便對於各時刻分。前代如元明以來所造星毬，止可於一地北極之高度用之，今此一天體儀可用之以測普天之下天象也。蓋子午圈下制有鋼象限弧，其寬二寸五分，厚一寸，釘於子午圈之西側面。其外規面有齒規，齒底之下另有長齒之小輪，下齒與上齒相入，小輪之同軸另有大輪，其外規面之齒與柄軸上小輪之齒相入，而大輪與柄軸小輪之比例爲四分之一焉。故兩輪互相爲用，一人左右轉柄軸，則天體隨之進退。其北極任上下於地平圈而依各省之本度也。夫地平圈切用之處在於平分天體之兩半，而天體左右不拘何以旋轉，而其周面上所劃在黃赤等大圈者，半必在地平之上，半必在地平之下，而分秒無差。故其承儀之座架，南北二方有二螺旋轉以便用，任天體上下於地平若干之度分，無不可以對照焉。外此著有黃赤二道南北兩總星圖，并簡平規總星圖解，蓋互相發也。靈臺儀象志

增春秋文曜鉤：唐堯即位，羲和立渾儀。尚書舜典疏云：揚子法言：或問渾天，曰洛下閎營之，宣帝時司農中丞耿壽昌始鑄銅爲之象，史官施用焉。後漢張衡作靈憲以説其狀。康熙十二年，聖祖仁皇帝命監臣製天體儀，即古渾象也。鑄銅爲毬以象天體，圍一丈八尺，兩端中心爲南北極，貫以鋼軸。面刻黃赤二道，平分十二宮，布刻星漢。其外爲子午圈，週圍各浮天體毬五分，兩面刻去極度數，東西兩極合成圓孔，以受天體之軸。其下爲地平圈，週圍與子午圈同。面闊八寸，環渠爲界，外刻四象限度及地平時刻、方位，下施四足，承以圓座，高四尺七寸，設螺柱以取平。子午正對處向西少闕，以受子午圈，半入地平下，半出地平上。自天頂設高弧帶地平遊表，以察諸曜地平經緯度，以時盤定於子午圈。設遊表於北極樞，令自轉以定日度，又能隨天體旋轉以指時。座下設機輪，使北極能高下。蓋渾天之全象而諸儀之用所統宗也。皇朝禮器圖式

增黃道經緯全儀　黃道經緯全儀之圈有四，各圈之四面分三百六十度，每一度細分六十分。其外大圈恒定而不移者名天元子午圈，其外徑六尺，其規面厚一寸三分，其側面寬二寸五分。此圈之內包括諸圈，其衝天頂之下半加寬一寸五分，而夾入於雲座仰載之半圈，欲其不薄弱而失圓形故耳。其圈之側面，從天頂起算，南北各去頂一象限，即爲地平線。又從地平線起算，上下安定京師南北兩極之高度，分於兩極，各安鋼軸，而各軸之心與圈側面爲一點，側面爲下半圓而合之，加伏兔上之半圓以收之。蓋因度分之界，指線所切，窺表所及，皆在側面故也。南北兩軸相向，左右上下，纖毫不謬。子午圈內次有過極至圈，南北赤道兩極各以鋼軸相貫之，兩極在規面之中心，而中心內

外有鋼孔，鋼軸入鋼樞，免致鋼樞磨寬。其北鋼樞則安其内，規面用小鐵條以貫之，而過極圈不致垂下而失圓形矣。其南鋼樞則安於外面，不令銅面轉磨而離於儀之中心焉。又從南北赤極起算，各去二十三度三十一分零三十秒，定黄道極。去極九十度，横置次三圈，名黄道圈，與過極圈相交。兩交處各陷其中以相入，令兩圈爲一體，旋轉相從。黄道交一在冬至，一在夏至。黄道圈内安次四圈名黄道緯圈，結於黄道南北之兩極。其鋼軸鋼樞之安法，皆與帶黄道圈無異。夫子午圈内共三圈，各規面之寬約二寸五分，便於刻度分秒，其厚約一寸三分，緯圈南北兩極各有獸面，以啣圓軸，其圓徑約一寸以爲徑表，軸之兩端有螺柱定之。若欲不用圓軸，卽開螺柱而安徑線以代表，任意用之。其軸之中心立圓柱，作緯表，表之縱徑與黄道中線正對，下與緯圈側面恒定爲直角，而黄道經圈緯圈各有游表數具於各弧之上，游移用之。又當天頂設極細銅絲爲垂線，下置垂毬，至下圓孔之内。全儀下有雙龍，於南北兩邊而承之，龍之後足安置於兩交梁，兩梁則以斜角相交而收斂之，令其地寬裕而便於測驗。又交梁之四角有四獅，以頂承之，而上則有螺柱定之。黄道圈，其一側面分刻十二宫，每宫三十度。其一側面分刻二十四節氣，每節十五度。内外規面宫度節氣分相應之，但規面比側面寬大，便於刻度分秒。其每度之所容者，以縱横線界之而成長方形，每一方又分六小長方，卽一度分六分也。方上下横線短小難容細分，因用其對角長線而十分之。蓋規面上平行十圈線與對角線縱横相交，每小方分十格，六分六十格，因以六對角線十分之比例，每一度分六十分矣。諸圈内外規面之度分皆如此。今游表之指線平分十分，與對角線之分各有相當之比例，每一分又四細分，而每一細分當度分之十五秒，因而一分分六十秒一度共有二百四十細分云。過極至圈内外規面從赤道線起算，向南北之兩極，則赤道線爲初度所從起，而兩極各爲九十度。其兩側面之度數，則以兩極各爲初度所從起，而赤道線爲九十度焉。緯圈之度數亦然。内外規面以黄道中線爲初度所從起，而南北兩黄極則爲九十度焉。其兩側面之度數則與過至圈兩側面所起之度數同也。靈臺儀象志

增舊渾天儀制有黄道緯圈而無黄道經圈。康熙十二年聖祖仁皇帝命監臣製黄道經緯儀，鑄銅爲之，凡三重四圈。其外正立爲子午圈，徑六尺一寸，規面厚一寸三分，側面寬二寸五分，兩面皆刻去極度數，以京師爲準，兩極側面各貫鋼軸，以半圓合而固之。次内爲過極至圈，外徑五尺五寸，規面寬二寸五分，側面厚一寸三分，兩面亦刻去極度數，貫於南北赤道極之兩軸，象天左旋。又從南北赤道極各距二十三度三十一分三十秒，定黄道極去極九十度，横置黄道緯圈，與過極圈交，徑及寬厚亦同，陷其中以相入。四面皆刻黄道經度，象七政右旋。又從黄道南北兩極貫黄道經圈，外徑五尺一寸四分，規面寬九分，側面厚二寸三分，四面皆刻黄道緯度，象黄道四游。兩極施直軸，徑一寸，中半施横表，長三寸，於緯圍上加游表，對直軸以測黄道經度，於經圈上設游表，對横表以測黄道緯度，下爲半圓雲座，升龍二承之。皇朝禮器圖式

增赤道經緯仝儀　赤道儀之有三圈。外大匿者天元子午圈也。其徑線，其四面寬厚，其分劃度、分之法，並堅固其下週之小半而夾入於雲座半圈之内，皆與黄道儀之外圈同。又從圈之側面南北極定度起算，各去九十度，定爲赤道經圈，與子午圈相交之處。兩處各以十字直角相交，其圈之内面與外面各陷其中以相入，令縱横於兩内規面皆平面，則兩圈皆爲一體，而恒定不移也。次兩圈内之赤道緯圈管於赤道兩極，而東西游轉横相切於赤道之經圈也。經緯兩

圈之規面，其寬各二寸五分，側面厚一寸三分，而南北兩極安定緯圈，其內外之規面上下安以鋼軸、鋼樞諸項，皆與黄道同法焉。又南北兩極各有獸面，安定於緯圈内規面之中，而獸吻啣其圓軸，以代赤道經表。軸之中心立有圓柱以代緯表。又軸及柱之徑各一寸一分，若欲以兩極之徑線而代爲經表用之，亦無不可者。緯表縱横有兩徑線，其縱徑與赤道圈之中線正對，其横徑與緯圈之側面平行。又赤道内之規面并上側面刻有二十四小時，以初、正兩字别之，每小時均分四刻，二十四小時共九十六刻，規面每一刻平分三長方形，每一方平分五分，一刻共十五分，每一分以對角線之比例又分十二細分，則一刻共一百八十細分，每一分則當五秒，今游表之指線亦平分，而每分與對角線之十二分各有相當之比例，又各細分五秒則一刻每分六十秒，十五分共九百秒矣。如此而分之法可不謂微矣乎！又子午圈向東之正面爲子午線所從起，而南與北兩軸之中心正與此面相對，以爲分界。至若軸樞之半在於此面，而半在於伏兎，則兩合螺柱以定之，而并如一體焉。又赤道之上側面於子午圈之正南交劃有午正初刻，其内規面劃有子正初刻，而於正北交則側面劃有子正初刻，其内規面劃有午正初刻。其餘時刻皆從之而定焉。且上則用緯圈，下則用表景，隨便可以測定時刻也。若夫赤道圈之外規面分三百六十經度，從規内面卯正相對之線起算，自西向東，隨諸天行，每一度依上法作長方形，每一方又另分六小方形，每一分以對角線之比例又分十小分，即一度共六十分。今游表之指線亦分十空之界線，而每一分空内開爲四格小空，每一格當十五秒，則四格共六十秒也。其赤道之下側面分象限而四之，而子午卯酉爲各象限之初度。至於緯圈四面列度分秒之法，與赤道經圈無異。蓋各面四分象限而内與外規面之象限各度數則從赤道線起算，向南北兩極而止焉。其上下側面之度數則從兩極起算，向赤道中線而止焉。又經緯圈各有游表者四，與黄道儀正同。而全儀則下有一龍以爲座，向正南而負之。其前後兩爪安於兩交梁，而兩梁又以斜角相交，其四角則有四獅以相負，而又各有螺柱以定之，諸類皆詳於黄道儀解内，兹不復贅。其安對之法則以天頂之垂線爲定也。靈臺儀象志

增舊渾天儀制三重，外曰六合儀，次内曰三辰儀，内曰四游儀，凡七圈。康熙十二年，聖祖仁皇帝命監臣製赤道經緯儀，鑄銅爲之。凡二重三圈，蓋會三辰於六合而又省一地平圈也。其外正各立爲子午圈，制與黄道經緯儀子午圈同，距兩極各九十度，横置赤道經圈，與子午圈交陷其中以相入，外徑五尺九寸，規面寬二寸五分，側面厚一寸三分，内規面及上側面鐫晝夜時刻，外規面及下側面鐫周天度分，南極旁承以兩象限弧，又從南北兩極貫赤道緯圈，外徑五尺六寸，規側面寬厚與經圈同，四面刻赤道緯度，内爲通軸，設横表、游表，俱與黄道經緯儀同。下爲半圓雲座，升龍承之。皇朝禮器圖式

增地平經儀　地平經圈之全徑長六尺，而周弧之平面則寬二寸五分，厚一寸二分，東西南北劃象限而四分之，每一象限則爲九十度，每一度依前法六十分。度數之字，以南北界線各左右起算爲初度之界，以東西界線爲九十度之界，從東西向南起算，北反是。天地平圈之四面各有一龍，以頂承之，而四龍安於十字交梁之四角，而每角加螺旋轉一具，可以準儀而取平。又十字交梁中有立柱，與地平圈高等，其中心爲地平圈之中心，從圈之東西二方地平之圈上又各另加一立柱，高約四尺，柱之周圍各有一龍蜿蜒於其上，乃從柱之上端中各出其前一爪而互捧火珠。蓋珠之心爲天頂而正對地平圈之中心，則從地平之中心至天頂有立軸，而立軸之中開有長方孔，其中從上至下有一直線，爲

立軸之長徑線，并爲天頂之垂線，過地平之中心，加有平方尺表，如窺衡然。自橫表之兩端各出一線，而過天頂，與立軸之長徑左右各作三角形，三線互相參直共在過天頂圈之平面上，而與窺衡之指線準，合夫立軸，左右旋轉，則人窺測之目及某星并過天頂三角形線參直，而窺衡之指線指定地平之經度矣。此儀之細微，不止於地平之分法，而更在乎地平中心所出立軸之徑線，準合於天頂之垂線，毫末不離也。故依勾股法之理，先自地平之中心劃地平大圈，然後以立軸中天頂線爲股，以大圈半徑爲勾，而自本圈相對之四處斜立一堅硬界方至天頂線之一點，以爲勾股之弦，若四處之弦長皆一而纖毫不差，則立軸之中線必合於天頂之垂線矣。又儀之輕巧在於四方螺旋之用法，又在於地平方尺之橫表。蓋此橫表須厚一寸而寬一寸五分，以免致於垂下而不合乎儀之本徑也。但既厚且寬，則必過重而難以轉動，又轉動時則沉重而壓磨於地平上所劃度數之細分，故特用螺柱管其中心與地平之中心，少起橫表之兩端，使之空懸於中而不令其磨損地平之面云。靈臺儀象志

增舊渾天儀制有地平圈，能測三辰當地平之經度，而不能測地平上之經度。康熙十二年聖祖仁皇帝命監臣製地平經儀，鑄銅爲之。平置地平圈，徑六尺二寸，寬二寸四分，厚一寸二分，上面、側面皆刻四象限度，上面自南北起初度，側面自東西起初度，以立龍四承之，圈下立柱，其高相等，適當圈心，上出圓軸，圈上東西二龍柱，結橫梁，中穿孔爲天頂，與圈心對。施立軸，長四尺四寸，上應天頂，下應地心，表末結十字橫表，與圈相切，尺寸與圈徑同。立軸頂左右結二線，斜貫橫表兩端，成兩三角形，旋轉橫表令三線與所測參直，視表所指以測各曜之地平經度。皇朝禮器圖式

增象限儀　象限儀者，蓋用之以測高度者也。亦名地平緯儀，然式雖不一，惟取其有適於用焉，斯得矣。夫象限爲立運之儀，其製法直角爲心，六尺爲半徑，用規器劃圈四分之一分，則爲九十度，每一度爲長方形，每一方又分十二小方形，而各小方之底以對角線之比例上下五分，則一度共六十分，又對角線之五分每以窺表指線之細分十分之，則一度共六百分，而每一分則當六秒也。夫所劃之度數之字，其從上起算以至下而鐫於弧之內邊上者，即指星之在地平上若干度分也。其從下起算以至上而鐫於弧之外邊上者，即指星之離天頂若干度分也。故八十正數與一十倒數、七十與二十、六十與三十等，向上、向下，正倒之數俱爲同線鐫識之。弧以內象限空餘之地爲匾龍，以充其內，而左右上下皆固已。然全儀須立軸以運之。其安立軸之法，其要有二。其一儀形必依權衡之理分之，即軸之周圍輕重相等，而取其運動之便，蓋儀形之中心與其重心不同故也。其一須立軸之中線與儀之立邊平行，以免致離於天頂之垂線也。又於儀之縱橫兩邊相遇之處，即過天頂圈之中心，定有圓柱爲表，加窺衡，而衡之下端依法另加長方孔之表，與上表相等相對。其指線於弧之正面指定所測之度分，任意上下進退之，而於弧之背面用螺柱以定之。若用象限全圈之徑以爲衡，而衡之兩端立圓柱以爲表，則可得負圈之角，而倍加度數之細分也。蓋此二度相併歸於一度，而此一度共有一千二百分焉。立運儀左右有兩立柱，其兩柱之上有雲弧，下橫一梁，相連如樓閣然。又立軸之兩邊有雙龍扶拱以爲座架，立軸之兩端加以鋼樞，上下各以鋼孔受之，其在下橫梁中有銅環，以承立軸樞，環之徑四倍於樞之徑，環之三面各加螺柱，橫入於環，出入展縮以進退樞令就合於垂線也。座架四傍上下無所隔礙，窺測者從

立軸以左右旋轉，甚便周視也。靈臺儀象志

增舊渾天儀制有地平圈而無地平經圈，元郭守敬簡儀設立運圈以測三辰出地之度，即地平經圈也。康熙十二年聖祖仁皇帝命監臣製象限儀，爲全圓四分之一，亦名地平緯儀，鑄銅爲之。其制直角爲心，兩方皆爲半徑，各長六尺，寬二寸一分，厚一寸一分，圓爲弧，寬二寸六分，厚一寸一分，正面鐫九十度分，外規面鐫度數字，其數自上而下，以紀地平高度，自下而上，以紀距天頂度。聯以雲龍，東西立柱縱八尺八寸，上下梁横七尺八寸，飾以雲龍，梁中各穿圓孔以受立軸。軸與儀之立半徑平行長九尺七寸，寬二寸一分，厚一寸七分，東西運之，直角施横軸，長二寸一分，軸本加游表，寬二寸一分，厚二分有奇，長與半徑等，游表末設立耳以測地平經度。皇朝禮器圖式

增紀限儀　紀限儀之全圈則六分之一，即六十度之弧也。亦名距度儀。全儀分之爲二，一幹一弧，幹之長與弧之半徑及弧之通弦皆相等，即皆六尺也。弧之寬二寸五分。此儀之難製在於其幹，何也？蓋用儀之時，其幹大概離天頂，而左右上下移動之衡斜向地平，故幹愈長愈軟而愈垂下，不合於儀之半徑。欲令堅固，恐銅加厚而儀不便於用，故用三稜角形之法，而左右上下之，既堅固亦復輕巧，則用以合天使之彼此不相反也。幹之上端有小衡，以十字直角相交於弧之半徑線，下端入弧之中。夫幹及弧併小衡之上面皆在一平面，令儀合於本圈而便測驗故耳。又左右皆有細雲，彼此相連，蓋藉之以堅固全儀者也。若夫儀之中心及小衡左右之兩端各定有一表，皆圓柱左右，各表之徑線相距中幹之徑線本弧之十度，弧之度分，從其中線起算左右各三十度，每度則六十分，每一分又十細分，則一度共六百細分，而每細分則當六秒，蓋與象限儀之分法無殊也。其弧上有游表者三，其表之平面有三界線長孔，孔内之方形，依本法與圓柱表相等焉。夫儀之全體則用權衡之理以定之，蓋取其重心以爲儀心耳。至如儀之座架，有兩端，一爲三運之樞軸，一爲承儀之臺。夫三運之器加於儀之背面，定於儀之重心，以左之右之，高之下之，平之側之，無所施而不可。故又名百游之紀限儀焉。其三運之器，所以成之者有三，其一圓管内有圓軸横入之，便於高下運用也。其一半周圈，其中心與横軸之中心正同，便於平側運用也。其一立軸，則便於左右運用焉。以圓管定於儀之重心，而半周圈與横軸之心并，立軸之上端有小圓柱，以爲平側運之軸，而立軸所容半周之處則内有山口以容之，外有螺柱以定之，此輕小之儀之最便法也。今制紀限儀甚重大，側運之則必下垂，而螺柱恐難以定。故於半周弧外規加齒，而立軸旁則加小輪，其徑約二寸，其圓面稜齒與半周齒相入，又小輪同軸，而另加全輪，其全徑與小輪之徑如五與一，與半周之徑如一與二，蓋依舉重學之理轉運之而輕五倍也。用此法則全儀不勞力而可側運矣。定之則於立軸下端深入臺上端之圓孔，因儀左右旋轉而窺測之，目可無所不至矣。臺約高四尺，其座約寬三尺，從下至上，有游龍蜿蜒以繞之，而紀限儀之制於斯全焉。靈臺儀象志

增諸曜在天之度，赤道經緯以南北二極爲宗，黄道經緯以黄極爲宗，地平經緯以天頂爲宗。其兩曜斜距之度古無測器。康熙十二年聖祖仁皇帝命監臣製紀限儀，亦名矩度儀，鑄銅爲之。其制一弧一幹，弧爲圓周六分之一，通六尺，加面寬二寸五分，從中線起左右各列三十度，幹爲圓之半徑，長亦六尺，末有柄以便運旋，上端爲圓心，設立柱，加游表，長與幹同，游表末設立耳，爲測一曜之用，弧背左右各設窺表，爲另測一曜之用。又於幹兩旁設立柱，相距

應弧背之十度，以爲借測之用。儀面聯以流雲，背以樞低昂之，承以半圓，有齒，立軸旁加小輪，可使平測，其下立柱入於儀座以左右之，座高四尺，寬三尺，繞以立龍。皇朝禮器圖式

增地平經緯儀本朝康熙五十四年製。同上

增地平經緯儀乃合地平、象限二儀而爲一，其制平置地平圈，徑五尺，寬七寸七分，周圍鐫四象限度，下設四柱，圓座承之，東西立柱高一丈一尺，上結曲梁，中爲立軸，下端貫以圈心螺柱，上端以梁中圓孔受之，中加象限儀，直角在下，半徑六尺，寬二寸七分，正面列九十度分，中聯方圓及弧矢形，背結於立軸以運之。直角施游表，長八尺，本設横耳，末設横柱，以備仰窺。凡測諸曜，旋象限儀以游表低昂合之，令與諸曜參直，其横半徑所指卽地平經度，游表所指卽地平緯度。同上

增璣衡撫辰儀本朝乾隆九年御製。同上

增璣衡撫辰儀鑄銅爲之，徑六尺，其外卽古六合儀，而不用地平圈，正立子午雙環爲天經，兩面鐫去極度數，以雲座承之。北極出地度天頂距度以京師爲準。距兩極九十度，結赤道單環爲天緯，兩面鐫晝夜時刻，兩龍柱挾之。次內卽古之三辰儀，而不用黄道圈，兩極綰赤道經度雙環，兩面刻去極度數，中腰結游旋赤道，兩面刻周天度分，以象七政運行。最內卽古之西游儀，通徑設直距，中心施窺衡，以測七政經緯，座施螺柱以取平，天頂施墜線以取正，較赤道經緯儀而加精焉。同上

增璣衡撫辰儀，儀制三重，其在外者卽古之六合儀，而不用地平圈。其正立雙環爲子午圈，兩面皆刻周天三百六十度，自南北極起初度至中要九十度，是爲天經斜倚單環爲天常赤道圈，兩面皆刻周日十二時，以子正、午正當子午雙環中空之半，而結於其中要，是爲天緯。其南北二極皆設圓軸，軸本實於子午雙環中空之間，而軸內向，以貫內二重之環，其下承以雲座，仰面正中開雙槽以受雙環，東面正中開雲竅以受垂毬。下面置十字架，施螺旋以取平，架之東西兩端各植龍柱，龍口御珠，開孔以承天常赤道卯酉之兩軸。依觀象臺測定南北正線，將座架安定，則平面之四方正，又依京師北極出地三十九度五十五分，自北極而上五十度五分卽上應天頂，自南極而下五十度五分卽下對地心，而應天頂之衡。於天頂施小釘，懸垂線而垂，適當地心，又適切於雙環之面，不卽不離，則上下正，四面之四方亦正，而地平已在其中，故不用地平圈也。次其內卽古之三辰儀，而不用黄道圈。其貫於二極之雙環爲赤極經圈，兩極各設軸孔，以受天經之軸。兩面皆刻周天三百六十度，結於赤極經圈之中要，與天常赤道平運者爲游旋赤道圈，兩面皆刻周天三百六十度，與天之赤道旋轉相應。自經圈之南極作兩象限弧以承之，使不傾墊。測得三辰之赤道經緯度，則黄道經緯可推，且黄道與赤道之相距，古遠今近，縱或日久有差，而儀器無庸改制，故不用黄道圈也。其在内者卽古之四游儀，貫於二極之雙環，爲四游圈，兩面皆刻三百六十度，定於游圈之兩極者爲直距，綰

於直距之中心者爲窺衡，游圈中要設直表以指經度及時，窺衡右旁設直表以指緯度，此古今所同，無容置議者也。是故體制倣乎渾天之舊，而時度尤爲整齊，運量同於赤道新儀，而重環更能合應。至於借表窺測，則上下左右無不宜焉。

儀象考成

增乾隆九年御製觀象臺詩　奉若欽維顯，研幾凜曰明。瑶樞調律紀，珠貫驗天行。翠輦臨黃道，星臺據月城。渾儀觀建象，神器惕持盈。命羲仲和叔，在璿璣玉衡。授時熙庶績，敢恃泰階平？

增御製儀象考成序　上古占天之事，詳於虞典，書稱在璿璣玉衡以齊七政，後世渾天諸儀所爲權輿也。歷代以來，遞推迭究，益就精密。所傳六合三辰四游儀之制，本朝初年猶用之。我皇祖聖祖仁皇帝奉若天道，研極理數，嘗用監臣南懷仁言，改造六儀，輯靈臺儀象志。所司奉以測驗，其用法簡當。如定周天度數爲三百六十，周日刻數爲九十有六，分黃赤道以備儀制，減地平環以清儀象，創制精密，尤有非前代所及者。顧星辰循黃道行，每七十年差一度，黃赤二道之相距亦數十年差一分。所當隨時釐訂，以期脗合，而六儀之改創也。占候雖精，體制究未協於古。赤道一儀又無游環以應合天度，志載星象亦間有漏略躐次者。我皇祖精明步天定時之道，使用六儀度至今必早有以隨時更正矣。予小子法祖敬天，雖切於衷，而推測協紀之方，實未夙習。兹因監臣之請，案六儀新法，參渾儀舊式，製爲璣衡撫辰儀，繪圖著説，以裨測候。并考天官家諸星紀數之闕者補之，序之，紊者正之，勒爲一書名曰儀象考成。縱予斯之未信，期允當之可循。由是儀器正，天象著，而推算之法大備。夫制器尚象以前民用，莫不當求其至精至密，矧其爲授時所本，熙績所關，尤不容有秒忽差者。折衷損益，彰往察來，以要諸盡善，奉時修紀之道敢弗慎諸！至乃基命宥密，所爲夙夜孜孜監於成憲者，又自有在。是爲序。

〔臣等謹按〕儀器之設，歷代以來互相傳述。然用之日久，辰星有歲差之度，儀器亦不能無缺壞之時。必有大聖人出，隨時釐訂，方能與天行脗合。我聖祖仁皇帝精於步天定時之道，以明季舊器年久多不可用，康熙八年命監臣南懷仁製六儀。十二年，又命監臣紀利安製地平經緯儀，制作精妙，動與天符，非錢樂之、郭守敬諸臣所能仰窺萬一。乾隆九年，我皇上親涖靈臺，以渾天制最近古，而時度則宜從今，特命作璣衡撫辰儀，制倣渾天而時度尤爲整齊。復欽定儀象考成一書，繪圖著説，傳之萬世，制器尚象，稽古宜今，洵爲盡美盡善矣。

【增】梅文鼎擬璿璣玉衡賦　至哉渾儀之爲器也，體天地之撰，類經緯之精。微顯闡幽，窮高極深。殆更僕莫殫其藴，纍牘難悉其能者矣。粤自道生宇宙，肇爲大圜。健運無息，東西斡旋。七政錯行，宿離糾紛。交光羅絡，終始相嬗。雖有離朱，孰闚其端？聖哲挺生，俯仰觀察。積候成悟，賾探隱索。諗六虛之曠邈，詎目營兮可獲？乃範金兮爲儀，縱若衡兮八尺。歷以之治兮，象以之覈。堯命羲和，四隅分宅。制閏成歲，釐工熙績。匪有器以御之，孰所憑而推筴？虞帝受之，璣衡以設。敬天勤民，兩聖一轍。嗣三統兮迭更，兹重器兮罔褻。陳東序兮天球，羌大訓兮爲列。河之圖兮莫先，況琬琰與宏璧。嬴秦力政，罔畏天常。遷周九鼎，焚毁舊章。球圖湮没，莫知其鄉。歷紀乖次，伏陰愆陽。及夫漢造太初，渾天初置。唯意匠兮經營，未詳徵乎昔制。曾黄赤兮未分，矧歲差兮能治。歷唐逾宋，代有討論。小異大同，踵事而增。説存掌故，約略可陳。外周六合，子午爲經。卯酉交加，日月之門。三輪八觚，象地者衡。是立郛郭，以挈三辰。黄倚赤而相結，剖二至與二分。判發斂兮南北，距紫極兮爲言。小環四游，又居其内。左右周寬，兩簫更代。低昂斜側，折旋唯意。儀三重兮共樞，亶推步兮精義。亦有銅毬，實惟渾象。列星綴離，三家殊狀。或附益之兩曜，類蟻行兮磨上。遲速行兮一機，或水轉兮磨盪。非不研精覃思，窮神盡智。象重大兮易膠，每機關兮弗利。儀重環兮掩映，頗未宜乎闚視。加以代異人湮，乍成旋廢。作之也何難？壞之也何易？若乃元祖初服，廣徵碩儒。有美魯齋，王郭之徒。既作授時，備器與書。高表四丈，承以景符。簡儀候極，離之扶趺。二線代管，分秒乘除。庋百刻兮天腹，旋立運兮四虚。闚幾兮測月，蓮花兮挈壺。正方有案兮定南北，懸正座正兮九服之須。仰儀兮虚而似釜，度斜絡兮南極攸居。可謂酌古準今，洵美且都者矣。歷年未百，有明膺命。雖大統兮殊稱，實授時兮爲政。屬作都兮石城，旋京邑兮北定。既觀臺兮屢遷，地更寘兮乖應。豈儀器兮多迕，抑疇人兮弗敬。轉側之或未嫺兮，址漸傾兮蔑正。寧不善厥初兮，歲洊更兮滋釁。經生既非所習兮，更申之以厲禁。專科不相通兮，有憒悱兮誰問？遂使靈臺，徒爲文具。交食或乖，誰知其故。帝謂兮草澤，疇明理兮習數。爾乃理難終隱，道有必開。天相其衷，西人竭來。如禮失兮求野，似問郯兮識官。此珍秘兮勿洩，彼菽粟兮非難。於是吳淞太史，仁和水部。夜譯晨鈔，心追手步。亦得請而開局，集歐邏與儒素。擷西士兮精英，入中算兮鑪鑄。屢清臺兮雜候，良占測兮可據。怵巧拙兮相形，新術精兮羣妬。概萬里兮作賓，兼十年兮發覆。歷成兮弗用，良書兮徒著。何人事兮多違，或蒼穹兮有待。唯我盛朝，度越千代。正朔初頒，適逢期會。唯欽若以爲懷，奚畛域乎中外？洞新法之密合，命遵行爲定制。哂豎儒兮固陋，謬執古兮非今。若盲不杖兮聾別竽笙。斯術之無弊兮，經指摘兮益明。乃詔太史，乃咨禮臣。謂新歷兮允臧，顧儀器兮未成。式采銅兮名山，鳩哲匠兮上京。備製兮六儀，各錫兮嘉名。赤道兮法動天之西轉，黄道兮儷七曜之東征。古二道爲一器兮，景交羅而莫分。今別其用兮，法以簡而倍精。黄既麗赤而左旋兮，復自轉而右奔。緯度之各異兮，亦異其經。黄自有極以運兮，誠振古之未聞。游表所指兮，太陽之心。時時可驗節候兮，若影於鐙。地平之儀，辨方正位。轉線參直，三光所至。出没之度，漸升之意。秒忽微茫，俱可別識。象限平轉兮，測高與庳，割圓八線兮，於是焉施。合四爲一兮，周天在茲。度唯九十兮，厥數已全。紀限六十兮，於以參焉。正反隅角兮，靡幽弗宣。用稽距度兮，兩星之間。弧三角之法兮，推其所然。五者相資，多人分測。片晷之餘，各盡目力。假變行之迅速，無須臾之或失。別有渾毬，全賦星躔。循黄之極，碁羃珠聯。列曜遠近，南北八度。小輪之限，準斯無牾。亦依赤極，出地有恒。或正升兮斜降，或正降兮斜升。晰伏見之先後，諳里差之所因。黄緯之列兮，百世無改。宫分遞差兮，恒星東滙。以度計年兮，六十六載。下設旋輪兮，水激自動。刻漏罔僭兮，機發於踵。爰有高弧，繫之天頂。地平經緯，茲焉互審。或象限兮平觀，或紀限兮斜距。或黄赤儀之所窺，絜之毬而參遇。爛若軒轅之寶鏡兮，縮圓形而周布。衆儀得其散兮，毬徵其聚。正求兮反映，宛轉兮迴互。測量有書兮，或不能句。摩娑斯器兮，曠如揭霧。更旋宫兮十二，隨道里兮攸殊。際地之極南北兮，以爲之樞。子午及平環兮，以限四隅。隅各三宫兮，東方爲初。次第右環兮，大權以區。三合六合之照兮，凶吉分途。惟斯毬而可睹兮，考步筭之密疎。致用萬端，未克枚舉。洵天府之奇珍，永作則乎來者。若其鎔金有法，棄滓取精。磨礱砥礪，光輝熒熒。旋之中規，直之中繩。擘畫匀細，度萬其分。寘儀衡重，測重求心。力相扶兮罔偏，積歲年兮弗傾。趺交之以銅龍兮，或海獸以相承。爲水準與螺柱兮，常消息焉取平。夭矯兮騰踔，攫挐兮猙獰。詎美觀兮一時？永奠定兮千春。乃至崇臺百步，迥出闤闠。周以儲胥，纖埃攸避。上列六臺，方圓式異。相依兮交讓，旋觀兮罔閡。施窺筩之奇巧，眄千里兮如對。晝候兮日面之星，夜占兮句已之態。折照浮光兮氣水水氣。清濛厚薄兮，地心相配。交食淺深兮，起虧進退。地影厚薄兮，青緑明昧。視差有多少兮，命天九重。月有弦望兮，太白攸同。抱日爲輪兮，互入相容。超西法之舊兮，信天能之弗窮。登斯臺也，軒豁洞達，耳目開通。揮斥兮八極，廣攬兮無終。意氣兮飛揚，凌虛兮御風。習其器也，陸離瀟灑，繽紛磊砢。燦爛兮朝霞，孔明兮朱火。照曜兮焜煌，周流兮軒翥。懼對越兮於穆，遊吾心兮太古。帝載之虚無兮，陟降其所。垓埏之遼絶兮，歛之一黍。匪重黎之誕降兮，曷其臻乎要眇。邈祈姚之不作兮，疇則探其奥窔。伊崇效而卑法兮，協至德於太灝。定百代之猶豫兮，踵危微於帝道。畢遠臣之精思兮，備前王之所少。璿璣玉衡之不傳兮，乃今而獲聖人之大寶。亂曰：巍巍穹窿，帝所則兮。父乾母坤，不敢不及兮。寫以良金，如塑像兮。朝斯夕斯，期勿忘兮。子之於父，視無形兮。瞻兹肖貌，曷敢以寧兮。兢兢業業，承天休兮。奉若不違，升大猷兮。祈天永命，從兹始兮。億萬斯年，昊天其子兮。梅定九集

欽定日下舊聞考卷四十八

城市 内城東城四

原京師試院改舊禮部爲之，乃正統年間事。湧幢小品

原貢院在城東隅，元禮部舊基也。永樂乙未改爲貢院，制甚偪隘。嘉靖中，議改創西北隙地，卒未果。至萬曆二年，因故址拓旁近地益之。春明夢餘録

〔臣等謹按〕改舊禮部爲貢院，湧幢小品作正統間事，春明夢餘録作永樂間事，兩説互異。

原張居正京師重建貢院記　今天子踐阼之三禩，新修貢院成。其地因故址拓旁近地益之，徑廣百六十丈。外爲崇墉施棘，徹道前入，左右中各樹坊，名左曰虞門，右曰周俊，中曰天下文明。坊内重門二，左右各有廳以備譏察。次右曰龍門，直甬道爲明遠樓，四隅各有樓相望，以爲瞭望。東西號舍七十區，區七十間，易舊制板屋以瓦甓，可以避風雨，防火燭。北中爲至公堂，堂七楹，其東爲監試廳，又東爲彌封、受卷、供給三所，其西爲對讀、謄録二所。後爲聚奎堂七楹，旁舍各三楹，主試之所居也。又後爲燕喜堂三楹，東西舍凡十六楹，諸胥吏工匠居之。其後爲會經堂，堂東西經房相屬，凡二十有三楹，同考官居之。工始於萬曆二年三月，以明年九月告竣。按京師貢院，始於永樂乙未，是時考卜未定，文皇帝以巡狩御行幄，庶事草創，其所舉士秋試不過數十人，春試率百餘人。故試院雖湫隘，亦能容。及燕鼎既定，人文漸開，兩畿諸省解額歲增，士就試南宮至四千有奇，而貢院偪隘如故，又雜居民舍間。嘉靖間，議者咸請改創西北隙地。或言東方人文所會，宜因其址而充拓之。然旋議旋輟，未有必然之畫也。今天子始俞有司之請，一旦易敝陋而爲宏麗，非振奮烏能有成哉！太岳集

原趙用賢重修貢院記 國家每三歲輒貢士於鄉，已從春官上計，率鎖院三試之。故貢院之在畿内者，間歲一再從事。乃其制獨庳陋弗稱，無以尊重事，嚴國體。又百執事各瞻其事，而湫隘囂塵燥濕之不時，何以稽奸慝而警禁御也？當文皇定鼎北平，百司庶府以次創之，而文教猶鬱。列聖嗣起，道化翔洽，士之挾策至者往往填溢省院，至無所蹐足。世廟未嘗一議增創，屬財用方詘，僅一開需道，輒復報罷。我皇上臨御之初，首采羣言，廓然更始。出水衡錢十六，而佐以京北贖鍰，更爲相地所宜拓者，東西若干丈，其南北市廛官酬以直，得若干丈，乃以萬曆甲戌鳩工庀材，其外表棹楔，列交戟。簾之外爲樓五，爲堂一，爲號舍四千八百有奇。簾内爲聚奎堂一，爲會經堂一，爲考官房四十有一。他如監臨、督察逮庖湢，輿隸有事棘闈者，率樹之堂牖，閑之垣檻。凡爲屋大小三百四十七楹，費四萬九千九百餘金，越明年乙亥九月告成。松石齋集

原永樂三年，令北直隸府州縣於順天府鄉試。明會典

原永樂乙未，始開科於北京，王忠肅翔名在第五。文廟以北京初啓會闈，而魁得畿甸士，心喜，遂以布衣召見，賜酒食。瑣綴録

原正統三年，翰林侍講學士曾鶴齡主考順天鄉試。初試之夕，場屋火，試卷有殘闕者，有司懼罪，不敢以更試爲言，惟欲修葺場屋以終後兩試。鶴齡曰：必更試。有司具二説以進。命如鶴齡所言。貢舉考

原天順七年二月，舉會試，值貢院火，監察御史焦顯因鎖其門，不容出入，舉子焚死者九十餘入。上憐之，賜死者舉進士。同上

原國子監丞閻禹錫因試院災，奏稱：舉子遭火者多是平昔有學之士，一夕無辜抱忠而死，膏塗牆壁，肉食鳥雀。使踰垣而出者咸有灰心，環視而嘆者多懷去志。乞賜進士名色，以表其門。禮科給事中何琮等劾之，言：臣等見火死者朝廷已命有司具棺埋葬，士子目覩德澤所及，莫不感激奮勵，豈有灰心去志者哉？今禹錫調弄巧言，形容過情，奏對失實，宜正其罪。遂下錦衣衛獄鞫之。明英宗實録

原時禮部以試院狹隘，故遭火，請擇城中隙地改設之，事下工部議。左侍郎霍瑄、右侍郎薛遠擇安仁坊草場請改爲試院，造板房以易席舍，及會計物料以聞。上曰：試院仍舊可也，户部草場豈宜擅易？并其屬郎中等官皆下獄。同上

原天順七年五月朔，修試院。同上

原洪武間定制，鄉試以子午卯酉年，會試以辰戌丑未年。惟丙癸未，一以太宗靖難，一以文場災，並以甲申開科。正德庚辰，武宗南巡，會試登第者至辛巳始廷試。明良記

增洪武三年，定初場止試本經義一道，四書義一道，二場試禮樂論、詔誥表箋，三場經史時務策一道，場後十日，面試騎射書律。殿試時務策限一千字以上。後十七年改定初場增經義三，四書義二，次場去箋而增五判，三場增策

四篇，而面試廢矣。春明夢餘録

原洪武甲子鄉試，乙丑會試，初爲小録以傳，然惟刻董事之官、試士之題及中選者之等第籍貫經籍而已。其録前後雖有序，然猶未録士子之文以爲程式也。次科戊辰始刻程文，自是遂爲定式。翰林記

原正統三年會試，出大學、論語、中庸題，而不及孟子。十年會試，出中庸、大學、孟子而不及論語。成化元年，順天鄉試，出論語二道、孟子一道而不及大學、中庸。其後定大學、中庸内量出一道，論語、孟子各出一道，遂爲例。殿閣詞林記

原明初，會試主考或待詔、或典籍、或編修紀善，初不論官。宣德癸丑，始命少保黄淮與少詹事王直主之。淮久致仕，以謝恩至京點用。至弘治庚戌，命大學士徐溥；己未，命大學士李東陽，然未有用二輔臣者。自天啓壬戌，始命何宗彦、朱國祚同主試，後遂因之。春明夢餘録

原天啓二年二月辛未，命大學士何宗彦、朱國祚主會試。故事，會闈以閣臣典試，而翰詹一人副之。已推禮部尚書掌詹事府事顧秉謙，上特命國祚。國祚疏辭，上曰：今歲係朕首科，特命二輔臣以光重典，卿不必辭。明熹宗實録

〔朱彝尊原按〕是年，宗室子朱慎鋻登進士榜。先太傅文恪公請於朝，優選京秩，遂除慎鋻爲中書舍人。宗室舉進士，前此未有，蓋始於是科也。

原金谿王公英以永樂丁酉主順天鄉試，明年戊戌會試，復爲主考官，庚子仍主順天鄉試，連爲主司者三。至癸卯又主順天鄉試，宣德庚戌、正統壬戌復爲會試總裁，凡三典北闈，三主會試，而王元美述盛事未之及焉，何歟？棘闈記

原永樂十六年戊戌會試，金谿王英實爲總裁，至十八年庚子、二十一年癸卯，復主順天鄉試。永樂十九年辛丑會試，吉水周述實爲總裁，至宣德七年壬子，復主順天鄉試。宣德五年庚戌會試，吉水錢習禮實爲總裁，至七年壬子正統六年辛酉復主順天鄉試。皆先主會試而復主鄉試，後此則未聞矣。同上

原永樂中，各省鄉試多有儒士主考而品官同考者。景泰二年會試，莆田林文，修撰也，而爲主考。吉水劉儼，侍講也，而爲同考。當日重在衡文，不序爵也。同上

原 北京解元其初不盡北直隸人，如景泰丙子徐泰，正德丙子周光宙，嘉靖戊子馬一龍，辛卯馬從謙，癸卯沈紹慶，隆慶丁卯莊允中，俱南直隸人。正統辛酉章以占，甲子司馬恂，天順壬午鄭宏，弘治戊午孫青，辛酉謝丕，嘉靖壬午周禈，己酉孫鋌，俱浙江人。成化丙午羅玘，江西人。宣德壬子宋雍，隆慶庚午李廷機，萬曆癸酉柯挺，俱福建人。嘉靖丁酉鄭光溥，山東人。宣德乙卯鄒冕，河南人。嘉靖乙卯楊濂，四川人。自萬曆壬子宋鳳翔以浙人領解，此後必北直隸人居首矣。南京解元，其初亦不盡南直隸人，如正德庚午許繼先，嘉靖戊子許仁卿，俱浙江人。洪武甲子廖孟瞻，丙子尹昌隆，永樂辛卯徐則寧，嘉靖壬子孫溥，俱江西人。洪武庚午黄文史，永樂戊子黄壽生，俱福建人也。夫科場取士，期於得人，莫非王臣，議者必欲區別之，名從公而實私也。至於鄉試分南北卷，北止五處而南十處，其取數則均。會試分南北中卷，廣東置南卷而安慶則置中卷，名爲均而實不得其均者。北人不肯言，南人不敢言，遂垂之爲不變之法矣。兩京求舊録

〔臣等謹按〕明季鄉試分南北卷，北止五處，而南則十處。會試分南北中卷，廣東置南卷，而安慶置中卷。偏枯之弊，自所不免。我朝法制，鄉試不特八旗之滿洲、蒙古、漢軍及順天、直隸生監各有一定之數，卽各省之來試京師者，分定南北中皿額，會試則於三場卷子截數之後，開單進呈各省中額，皆自皇上欽定。

原 洪武庚午應天鄉試，長泰黄文史以作全場五經題領解。至天啓甲子，閩人顔茂猷亦作五經題，謄録官嫌其違制，止謄四書義三篇，易義四篇以入。同考官祁彪佳取之，既放榜，始知爲五經也。崇禎甲戌會試，以知貢舉林釬言，士子有作五經全題者，得俱謄進，允之。於是茂猷亦中式。禮部刻會試録，特旨命題顔茂猷姓名於第一名李青之前，蓋異典也。至十年丁丑臨川揭重熙，十六年癸未嘉興譚貞良，慈谿馮元飈，武鄉趙天麟，皆以五經舉鄉會試。又萊陽宋琡，十二年己卯亦以五經中山東鄉試。閩丁丑科會試作五經題者四人，止重熙一人得雋，其三人姓氏不可得而舉矣。棘闈記

增 順治二年，定士子有作五經者，如果博雅，不在篇數取多，應行禁止。康熙四十六年，京闈試卷内有二卷四書五經真草各二十三篇，監試題請，奉旨授爲舉人。康熙四十一年順天鄉試，南皿内有二卷作四書五經文共二十三篇，奉旨授爲舉人，准其會試。嗣後有願作五經者，不必禁止。五十六年停止。雍正二年仍聽以五經應試。乾隆十八年停止。科場條例

補 國朝鄉試，直隸取百名，加國學三十名。又雜行五名，不拘僧道官吏，各省來者，皆可中之，故曹鼐以典史解糧赴京，中北直隸鄉試，而廷試爲狀元。今雜行無中者矣。耳譚

【補】翰林凡武舉徹簾後，同考官及掌卷官置酒請主考官，主考答席。順天鄉試後，兩京兆置酒請主考、監試，主考、監試亦答席。會試，同考於徹簾後醵金爲會，掌科主辦。其兩京鄉試事畢，四主考合請衙門前後輩，謂之鵝頭會。眉公見聞録

【補】宋解試，諸路並以八月五日鎖院，而福建則用七月，川廣則用六月，以道遠故也。南渡後，閩廣改同諸路試期。紹興二十四年有詔，太學及諸路並以中秋日引試，惟四川則用三月十五日焉。元鄉試以八月二十日、二十三日、二十六日。明改從八月九日、十二日、十五日。元會試以二月一日、三日、五日。明改從二月九日、十二日、十五日。元御試以三月七日，明改從三月十五日。蓋歷代鎖院爲期不同如是。至於試士之地，金源或於竹林寺，或於憫忠寺，蔑有定所。元則試於南宫。明之貢院卽元之禮部舊署也。蓋試士子於此者四百年矣。雅坪散録

【補】王氏耳譚謂直隸鄉試額取百名，外國學三十名，雜行五名，故曹鼐以典史解糧赴京得中鄉試，而廷試爲狀元。今雜行無中者矣。按曹文忠以永樂癸卯中順天鄉試，本由諸生。宣德初，授代州學正，上書願得劇職自効，改江西泰和縣典史，督工匠赴京，乞與會試，遂中癸丑榜第二人，廷試第一。王氏謂以典史中鄉試，誤也。至文忠第後，雜行中式者不乏。景泰癸酉，吾鄉吕文懿公原典順天鄉試，中式者二百五十人，内翰林院譯字官一人，吏部聽選官一人，户部書算一人，禮部儒士十人，刑部都吏一人，工部承差一人，太醫院醫士四人，武生一人，衛令史一人，衛吏一人，衛舍人一人，軍餘九人，軍一人，雜項中者凡三十三人焉。載考國子監歷科進士題名碑，正統壬戌則有長樂李森，都察院吏也，樂清南昱，刑部吏也，豐城鄭温，松陵驛丞也。戊辰則有奉化舒廷謨，禮部辦事官也，潛山汪甫，燕山衛小旗也。景泰甲戌則有潛山吴楨，錦衣衛譯字官也。天順癸未則有巴縣劉淳，翰林院譯字官也，嘉定馬愈，欽天監天文生也。成化戊戌，則有瀘州譚溥，山東舊縣驛丞也，甲戌則有宣城張綸，富峪衛總旗也，寧遠王璠，岷州衛吏也。蓋自是而後，雜行中式者乃鮮矣。蓟邱雜抄

【增】貢院爲元禮部舊基，永樂時改爲貢院，萬曆初因故址拓地重建。本朝三年大比，屢加增葺，益爲宏備云。畿輔通志

【增】貢院在崇文門内觀星臺西北，南向，外東西甎門各一。乾隆二十七年增南面甎門二。甎門外設五城巡牆官廳三楹。東甎門内有明經取士牌樓一，點名廳六楹，守備廳三楹，監試廳九楹，外廳三楹。西甎門内有爲國求賢牌樓一，外供給所房九楹，進題公館六

楹，點名廳六楹，守備廳三楹，監試廳九楹，外廳三楹。又東西側設内甎門房三楹，東西官廳三楹。南面照壁一，中有天開文運牌樓一。第一龍門五楹，有貢院墨字扁一。内東側五魁祠三楹，西向。第二龍門五楹。第三龍門有龍門金字扁一。東側都統、參領房十二楹，西側都統、參領房二十八楹。第三龍門至至公堂甬道中，有明遠樓二重，下馬牌上懸諭旨。東西井三堂七楹，扁曰至公，中懸御書旁求俊乂四字。聯曰：立政待英才，慎乃攸司，知人則哲；與賢共天位，勗哉多士，觀國之光。御製四詩勒石堂中，護以朱欄。至公堂前抱廈五楹，回廊三面，設木栅欄。堂之東西設大庫。東西更道各長二十丈，栅欄各一，榜曰東西文場。自至公堂至第三龍門以内，東西號房各五十七連，共九千六十四間，東文場内又設官生號房六十一間，西北隅小號房四十連，共八百三十六間。至公堂後内龍門，門内聚奎堂七楹，中有聚奎扁一。其東西二楹，總裁官居之。堂之兩旁各三楹，副總裁官居之。堂後有穿堂三楹，兩側刷印刻字房各五間。最後會經堂五楹，有會經堂扁一。兩旁御史住房各一楹。又兩旁經房各四楹，東西經房各五楹。凡經房，十八同考官居之。供事收掌房各三間，庭中井一。至公堂東，御史廳三楹。提調房二層，每層三楹。謄録所六層，每層五楹，大供給所二層，每層十楹。東廂房二層，每層三楹。南面大廚房四間，飯房四間，庭中井一。至公堂西，監試大廚房四間，收掌房三楹。御史廳二層，每層三楹。受卷所二層，每層四楹。彌封所二層，每層四楹，又側座三楹。東西南北瞭望樓，四週圍外棘牆一，牆高一丈五尺；内棘牆一，牆高一丈。遇鄉試年，大興、宛平二縣詳順天府咨行工部修理。（順天府册）

〔臣等謹按〕貢院舊制，惟設東西兩甎門，其南向之大門、二門，向亦俱止三楹。乾隆二十七年皇上軫念士子守候唱名遲滯，特命於南照壁增闢甎門二，偏東者曰東南甎門，偏西者曰西南甎門，俾應試者四門分入。其大門、二門亦易三楹爲五楹，以免搜檢擁滯。作人德意，卽此可以仰窺萬一矣。

【增】乾隆九年，御製十月二十七日幸翰林院賜大學士及翰林等宴因便閲貢院乃知雲路鵬程誠不易易也得詩四首　翰苑瓊筵酌令辰，棘闈來閲鳳城闉。百年士氣經培養，寸晷簷風實苦辛。自古曾聞觀國彦，從今不薄讀書人。白駒翩羽傳周雅，佐我休明四海春。盡道文章接上台，菁莪樂育濟時才。千秋得失非虚也，咫尺雲泥亦幻哉！若有淚眶啼桂落，那無笑口對花開？鳳池多少簪毫者，都向龍門燒尾來。萬里扶摇正翮摶，飛龍利見豈爲干？志賢聖志應須立，言孔孟言大是難。見説經綸推國士，從來桃李屬春官。但令姓氏朱衣點，那惜三條淚燭殘。周遭圍棘院沉沉，景物當前總入吟。材擬圭璋方特達，文歸雅正薄艱深。禹門魚變辭凡水，喬木鶯遷出故林。寄語至公堂裏客，莫教冰鑑負初心。

〔臣等謹按〕聚奎堂有明代王圖庚戌取士詩，天啓四年，其子淑抃和之，刻石壁間。

增 凡試有定期，歲在子午卯酉以八月鄉試，丑辰未戌以三月會試，均於九日、十有二日、十有五日鎖闈三試之。大清會典

〔臣等謹按〕向例，會試以二月入場，雍正五年，歲閏天寒，是科特旨改於三月，并令嗣後會試之期遇有閏月，該部先行奏聞。乾隆十年乙丑科，始奉旨以三月會試永爲定例。而士子入闈，自雍正八年定例每人給襖褲一件，時既春深，賜兼挾纊。聖朝體恤士子，可爲至矣。

增 凡試文藝，鄉、會試均第一場書藝三、論一，第二場經藝四、五言八韻詩一，第三場策五。大清會典

增 乾隆二十一年，奉旨，嗣後第一場試以書文三篇，第二場經文四篇，第三場策五道，其論、表、判，概行删省。會試第二場，經文之外加試表一道。科場條例

增 乾隆二十二年，奉上諭，會試二場表文易以五言八韻唐律詩一首。上同

增 乾隆二十二年，御史袁芳松奏：自乾隆己卯科鄉試爲始，於第二場經文之外一體試以五言八韻唐律一首。奉旨准行。上同

增乾隆二十三年，御史吴龍見奏：宋儒性理與六經四書相羽翼，御纂性理精義特加按語，大啓關鍵，請嗣後鄉、會試第一場，出四書文三題之後，出性理論一題。奉旨准行。同上

增乾隆四十七年七月，副都御史覺羅巴彦學奏准：嗣後鄉、會試，將第二場排律詩一移置第一場制藝後，即以第一場之性理論一道移置二場經文後，三場五策照舊舉行。奉上諭：本日大學士九卿科道等將從前任克溥條陳諸弊會議具奏，摺内稱現在綱紀肅清，前代粃政俱已革除淨盡，惟在大小臣工實力奉行，自不致有因循廢弛之弊。此語朕疑信半焉，亦惟日慎一日所其無逸耳。至副都御史巴彦學有請更定科場詩論，以杜關節、以端士習之言，所言實爲深切時弊，不虚朕降旨之意。已依議行矣。蓋詩題係朕所命，且律句謹嚴，難以揣摩。又若頭場詩文既不中選，則二三場雖經文策問間有可取，亦不准復爲呈薦，倘同考官仍蹈故轍，監試官即可指名參處。如此則防弊之一端，巴彦學此奏殊可嘉尚。又御史鄭澂摺内所稱論内易藏關節一款，已於巴彦學摺内准行，其餘各款仍著各該部議奏。朕宵旰勤求，孜孜不倦，凡有益於政治官方、民生國計者，莫不虚中採納。即今年逾古稀，每歲臨幸山莊，藉舉秋獮大典，亦不肯少自暇逸。内外大小臣工皆當仰體朕懷，悉心講度，勿謂已治已安，稍萌因循懈弛之意。即如巴彦學條陳諸事，其

中頗有切中時弊者。我君臣當相警惕，期於弊絶風清，以副朕疇咨亮采之至意。巴彦學、鄭澂摺併發，將此通諭知之。欽此。續增科場條例

〔臣等謹按〕舊制，第一場書藝三篇、經藝四篇，第二場論表各一篇、判五條，第三場策五道。康熙二年，停止書藝經藝，改鄉、會試爲二場，頭場策五道，二場四書論一篇、經論一篇、表一道、判五條。康熙七年，仍復舊制。乾隆二十一年，易表以詩，而去論判，且移經文於二場。乾隆二十三年，復於第一場增性理論一篇。乾隆四十七年，始改今制。於是首場四題皆由欽命，益昭慎重矣。

增四書題目第一題用論語，第二題用中庸，第三題用孟子。如第一題用大學，則第二題用論語，第三題仍用孟子。科場條例

增凡會試及順天鄉試書義三題，詩題皆由欽命。試前一日，禮部侍郎、順天府尹恭領，詣貢院，交知貢舉提調送入内簾。經義策論皆考官公定。大清會典

增康熙二十四年，會試三場畢，主考等官遴選試卷十本，繕寫進呈御覽。自第一名至第十名俱欽定名次，仍送場内拆號填榜。以後會試及順天鄉試並同。科場條例

〔臣等謹按〕凡鄉、會試，應進試卷之期，如恭遇駐蹕熱河或巡幸各省，則免其進呈，卽令主考官酌定填入榜中。

增凡考官，鄉試正副各一人，由禮部開列侍郎以下，編修、檢討、中允、贊善、給事中、御史、中書、評事、博士以上官。會試，正副考官各二人，間用正一人、副二人，或正二人、副一人，開列大學士、學士、尚書、左都御史、侍郎、左副都御史。大清會典

〔臣等謹按〕鄉試考官，歷科正副皆止一人，惟乾隆庚子順天鄉試，皇上特命協辦大學士尚書蔡新爲正考官，而以侍郎杜玉林、學士嵩貴副之，爲他科所無云。

增凡經理試事，鄉試順天監臨以府尹，提調以府丞，内外監試以御史；會試知貢舉以禮部侍郎，提調以儀制司司官。大清會典

增凡執事，鄉試、會試受卷、彌封、謄録、對讀四所暨收掌、試卷均以主事等官。同上

增凡出榜，鄉、會試由考官諏日，豫行知貢舉監臨，屆期内簾啓門及外簾各官會於一堂，出中式硃卷對内號檢校墨卷無譌，迺按名書榜畢，各官朝服望闕行三跪九叩禮，鄉試於順天府署前，會試於禮部署前，懸榜三日。同上

增凡中額，鄉試順天、八旗滿洲、蒙古、漢軍、直隸諸生及直省貢監生肄業太學者，皆分編字號取中。同上

增順天鄉試分滿字、合字、貝字、南皿、北皿、夾字、旦字、承字號取中。會試分各省，臨時奏請欽定中額。科場條例

〔臣等謹按〕順天鄉試分編字號，八旗滿洲、蒙古爲滿字，八旗漢軍爲合字，順天、直隸生員爲貝字，江南、浙江、福建、江西、湖廣貢監爲南皿，順天、直隸、山東、山西、河南、陝西、奉天貢監爲北皿，雲南、四川、貴州、廣東、廣西貢監爲中皿，奉天生員爲夾字，宣化生員爲旦字，承德生員爲承字。又長蘆商籍生員，康熙年間編設鹵字號。乾隆十八年，御史魏涵輝奏裁。

增順治八年，定議舉行繙譯鄉、會試，至十四年停止。雍正元年，奉旨，以繙譯考試秀才、舉人、進士，嗣因鄉試舉人中式無多，定議會試不必另爲一場，止於文闈會試二場時另編號舍，一同考試。乾隆十九年，繙譯舉人、進士奉旨停止。科場條例

〔臣等謹按〕乾隆四十一年十二月，奉上諭，以乾隆戊戌年八月考繙譯舉人，己亥年三月考繙譯進士。蓋繙譯生員尚仍舊制，而考試繙譯舉人、進士必奉特旨也。又乾隆三十四年，御史五正額條奏：凡教習及各館謄録、繙譯筆帖式諸途應試者，滿百人俱就號舍考試，其滿洲、蒙古、漢軍生童，順天學政歲科兩試並入院應試。

增武鄉、會試，頭場、二場試馬步箭弓、刀石，取爲好字號者，准入三場，試孫子、吴子、司馬法論一篇、策一道。兵部則例

〔臣等謹按〕舊例，雙單好字號及合式者，俱准入三場。乾隆二十七年，侍郎王際華

條奏，裁汰合式字號。奉旨准行，著爲例。

原靈藏寺，舊名觀音寺，正統十一年重修，天順元年改今名。明一統志

〔臣等謹按〕靈藏寺在觀音寺衚衕，今名靈藏觀音寺，有明翰林院編修陳文華撰碑。寺內藤胎海潮觀音像一，相傳明時出之內府者。

原般若庵在明時坊，有勅建碑。明順天府志

〔臣等謹按〕般若庵今廢。

原薊城南北九里，東西七里，開十門，慕容儁鑄銅爲馬，因名銅馬門。今大廳前石函長二尺，高一丈，歷代不敢開。銘曰泰建二年造銅虎符。郡國志 原在世紀門，今移改。

增銅馬門在舊城東南隅，昔慕容儁鑄銅馬置之東掖門，後人因名銅馬門爲坊。元一統志

增東掖門銅馬，慕容儁據燕，有馬駿而力，愛之，遂鑄銅馬像置於東掖門外，今有銅馬坊。析津志

原東掖門下舊慕容儁立銅馬像處。昔慕容廆有駿馬赭白，有奇相逸力。至儁光壽元年，四十九歲矣，而駿逸不虧。儁奇之，比鮑氏驄，命鑄銅以圖其像，親爲銘贊，鐫頌其旁。象成而馬死矣。水經注

原慕容廆初有赭白馬，嘗自乘之。既爲石虎所圍，力弱分將危陷，棄衆將逃，以此馬奔而鞴之。馬見鞍輒蹄齧不得近，乃止。俄而鄰使至，石虎國有難，廆旋歸。廣古今五行志 以上二條原在世紀門，今移改。

〔臣等謹按〕銅馬門今廢，以元一統志所記考之，當在此也。

增雙忠祠在崇文門內石大人衚衕，本朝乾隆十六年建。合祀都統贈一等伯謚襄烈傅清、

左都御史贈一等伯謚壯果拉布敦，御書扁曰勇烈雙垂。大清一統志

增御製雙忠祠詩有序乾隆十五年，駐藏都統傅清、左都御史拉布敦誅叛臣朱爾墨特那木札爾，其黨羅藏札什率兵助逆，二臣死焉。贈以伯爵，優卹而歸其喪於京師，親臨奠醊，建專祠祀之，命曰雙忠，並紀以詩。衛藏西南夷極邊，入我王化百餘年。始猶羈縻後執贄，置兵爲守防呼韓。雍正年間，始命大臣駐彼率緑旗兵防守準噶爾。蒙古習俗尚黄教，得失視此爲轉旋。其何小醜背厚澤，夜郎自大輕王臣。託詞承平勞物力，示之大信休兵屯。戕兄虐下遂無忌，更與外賊爲牽援。血人於牙攫財賄，中梗驛路軍書傳。朱爾墨特那木札爾乃頗羅奈之子，朕以其父勤勞，頗能安輯疆土，封爲郡王。後頗羅奈故，伊襲其父王爵，即詭詞請撤駐藏官兵。因念彼既以撤兵爲請，即不從適足以致其疑，故如其請。自此肆無顧忌，戕其兄及姪，荼毒所部，遣使通準夷求援，旋斷絶郵置，軍書不達者旬日。二臣覘其逆謀已露，遂決計先事誅之。惟時奉命監彼土，曰傅清暨拉布敦。目覩逆勢日猖獗，炎炎不息將燎原。戰守不可兵力弱，官軍萬里阻蜀門。國事爲重餘度外，二人同心利斷金。叶知無一生有九死，但期濟事酬深恩。朱爾墨特那木札，汝來示汝大義存。天無二日爾二日，爾忘爾父叨藩翰。兇渠稔禍力已張，去聲。藐視二人何有焉？籠中之鳥砧上魚，西藏指日據有全。挺身來見忽疑慮，潛呼羣醜施戈鋋。傅卿直前扼其臂，逆王命者誅無延。拉卿拔刀剚其脰，罪在魁首無牽連。羅藏札什其羽翼，走險叫謼豕突然。桀犬吠堯各爲主，蜂屯蟻聚來獶狿。吁嘻二臣力不逮，如歸視死雙軀捐。小醜烏合旋就縛，駢首就戮長竿懸。逆誅順撫

妖氛靖，衛藏萬衆如一言。忠臣報主有如此，智勇兼濟誠通天。昔每椎心今吐氣，如披雲霧瞻蒼旻。不勞一旅剪渠寇，豈止萬命免沉淪？尸祝社祭衆夙志，虔伸絶域千秋傳。靈輿肅肅歸故里，建祠臨奠恩頻宣。錫爵賜封延後世，志予哀悼旌勳賢。雙忠之氣浩千古，雙忠之力敵萬軍。駡賊有似奮常山，誘致大異斬樓蘭。雙忠蹟略傳斯篇，他年以待信史編。

原 黄華坊四牌二十一舖，有武學、王府倉、禄米倉、武德衛、興武衛、豹韜衛、神策衛、龍虎衛、智化寺、二郎廟。五城坊巷衚衕集

〔臣等謹按〕武德等衛俱無考。武學久廢，今智化寺西民居存石獅二，云即武學遺址也。禄米等倉詳官署門。

原 天順元年四月，詔復王振官，刻木爲振形，招魂以葬，塑像智化寺北祠之，勑賜祠曰旌忠。明典彙

原 正德二年五月，陞僧録司右覺議性道爲右講經僉押管事兼智化寺住持。寺乃故太監王振所建，天順初賜振碑文，立旌忠祠於寺内，以僧官主之。至性道，三傳矣。劉瑾欲效振所爲，故乞陞性道。明武宗實録

〔臣等謹按〕智化寺今存，在禄米倉東。王振祠及像，明典彙謂在智化寺北，實録謂

在智化寺内，其實在寺中之北，非兩處也。振以閹豎誤國，罪不容誅，英宗復位，刻像立祠，勒碑寺中，其惑已甚。本朝乾隆八年，御史沈廷芳奏聞，奉旨，毁像及碑。

增 康熙三十五年重建二郎神廟，倉場侍郎石文桂撰碑。其略云，據道書，稱二郎神爲清源真君，唐貞觀二年創廟於此，宋元祐二年重修。五城寺院册

〔臣等謹按〕二郎神廟在今燈市口大街東，存小殿一楹，本朝康熙三十五年重修。

原 靖恭寺、維摩庵俱在黄華坊，有勑建碑。明順天府志

〔臣等謹按〕靖恭寺今廢。維摩庵在小雅寶衚衕，今存。明萬曆三十八年左光斗撰碑。

原 左光斗維摩庵碑記略　維摩庵住持僧圓亨重修庵成，乞言爲記。考庵創於成化戊子，修於正德癸酉，再修於隆慶庚午。兹役也，起蓋宇殿三座，倍昔莊嚴。檀越則冏卿方公大美，大參阮公以鼎、楊公惟治也。

原 京師黄華坊有東院，有本司衚衕。本司者，教坊司也。又有勾欄衚衕、演樂衚衕，相近復有馬姑娘衚衕、宋姑娘衚衕、粉子衚衕，出城則有南院，皆舊日之北里也。析津日記

〔臣等謹按〕本司衚衕、勾欄衚衕、馬姑娘衚衕在四牌樓南，宋姑娘衚衕、粉子衚衕在四牌樓北。今雖仍其名，而明時污俗洗滌盡矣。

原 正德中，樂長臧賢甚被寵遇，曾給一品服色。相傳教坊司門曾改方向，形家相之曰：此當出玉帶數條。聞者笑之。未幾，上有所幸伶兒入内不便，詔盡宫之，使入爲鐘鼓司官，後皆賜玉。穀城山房筆麈

原 燕山倡伎皆以子爲名，若香子、花子之類，無寒暑必繫綿裙。其良家仕族女子皆髡首，許嫁，始留髮。冬日以栝蔞塗面，但加傅而不沐，至春暖方滌去，久不爲風日所侵，故潔白如玉也。雞肋編

增古舞法盡亡，觀勾欄扮西子舞，始以袖，繼以手，甚怪之。乙丑宴禮部，教坊奏伎者右立五僮以次手舞，凡合掌垂手各以掌指，既而翻捧，與勾欄同。西河全集

原萬曆丁酉，冰華梅史以燕都妓女配葉子以代觥籌。東院十九人，郝筠、魏寄、李夜珠、楊娟娟、魏道蘊、郝長、王文蘭、李月仙、郭子夜、崔瓊、崔新鶯、張燕燕、崔粧、李昭、崔長卿、陳雪箏、崔子羽、焦燕如、李十一，西院四人，李燕容、屈慧若、屈文若、柳五，本司五人，陳桂、王壽、段素如、王燕如、郭狄，前門十二人，田瑤生、劉越西、左翠、馮丑、馮巧、孫真真、田文舒、劉宛宛、董雙成、吴文玉、王良、張六。梅史者，浙沈水部託名也。聞京師伎女以王雪簫爲最，而薛素素才技過之。亘史

原東院在總鋪衚衕東城畔，昔時歌舞地，今寥寥數家如村舍。兼之人掘土爲壞，滿目坑塹，從寒烟衰草中想走馬章臺之盛，邈不可復尋。猶記舊游有陳家園、郝家亭子，樹石楚楚，并無存矣。燕都遊覽志

原京師東院本司諸伎，近無佳者。惟史金吾宅後有薛五素素，姿度妍雅。能書，作黄庭小楷，尤工蘭竹，下筆迅掃，各具意態。又善馳馬挾彈，能以兩彈丸先後發使後彈擊前彈碎於空中。又置一彈於地，以左手持弓向後，右手從背上反引其弓，以擊地下之彈，百不失一也。甲乙剩言

原東院之東舊有方家園，園廢，建淨業庵於其址。殿左廡有鎮陽林潮書許魯齋先生演千字文，以萬曆十一年八月刻石，嵌於壁。文曰：太極之前，此道獨立。道生太極，函三爲一。一氣既分，天地定位。萬物之靈，惟人爲貴。太古結繩，民醇而愚。茹毛飲血，穴處巢居。伏羲畫卦，始造書契。神農皇帝，三皇繼治。五帝少昊，高陽高辛。堯舜揖讓，傳中以心。歷數在禹，夏承虞禪。謳歌歸子，啓與扈戰。太康遊畋，羿距於河。仲康失權，胤征羲和。一成一旅，少康中興。桀虐百姓，天道禍盈。應天順人，殷湯革命。咸有一德，伊尹元聖。太甲放桐，盤庚遷都。武丁中興，又終獨夫。文王事殷，明夷蒙難。武發開周，首訪洪範。成康持守，周召夾輔。穆正訓行，宣王復古。幽惑褒氏，犬戎所戕。平王東轍，國風遂降。虚器尊周，五伯馳騁。孔聖春秋，爰始魯隱。七國争雄，蘇張縱横。孟軻仁義，卒老於行。孝公强秦，鞅變井田。赧朝昭襄，周祚以遷。并吞六國，始皇詐狙。罷侯置守，焚書坑儒。阿房長城，賦役虐民。二世子嬰，陳吴亡秦。項起西楚，劉興沛中。項殺義帝，劉從董公。轉戰五年，資謀三傑。灌嬰垓下，始定漢業。高帝忘功，誅醢械繫。溺愛戚姬，欲立如意。良招四皓，幼惠遂定。吕雉牝晨，房闥出政。陸賈計行，平勃交驩。禄産就誅，劉氏乃安。文帝恭儉，詔半爲農。景帝遵業，醇厚民風。武承富庶，始建年號。窮兵雪恥，末年減耗。立昭繼武，功歸霍光。孝宣中興，道雜霸王。元成哀平，權移女黨。張禹佞諛，乃生王莽。十有四年，亂生新室。更始劉盆，王尋王邑。光武中興，羣盜乃滅。寇鄧元勳，耿賈洪烈。天下平定，進用文吏。退全功臣，封縣數四。禮優嚴陵，占動太史。二百年間，名節奮起。明帝苛察，章帝寬厚。和誅竇憲，殤終襁幼。安雖享御，權歸外戚。北鄉弗永，順淪嬖習。冲劣質聰，弑於跋扈。桓誅梁冀，陳李黨錮。靈委宦孽，黄巾嘯聚。進召董卓，獻終漢緒。曹丕稱魏，劉備興蜀。孫權號吴，三國鼎足。混於西晋，都於洛陽。武惠懷愍，劉聰所亡。元

帝南渡，一馬化龍。建康再振，爲晉之東。明成康穆，哀廢簡帝。武安僞楚，恭遜劉裕。東晉之弊，起於浮誇。清談之極，五胡亂華。宋齊梁陳，元魏東西。南北瓜分，後周併齊。隋文混一，始盛開皇。煬帝窮奢，恭帝禪唐。唐高之興，太宗之謀。閨門慚德，責以春秋。田以租調，兵以府衛。七百餘員，首定官制。貞觀仁義，髣髴三代。本根不正，隨亦闕壞。再傳高宗，已罹女禍。李勣一言，唐業幾墮。武后稱制，欲立三思。倘非仁傑，孰引柬之。中宗復辟，嗣興韋后。睿遜玄宗，以功授受。開元太平，天寶昏亂。貴妃内惑，禄山外叛。肅宗即位，大分安在？中興有頌，功不贖罪。代宗中材，德宗猜忌。奉天所倚，陸贄仁義。順在東宮，陰賜天下。憲任裴度，平淮有雅。惜其晚年，禍生不測。穆敬昏庸，不能討賊。文宗鋭意，太和清明。僅殺宏志，莫正典刑。輕用訓注，禍成甘露。武用德裕，遂平澤潞。宣宗寬恩，唐治以衰。懿僖昭哀，遂不可支。唐患非一，用黨閹寺。藩鎮强大，宣武篡弑。朱梁李唐，至於石晉，劉漢郭周，是爲五閏。錢馬高楊，承襲割據。李王孟劉，各復僭僞。兵變陳橋，宋祖即位。尅平中夏，以國傳弟。九業中衰，江左六裔。遼金據華，亦各九世。天眷地顧，篤興我元。四海會同，本枝萬年。稽古提綱，維此千言。按耶律祭酒有尚爲先生作考歲，略述先生所著有小學大義、讀易私言、孟子標題，又有四箴説、中庸説，謂雜出於衆手而獨不及此篇，故具載之。析津日記

〔臣等謹按〕方家園久廢，淨業寺亦毁，其地猶存方家園之名。許衡演千字文石刻亦無可考。

原 園亭之在東城者曰楊氏園，曰楊舍人泌園，曰張氏陸舟，曰恭順侯吴國華爲園，曰英國公張園，成國公適景園，後歸武清李侯，曰萬駙馬曲水園，曰冉駙馬宜園，園故仇鸞所築，鸞敗歸成國公，後歸於冉。燕都游覽志

原 薛蕙宴故英國公山亭即文皇帝賜第一首 東第君王賜，西園賓客來。將軍原好士，公子復憐才。玉袖花間出，金尊竹下開。還須明月上，莫畏夕陽催。西園集

增 曲水園在大興縣東，明駙馬萬煒建。園中有松化石，其半尚存本質。畿輔通志

增 駙馬萬公曲水家園，新寧遠伯之故園也，燕不饒水與竹，而園饒之。府第東入，石牆一遭，徑迢迢皆竹，竹盡而西，迢迢皆水。曲廊與水而曲，臺與室間松化石攸在也。木

尚半焉，木歸土而結石也。帝京景物略

增 宜園在大興縣東，明冉駙馬園也，園有石假山，名萬年聚。畿輔通志

增 吳惟英冬日萬仲晦曲水園看菊詩 年來花事約全乖，看菊何期今暫偕？曲水一方臨瘦影，秋容强半擁閒堦。客能冒雨憐如昨，色即經霜尚自佳。怪底有松還化石，肯將土木委形骸？帝京景物略

〔臣等謹按〕梁氏等園久廢，今石大人衚衕寶源局相傳石亨舊宅，即宅園故址也。稍西里許，地名十錦花園，亦燕都遊覽志所稱園亭之在東城者。今悉爲民居，松化石萬年聚石俱無考。

原 報恩寺天順元年更名昭寧寺，大學士李賢撰碑。析津日記

補 成化丙戌進士三百五十二人，永豐羅公倫以建言出爲市舶提舉，蘭溪章公懋、莆田黃公仲昭、江浦莊公昶以諫燈市獲罪謫外，越十年，在京師者百人，會於報恩寺。華亭張公弼作同年會識，載東海集中。寺於天順元年更名昭寧矣，而張公文猶循其舊稱也。薊邱雜抄

〔臣等謹按〕報恩寺今在驢市衚衕街北，李賢碑無考。寺門内有大鐘一，上鑄昭寧寺三字，西廊今爲常寧寺，有小鐘一，上鑄報恩寺三字。是始稱報恩寺而後改名昭寧寺者即其地矣。

原 寶磬寺在城内東，元建，永樂十年重修。寰宇通志

增 寶慶寺有雍正六年内閣中書吳廧撰碑略 寶慶寺建自唐代，明嘉靖甲辰歲，錦衣衛官石璞重修。其後侵毁半爲民居，有天然禪師鳩工修葺。又於鄰家屋垣下得嘉靖時舊碑，移置廡側，因勒石以誌其事。五城寺院册

〔臣等謹按〕寶磬寺無考。今以寶慶寺碑文觀之，或即寰宇通志所載寶磬之訛也。

原思城坊五牌二十一舖，有忠義前衛、燕山右衛、蕃牧所、東城兵馬司、百萬倉、老君堂、延福宫、水月寺。五城坊巷衚衕集

〔臣等謹按〕忠義前衛等處今俱無考。燕山右衛張爵坊巷衚衕集作在北居賢坊，朱彝尊原引誤。東城兵馬司久廢，百萬倉今爲南新、北新、興平、舊太四倉，俱詳官署門。老君堂今存，在齊化門街南。水月寺在東四牌樓五條衚衕，寺前舊碑剥落，惟篆額水月庵三字可辨。

原正東曰崇仁門，東之左曰光熙門，東之右曰齊化門。輟耕録 原在宫室門，今移改。

〔臣等謹按〕崇仁門久廢，齊化門正統初改爲朝陽門。本朝仍其名而俗猶稱齊化門。

原天曆元年九月，帝出齊化門。元史文宗紀

原皇慶元年，程鉅夫以病乞歸，命廷臣以下飲餞於齊化門，給驛南還。元史列傳

原至正二十四年三月，皇太子率侍衛兵出光熙門，東走古北口。元順帝紀

原明兵入京師，大將召丁好禮不肯行，舁至齊化門，抗詞不屈而死。元史列傳

原宋褧詩 日出齊化門，騰騰開九光。四面起金鑰，崇扉闢輝煌。都城萬井煙，沃盥整衣裳。紈屨戒車馬，出入紛倉皇。大明忽西頽，所遇多不常。擾攘千萬情，四序恒茫茫。安得馭天風，弭節白雲鄉。左驂碧虹霓，右駕紫鳳凰。燕石集，以上五條原在宫室門，今移改。

原京師寅賓里有無量壽庵者，居士屠君所建也。君名文正，山陽人，事其親至孝。至元

元年，大兵驅至開平，日夕思念其母，南望悲泣，因禮佛絶葷酒十有一年。還至大都，師事葦庵滿禪師於慶壽寺，滿號之曰居士。時宋已内附，疆宇混一，私喜可見其母。亟馳書候之，母已没矣。居士躃踊號慟若不欲生。二十一年，出己資七百貫買地十畝於太廟之西，作無量壽庵，樹佛殿四楹，屋宇像設無不具足，浚井治圃，手植嘉木。二十七年四月七日，沐浴更衣，書頌。俄有白虹從西南下垂庵中，廣數丈，如飛橋，微雨灑道，居士跏趺而逝，葬諸太史莊之阡。皇慶二年，遇災庵燬。子覺興哀金於好施者，復謀營建。未幾規制悉還其舊。說學集

〔朱彝尊原按〕元時太廟門外馳道抵齊化門之通衢。無量庵在太廟之西，昔之寅賓里，當在今之思城坊也。

〔臣等謹按〕無量庵今廢，齊化門南有無量大衚衕，相傳卽其故址，而地界不合。以坊巷衚衕集考之，蓋名吳良大人衚衕而後人附會之耳。

增元太廟在都城齊化門之北，歲祀有彝，禮樂大備，所以崇奉先之敬，彰孝治於天下也。元一統志

原大慈延福宮、延壽觀俱在思城坊，有敕建碑。明順天府志

補大慈延福宮在思城坊，成化十七年建，以奉天地水府三元之神。有弘治十七年敕勒於

石。寄園寄所寄録

〔臣等謹按〕延福宫在齊化門大街北，經始明成化辛丑，越明年而落成，有明成化御製碑文可考。又有正德十一年封延福宫住持嚴大容真人制碑及嘉靖乙酉徐階撰重修碑文，而無弘治十七年石刻。本朝順治十年國子監祭酒單若魯碑載順治初年聚滿漢子弟羣教學於斯，乾隆三十六年奉勅重修，有御製碑文。延壽觀今無考。

增御製重修三官神廟碑記　京城迤東朝陽門内之思城坊有舊廟直蹕途者，視所顔榜曰大慈延福宫，所奉神曰三官之神，是明成化十八年建也。乃詔將作，比歲國慶臻洽，百度具釐，顧兹礴畝弗完，黜昧弗塗，都人擎薌爆牲，謂典其闕。遂以乾隆庚寅嘉平卽工，閲辛卯月辰載浹用底厥成。若值若傭，並支内帑之羡，所司請爲記。朕惟道藏説三官經，大指言賜福赦罪解厄，掌衆生禄籍，而地分三界，時分三元，位分三品，迄莫詳其所自始。按三國志張魯傳及注引典略語，稱魯於漢之熹平間爲益州牧劉焉督義司馬，據漢中，以祭酒領部衆，增設張角張修之法，教民學道，始請禱者書姓名并思過之意，作三通以告之天，著山上，一薶之地，一沈之水，謂之天地水三官，蓋緣起如是。嗣是撰述家其文不少概見。洎元揭傒斯爲曲阿三官祠記，明宋濂跋之，謂水縱大亦兩間一物，何得與天地抗？在經生恖聞之論固然，殊不知三品三元諸目其言洵出無稽，要其舉三界以晐人境，有未可以人廢言者。伊古神聖非常之原，孰如地平天成？然懷襄不除則平成不奏，水與天地何如者？夫天體迴遊，包地與水，是地已不得與天抗。第一炁蒼渾，人皆知囿於其境，而不見實躋其境，其日所附麗者地也。若水行乎地之中，周乎地之際，脱有物焉一旦出乎地之界，當反入乎水之界耳，外此寧別有遁境哉？由此推之，以叙五行，土特地之所指名，而金而木而火其得與水争界哉？由此推之，以修六府，土不待言，穀特土之所封殖，而金而木而火其不得與水争界，猶奚更僕哉？且祀法有類有望，有徧有索饗，悉就凡人精神所到之境緣而格之，而神之憑依固卽在是。今三界所筦既已粲乎隱隱，可絜而度，則雖從而爲之各晉以位之品，各宗以時之元，宜亦秉禮守道者之所不欲拒。而斯廟之增繕，上以爲國祝禧，下以爲民祈祐，於焉考新宮而繹祭義，又誰曰不然？傳曰：咸秩無文。無文之文可以文其碑矣。

增車市在齊化門外十字街東。析津志

〔臣等謹按〕車市今存。

原南居賢坊六牌三十六舖，有海運倉、永豐觀、洞陽觀、正覺寺、福安寺、聖姑寺、慧照寺。五城坊巷衚衕集

〔臣等謹按〕海運倉詳官署門。永豐觀在燒酒衚衕，今名永豐禪林，有明成化三年户

部尚書薛遠撰碑，略言景泰五年七月命太監阮通時建，賜額永豐，正德六年重修，有禮部侍郎李遜學碑。洞陽觀久廢，考坊巷衚衕集南居賢坊有老君堂，云卽洞陽觀，今北小街有老君堂衚衕，應卽洞陽觀舊址。聖姑寺亦廢，今北小街有衚衕名王姑園，或卽其地歟！

原 慧照寺、福安寺、正覺寺俱有勑建碑。明順天府志

〔臣等謹按〕慧照寺今存，其衚衕卽以寺名。明成化辛丑僧庭佑得永寧伯譚氏故宅，闢爲焚修之所，太監閻興奏聞賜額，有弘治十年碑尚存寺中。福安寺在瓦岔衚衕，有正統年間通政司左通政陳恭撰碑，載寺始於元至正間，厥後惟存大殿一區，明永樂中始搆僧舍數楹，宣德七年興修，至正統癸亥落成，奏聞特賜今額云。正覺寺在東四牌樓八條衚衕，明正統十年建，有碑。

增 承恩寺有敕建碑，觀音寺在南居賢坊。明順天府志

原 張居正敕建承恩寺碑皇帝命司禮監太監馮保貿地於都城巽隅居賢坊，故太監王成住宅，特建梵刹。外爲山門天王殿，左右列鐘鼓樓，中爲大雄寶殿，兩廡爲伽藍祖師殿，後爲大士殿，左右庫房禪堂方丈香積僧房凡九十五。寺成，官僧人志善爲僧録司左善世以住持之，而賜名曰承恩。工始於萬曆甲戌，告成於乙亥。太岳集

〔臣等謹按〕承恩寺今在東四牌樓北八條衚衕，居正碑已失其石。觀音寺與慧照寺相近，明天順三年重建，有勑賜觀音寺碑文。本朝乾隆元年奉勑重修，改名廣慈寺。

原萬松老人住持大覺寺，榜其齋曰昨夢。湛然居士集

原遼重熙清寧間，築義井精舍於開陽門之郭，傍有古井，清涼滑甘，因以名焉。金天德三年，展築京城，仍開陽之名爲其里。大定中，僧善祖營寺，朝廷嘉之，賜額大覺。貞祐初，天兵南伐，兵火之餘，寺舍悉爲居民有之。戊子春，宣差劉從立與其僚佐高從遇輩請奧公和尚爲國焚修，因革元爲禪，奧公罄常住之所有續換寮舍，瑞象殿之前，無垢淨光佛舍利塔在焉幾仆，提控李德至是施財完葺。繼有提控晉元者，施蔬圃一區於寺之内，以給衆用。庚寅冬，劉公以狀聞朝廷，請以招提院所貯餘經一藏遷於本寺安置，許之。於是創建壁藏斗帳龍龕一週，凡二十架，飾之以金，繢之以彩，計所費之直白金百笏。既成，請湛然居士爲記。同上

〔臣等謹按〕大覺寺久廢，考畿輔通志云，義井精舍在大興縣東，遼時築義井精舍於開陽之郭，傍有古井因名。又考析津志，義井一在齊化門太廟前，一在思城坊洞陽觀前。今大覺寺既廢，義井亦不能確指其處矣。又按朱彝尊原書引湛然居士大覺寺初建經藏記，刪去提控李德修塔句，又餘經一藏訛餘金，今俱據本集增正。

欽定日下舊聞考卷四十九

城市 內城南城

〔臣等謹按〕明代以前，三門外爲南城，朱彝尊原書猶沿其舊，內城祇列中、東、西、北四城而無南城。本朝規制，內城、外城各分五城，與原書所載不同。如原書自崇文街東單牌樓南起，至王府大街路東止，隸東城；東長安門南沿城牆至西單牌樓雙塔寺路南，隸中城；宣武門起，至泡子街南，隸西城；今則俱隸南城。謹於原書內移歸改正。

原 元寧觀在南薰坊，有勅建碑。明順天府志 原在中城，今移改。

〔臣等謹按〕元寧觀在今南玉河橋東，內有碑二：一明天順四年編修陳鑑撰，一隆慶辛未嚴州府知府郭九疇撰。勅建碑無考。其西有三官廟，明嘉靖間建，有修撰朱之蕃、職方郎中申用懋二碑，今並存。

增 怡賢親王祠在正陽門內東偏，雍正八年勅建。大清一統志

增昭忠祠在玉河橋東南，雍正二年勑建，祀本朝王公大臣官員之全忠盡節者。上同

增世宗憲皇帝御製昭忠寺碑文　朕惟疆埸用命，因敵愾以効忠；行陣爭先，值臨危而殉節。追尋壯概，殊切軫懷。載建豐碑，用光崇祀。爾和碩敬謹親王尼堪等，賦姿雄毅，秉性堅貞。均際會於從龍，各圖功於汗馬。我國家蕩平區寓，命上將以專征；綏靖邊陲，張王師而撻伐。戈鋋所向，旋見廓清。貔虎前驅，一惟奮勇。或氣凌勁寇，縱橫萬衆之中；或志鋭先登，出入重圍之内。王公將帥，既赴義以如歸；裨校卒徒，亦銜恩而自矢。勵致身之素志，蹈刃何辭？耿報國之丹誠，嬰鋒不顧。芳名常著，摛文宜付於史官；英爽猶存，勤事允符於祀典。乃者構成棟宇，羅設几筵。考厥官資，定其位次。握麾擁節，並肸蠁於一堂；擐甲荷殳，得從班於兩廡。懸之巨牓，表厥忠勛。錫以綸章，昭兹節烈。於戲！華楹敞朗，長迴日月之輝；雕琰嵯峨，永壯風雲之色。聿傳久遠，式載寵榮。

（臣等謹按）昭忠寺内有表奬忠勳額。東爲化成寺，本朝雍正二年奉勑建，門額皇上御書。

增堂子在長安左門外玉河橋東，每年元旦親祭。凡國家有征討大事，必親祭告。大清一統志

原大時雍坊十八舖，有府軍衛、羽林前衛。五城坊巷衚衕集

原胡忠安公濙賜第在麻繩衚衕。長安客話

補翰林編修李宗易建亭於時雍坊居第之後，名曰午風，南城羅侍讀景鳴隸書其上。園廣數畝，繚以周垣。徑西南而入，正北爲舍三楹，藏經史圖籍。亭在舍之南數尋北向，望之若舉蓋然。環植桃李，間以雜卉叢竹。亭稍北爲小池，上横木爲橋，引井水自渠而入，可蓄可洩。熊峰集 以上三條原在中城，今移改。

〔臣等謹按〕午風亭今無考。

原首善書院在宣武門内左方，對城。天啓初，鄒公南皐、馮公少墟兩先生爲都人士講學之所。葉少師臺山撰碑，董宗伯思白書。黨禍起，魏忠賢矯旨毁天下書院，捶碎碑，嗣即其地開局修曆。燕都游覽志

原都察院左都御史吉水鄒先生元標、副都御史三原馮先生從吾，萬曆初，各以建言予杖去，里居講學四十年。泰昌初，徵入掌憲。公暇輒會講城隍廟，僉議建書院宣武門内城下。御史周公宗建董之。講堂三楹，後堂三楹，供先聖陳經史典律。以天啓二年十一月開講，至四年六月罷講。御史倪文焕等詆爲僞學，疏曰：聚不三不四之人，説不痛不癢之話，作不深不淺之揖，噉不冷不熱之餅。乃碎碑暴於門外，毁先聖主，焚棄經史典律於堂中，院且拆矣。崇禎初，倪等伏法，院遂以存。後禮部尚書徐光啓率西洋人湯若望

等借院修曆，署曰曆局。帝京景物略

原京師首善之地，琳宮梵宇鴟吻相望，獨無學者敬業樂羣之地。往時羅文恭、徐文貞講學，率借僧舍，誠大闕事也。天啓二年，御史臺諸公構書院一所於宣武門内東牆下，南皐、少墟兩先生朝退公餘，不通賓客，不赴宴會，輒入書院講學。一時士風爲之稍變。未幾逆璫用事，郭允厚、朱童蒙輩相繼論劾，以講學爲門户。及楊忠烈劾魏忠賢疏上，黨禍大作，善類一空，而御史倪文焕遂奏請毁書院，棄先師木主於路。左右壁有記，爲葉公向高文，董公其昌書，並碎焉。書院既毁，逆祠乃建矣。春明夢餘録

原書院之設，莫盛於元，設山長以主之，給廩餼以養之，幾遍天下。其在京師者有太極書院。明初，各省俱有書院，自張江陵當國，始行嚴禁。江陵没後，復稍稍建置。一時著名者，徽州、江右、關中、無錫。至天啓中，京師始有首善書院。不知者統謂之東林，但借東林二字以害諸君子。蓋東林乃無錫書院名也，宋楊龜山先生所建，後廢爲僧寺。顧涇陽先生憲成自吏部罷歸，購其地建楊先生祠，同志者相與構精舍居焉。至甲辰冬，始與高思憲數公開講其中，立爲會約，一以考亭白鹿洞規爲教。然躬與講席者僅數人。時涇陽先生已辭光禄寺之召不赴，於新進立朝諸公漠然無與也。適忠憲起爲總憲，疏發御史崔呈秀之贓。呈秀遂父事忠賢，日嗾忠賢曰：東林欲殺我父子。既而楊、左諸

公交章劾璫，璫益信諸人之言不虛也。於是遂首毀京師書院，而天下之書院俱毀矣。同上

原 崇禎壬申夏，華亭董先生召起入都。予請先生重書碑一通。先生輾然曰：何必然？曩時蓋書兩碑，其一搥碎，其一王廷評應遴摹勒藏壁間，第搜而出之足矣。余亟往物色之，則先是爲某侍御輦而庋之中城察院署中，尚無恙也。燕都遊覽志

補 鄒南皋、馮少墟建首善書院於京師，巡視周季侯成之，講學以延四方之士。掌科朱五吉、郭默清論之。兩公去國，掌科亦外遷。奄人執柄，朱、郭以監司超升京秩，書院拆毀。言者詆之不啻巢窟。夫京師縉紳雜沓之地，一開講學，賢奸並進，不能不爲政蠹，徐華亭靈濟之會已叢議於前矣。朱、郭意在去兩公，初不因講學起見，然兩公實亦多此一事也。黃忠端說略

原 葉向高首善書院記 首善書院者，御史臺諸君所創，爲南皋鄒先生、少墟馮先生講學所也。額曰首善者，以在京師爲首善地也。古之所爲教學，則庠序學校盡之矣。當其時里黨之所習，師儒之所修明，舍三德六行五倫之外無他物也。白鄒魯始言心、言性、言道德仁義，而其指歸不出於孝弟。時庠序學校廢，而賢人君子之有志於學者，始欲得聖人爲之依歸，以其維世教於不墜。其上下之相爲補救如此。漢唐以來，以雜途詞章取士，置德行倫常於不講。至宋而濂洛關閩諸儒乃復續鄒魯之微言，轉相授受。鹿洞、鵝湖始有書院以聚徒講學，亦杏壇之遺意也。明興設科羅才，雖取詞章，而學宮功令載在卧碑者，一本於德行，至以明倫額其堂，其大指與三代同。而末流之弊，逐功利而迷本真，乃反甚於漢唐。賢士大夫欲起而維之，不得不復修濂洛關閩之餘業，使人知所向往。大都通邑，書院所在皆有，獨京師無一敬業樂羣之地，蓋二百餘年於茲矣。夫大學之道，明德新民歸於止至善，其釋止至善首，言邦畿千里，惟民所止。其重邦畿如此。而要其所止，又不外於君臣父子之倫。蓋聖人之教人明易如此。夫惟君臣父子之倫明而後朝廷尊，朝廷尊而後邦畿爲四方之極，此之謂首善，非他通邑大都之所得比也。二先生惓惓於此舉，意念深矣。吾聞鄒先生之學，深參默證，以透性爲宗，以生生不息爲用，境地所詣，似若并禪機元旨而包括於胸中。馮先生之學，反躬實踐，以性善爲主，以居敬窮理爲程，其識力所超，又若舉柱下竺乾而悉驅於教外。要之於規矩

準繩倫常物理尺寸不踰，與世之高談性命忽略躬行者大相逕庭，則二先生師世淑人之模範又無不同。故凡詣鄉先生者盎然如太和元氣之薰蒸，其見馮先生則屹然泰山喬嶽。今合二先生振鐸於邦畿，又適值聖天子道化覃敷，統接堯舜，一時名流濟濟，如龍源鍾先生輩，相與倡和，共明君臣父子之倫，使凡有志大學者毋以至善爲荒唐，而唐虞三代之治可復還於今日。則其所補於世道豈淺鮮哉！書院在大時雍坊十四舖，貿自民間，爲金一百八十兩，皆五廳十三道所輸。經紀其事者司務呂君克孝、御史周君宗建，以天啓二年某月某日開講，是爲記。蒼霞草

原何喬遠首善書院上梁文　天子正南面而治，作之君，作之師。庶民遵皇極之猷，有其歸，有其會。故修身爲本，壹是無他。建學明倫，三代則共。若人生之不可無饑食渴飮，如天道之未嘗已月恒日升。今皇帝聖敬緝熙，天將睿哲。經筵寒暑之無怠，典學終始以有常。誠見精一執中，本上古相傳之統；明新至善，當天命顧諟之勤。自有帝而之王，歲皆餘乎五百；若自聞而合見，臣孰踵其二三？爰有都御史臣元標、副都御史臣從吾，有道而見，爲覺之先。懷股肱之惟人，豈有主有倡而臣無和？追畎畝之所樂，正欲上見君而下見民。爰開木鐸之壇，大集鳥嚶之侶。究仁義之條貫，講道德之本原。蓋匪徒以其窮義達道之真，不變塞於泉石；實欲以其草偃風行之尚，開民止於邦畿。惟是鹿洞鵝湖，人易分爲門户；蜀支洛派，動或至於參商。議者雖憂於末流，論人當視其所以。今皇帝若曰：以道出治，朕方志於風動時雍；優仕則學，臣正資其後先啓沃。惟臣元標臣從吾念京師厥惟首善，在彼都鬱爲民望。日雖羣萃夫冠紳，初實假館於禪舍。地則偪隘，道亦異同。既奉煥赫之明綸，宜開革翬之壯觀。爰得城南之宅，遂搆書院之區。維大學士臣向高仰體聖懷，下同臣德，爰摛文以作記，將垂訓夫來茲。約閣攸芋，上梁迪吉。伏願上梁之後，庶民興而大經正，道德一而風俗同。親上尊君，生其固有；成德有造，歸於達材。福禄如茨，單厚孔固。鏡山集

原馮元飈首善書院感舊作　維貞皇帝神授符，詔出明光徵大儒。有臣元標首應詔，誰並進者臣從吾。一時諸儒相繼入，王道蕩蕩民所趨。貞皇雖逝嗣皇少，譬之日出時未晡。諸儒謂可覩上治，力崇正學開榛蕪。請爲天子建書院，揭以首善天之衢。漢唐宋代何足數！升堂入室泗與洙。當使亂臣賊子懼，如陸有軌水有桴。豈無贗鼎相錯列？能由是路亦吾徒。越歲壬戌策進士，臣飈蒙與諸臣俱。二十爲學志方壯，晨起盥漱遵修途。少焉諸儒次第入，鳴鐘擊鼓聲錞于。衣冠肅對寂未語，森若披古聖賢圖。儒者寧盡闊世務？憂天往往多訏謨。乃知名教自足樂，照耀萬古焉可誣！彼譖人者亦太甚，曰宋之敗由程朱。封疆在今多事日，褒衣博帶何其迂？輔臣向高爲此懼，手自伏疏陳青蒲。誰爲此言告陛下，當付之吏法當誅。天子寬仁置勿問，忍見白日舞妖狐。嗚呼！諸儒死不恨，宣尼栗主誠何辜？乙丙之際不可説，故老欲哭徒嗟吁。丁卯八月聖人出，讒者慄慄憂頭顱。臣飈再入問書院，門外細草翔啼烏。聖人豈不重經術？時危未暇陳蒼瑚。竊見京師富梵舍，口語以限拜以膜。亦有高閣祀天主，譚兵治曆喧齟齬。獨使書院屏勿事，臣飈敢復惜微軀？卿雲縵縵天子都，諸儒靈爽應未徂。大道經天終有孚，幸甚爲念臣區區。帝京景物略

增朱彝尊跋首善書院碑　萬曆丁酉，先太傅文恪公偕福清葉文忠典應天鄉試，得華亭呂公原先生卷，先文恪欲置第一，文忠謂是卷文雖高，恐不得第，欲以所擬第二人領解。先文恪曰：此時文爾，雖第與不第等，未若不第者之文，

其人必以學行聞於時。遂定先生卷第一。後先生試禮部，輒擯落，謁選入官工部司務。是時鄒忠介、馮恭定講學京師，於宣武門内大時雍坊建首善書院，先生與周忠毅董其役，而先大父時爲都察院照磨，實經營之。及書院成，文忠作記，董文敏書之，則先大父已遷官，故未得書於石也。繼而羣小交攻，毁書院而碎其碑。傳聞碑初立時祇搨一十三紙，而先生藏其二。至崇禎壬申，文敏起自田間，桐城孫舍人國敉請重書是碑，文敏謂曩曾書二碑，一置書院，一爲王評事應遴摹勒藏壁間，爲御史某徙置中城察院官舍。訪之，果存。其後西洋人借書院以爲曆局，久之遂踞其中。甲申春，李自成入寇，中城所藏之碑亦不可問矣。康熙辛酉，予復主江南鄉試，先生之孫嘉先持搨本見示。又六年，嘉先子天右持至都，將重勒上石，請改跋其尾。予母，華亭唐文恪公孫也，先君安度先生侍先太傅於京邸，兩家結婚，吕先生實爲行媒。今兩家子姓仳離坎壈，先代賜書俱已零落，而先生後人猶能於兵火之餘裝潢是碑，守以勿失，摹而刻之，俾覽觀者仰先儒之典型，可以識君子小人存亡進退之故。是碑傳書院雖毁，安知無有復之者？則嘉先父子之功不可泯也。曝書亭集

補 緑雨樓，陸文裕深舊邸也，在正陽宣武二門之間。東曰素軒，北曰潛室，其中爲書窟。文裕記載集中，今已失其處。改蟲齋雜疏 原在中城，今移改。

〔臣等謹按〕緑雨樓今無考。

增 時憲書局在宣武門内天主堂西，即明天啓二年都御史鄒元標、副都御史馮從吾所建首善書院，後禮部尚書徐光啓借院修曆，名曰曆局。本朝仍令西洋人居此，治理時憲書。大清一統志

〔臣等謹按〕天主堂，明萬曆二十八年建，本朝順治十四年修，康熙五十一年重修，乾隆四十年毁於火，四十一年重建。門額曰通微佳境，并亭内碑銘均世祖章皇帝御製。殿中扁曰萬有真元。聯曰：無始無終，先作形聲真主宰；宣仁宣義，聿昭拯濟大權衡。聖祖仁皇帝御書。西偏爲時憲書局，有扁曰勤慎可嘉，世祖章皇帝御書。

門額曰天文歷法，可傳永久。堂中扁曰密合天行，曰盡善盡美，後廳扁曰聲清氣和。聯曰：雲從高處望；琴向静中彈。皆聖祖仁皇帝御書。

增世祖御製天主堂碑記　易序卦，革而受之以鼎。革之象曰澤中有火革，君子以治曆明時。鼎之象曰木上有火鼎，君子以正位凝命。是以帝王膺承曆數，協和萬邦，所事者皆敬天勤民之事，而其要莫先於治曆。定四時以成歲功，撫五辰而熙庶績，使雨暘時若，民物咸亨，道必由之。矧開創之初，昭式九圍，貽謀奕葉，則治曆明時固正位凝命之先務也。粤稽在昔，伏羲制干支，神農分八節，黄帝綜六術，顓頊命二正。自時厥後，堯欽曆象，舜察璣衡。三統迭興，代有損益。見於經傳彰矣。而其法皆不傳。若夫漢之太初，唐之大衍，元之授時，俱號近天，元曆尤爲精密。然用之既久，亦多疏而不合。蓋積歲而爲曆，積月而爲歲，積日而爲月，積分而爲日，凡物與數之成於積者不能無差。故語有之曰：銖銖而稱之，至石必謬；寸寸而度之，至丈必差。況天體之運行，日月星辰之升降，遲疾未始有窮，而度以一定之法，是以久則差，差則敝而不可用。凡曆之立法雖精，而後不能無修改，亦理勢之必然也。自漢以還，迄於元末，修改者七十餘次，創法者十有三家。至於明代，雖改元授時曆爲大統之名，而積分之術實仍其舊。及乎晚季，分至漸乖，朝野之言僉云宜改，而西洋學者雅善推步。於時湯若望航海而來，理數方。適當正位凝命之時，首舉治曆明時之典。仲秋月朔，日有食之，特遣大臣督率所司登臺測驗，其時刻分秒起復方位，獨與若望預奏者悉相符合。及乙酉孟春之望，再驗月食，亦纖毫無爽。豈非天生斯人以待朕創制立法之用哉！朕特任以司天，造成新曆，勅名時憲，頒行遠邇。若望素習泰西之教，不婚不宦，祇承朕命，勉受卿秩，洊歷三品，仍賜以通微教師之名。任事有年，益勤厥職。都城宣武門内向有祠宇，素祀其教中所奉之神，近復取錫賚所儲而更新之。朕巡行南苑，偶經斯地，見神之儀貌如其國人，堂牖器飾如其國制。問其几上之書，則曰此天主教之説也。夫朕所服膺者，堯舜周孔之道，所講求者，精一執中之理。至於玄笈貝文所稱，道德楞嚴諸書，雖嘗涉獵，而旨趣茫然。況西洋之書，天主之教，朕素未覽閲，焉能知其説哉？若望入中國已數十年，而能守教奉神，肇新祠宇，敬慎蠲潔，始終不渝。孜孜之誠，良有可尚。人臣懷此心以事君，未有不敬其事者也。朕甚嘉之，因賜額名曰通微佳境，而爲之記。銘曰：大圓在上，周迴不已。七精之動，經緯有理。庶績百工，於焉終始。有器有法，爰觀爰紀。惟此遠臣，西國之良。測天治曆，克殫其長。敬業奉神，篤守弗忘。乃陳儀象，乃構堂皇。事神盡虔，事君盡職。凡爾疇人，永斯欽式。

增天主堂在宣武門東，構於西洋利瑪竇，自歐羅巴航海九萬里入中國，崇奉天主。所畫天主乃一小兒，婦人抱之，曰天母。其手臂耳鼻皆隆起，儼然如生人。所印書册皆以白紙一面反覆印之，字皆旁行。其書裝法如宋板式，外以漆革護之，外用金銀屈戌鈎絡。所製有簡平儀、龍尾車、沙漏、遠鏡、候鐘、天琴之屬。春明夢餘録

原太極書院，元中書行省楊惟中建。明一統志

原中書楊忠肅公惟中立周子祠，建太極書院，俾師儒趙復等講授。公邃知性理學，慨然欲以道濟天下。元名臣事略

原趙仁甫本宋人，被俘居燕。其經學文章，雖李敬齋、元遺山亦推讓焉。静庵筆録

原郝經周子祠堂碑　道之統一，其傳有二焉：尊而王，其統在位，則以位傳；化而聖，其統在心，則以心傳。位傳者，人人得之，故常有在不忘。心傳者，非其人則不可得，是以或絶或續不得而常也。三代而上，聖王在位，則道以位傳。堯、舜、禹、湯、文、武、周公是已。三代而下，聖人無位，則道以心傳。孔子、顔、曾、子思、孟子是已。周室東亡，秦人西并。祇一王位，屹爲争奪之具。得之者非血戰之豪傑，則推刃之子孫。其心則蠱於佛老，散於辭章，弊於法律，瞢於功利，壞於智數。聖人不作，强有力者挈位而不置，不復傳道而道統紊矣。千有餘年之間，學士大夫致志用力，掇拾殘斷，崎嶇章句，不爲不勤。其獨造自得，力探特詣，以道自任者，如揚、王、韓、歐，絶無僅有。雖競於一時，而其學不復傳。是以終不能永聖人之統續而復絶也。剥蝕糜爛之餘，僨踣撑裂之極，獲聖人之心，紉緝道緒，傳諸其徒，益久益彰者，有宋舂陵周子而已。其學不知其所自，不事章句，不工文辭，不務決科，沛然一致諸道，蹭蹬孔孟之後，瞰視羲文之前，揭振本根，後泐土苴，範圍天地，窮神知化，盡性至命，創爲太極一圖，申明大易先後天之幾，著通書數十章，指陳聖學之極致，發前聖之藴奥，先儒之所未言，爲道學宗傳心之統。蓋其欲慮静盡，極於精一，篤於純誠，遂造高明，乃能如是。故太史黄庭堅稱其爲人如光風霽月，其瑩絶洞出，猶可想像。一傳而得程顥、程頤、張載，再傳而得楊時、游酢，卒之集大成於朱熹。泛濫充滙，洋溢旁薄，君相服膺，師儒鼓篋，而學者遍天下。六經語孟各爲傳注，性理象數各爲論説。正千載之訛，復一貫之道。既傳諸其徒，又傳諸後世，又傳諸外國。迄今二百餘年，莫不知義理之所在各爲一太極，反諸吾身各有一易，使人人自致聖

域而不以爲難。由漢以來，未之有也。祠祀之禮盛於江南，而未至於河朔。今領中書相國楊公始嗜其學，乃建太極書院於燕都，立祠於院以祀周子。以二程、張、楊、游、朱六子配食，歲時釋菜，尊爲先師。燕自安史之亂，暌隔王化者將四五百年。至於孔孟之祀，亦將廢墜。一旦祠祀道學宗師，而以其徒配，禮秩文采，警動幽朔，尤近世所未有也。嗚呼，道統爲不亡矣。祠既成，適經貳於公而徵銘焉。遂序其事而爲之銘。周子諱敦頤，字茂叔，湖南道州人。仕至虞部郎廣東提刑分司南京，卒於江州。嘗築堂濂溪以自名，故門人號爲濂溪先生。銘曰：析水之津，上扶斗極。周子有廟，復一太極。民不鄙夷，會歸有則。渺渺絶緒，如絲伊緡。聖遠弗續，又從而棼。祇揚其波，不探其源。縱尋斧斤，自戕其本。舍轍而車，血手燥吻。客氣賈勇，莫不僨隕。過高好奇，誘於誕空。看鳥應人，自忘其躬。不及與過，皆失乎中。聖心有端，聖學有要。無欲而一，乃造其妙。無極之真，根柢玆道。道有一極，極盡無餘。轉斡化府，推激神樞。天地人物，埏埴貯儲。心死不傳，乃載於書。六經一易，道統之集。梁折山頽，千載寥闃。無爲升堂，更孰入室。日下有日，五星聚奎。發源湖南，派流江西。肩顔踵孟，傳心仲尼。伊洛湯湯，會爲一水。復生晦翁，又一程子。坦坦一道，昭昭一理。太極有圖，通書有章。遂令燕雲，亦如荆揚。嗚呼盛哉，吾道之光。陵川集

原又太極書院記　書院之名不以地，以太極云者，推本而謹始也。書院所以學道，道之端則著於太極。宓羲畫易以之造始，文王重易以之托始，孔子贊易以之原始。至於濂溪周子之圖易，則又以爲動静之幾陰陽之根，建極承統，開後世道學始。今建書院以明道，又伊洛之學傳諸北方之始也。一以爲名，五始並見，則幽都朔易復一太極也。初孔子贊易，以爲易有太極，一再傳至於孟子，後之人不得其傳焉。至宋濂溪周子，創圖立説以爲道學宗師，而傳之河南二程子及横渠張子，繼之以龜山楊氏、廣平游氏以至於晦庵朱氏，中間雖爲京、檜、侂胄諸人梗踣，而其學益盛。江淮之間，粲然洙泗之風矣。金源氏之衰，其書浸淫而北。趙承旨秉文、麻徵君九疇始聞而知之，於是北方學者始得見而知之。然皆弗得其傳，未免臨深以爲高也。庚子辛丑間，中令楊公當國，議所以傳繼道學之緒，必求人而爲之師，聚書以求其學，如嶽麓白鹿建爲書院以爲天下標準，使學者歸往相與講明，庶乎其可。乃於燕都築院，貯江淮書，立周子祠，刻太極圖及通書西銘等於壁，請雲夢趙復爲師儒，右北平王粹佐之，選俊秀之有識度者爲道學生，推本謹始，以太極爲名，於是伊洛之學遍天下矣。嗚呼！公之心一太極也，而復見一太極，學者之心各一太極也，而復會於極。畫前之畫，先天之易，盡在是矣。使不傳之緒不獨續於江淮，又續於河朔者，豈不在於是乎！是公之心也，學者之責也，其惟勉旃！同上　以上五條原在存疑門，今移改。

〔朱彝尊原按〕濂溪祠太極書院，寰宇通志、一統志但云在城内而未詳坊市所在。

〔臣等謹按〕太極書院其地雖無可考，而春明夢餘録敍述於首善書院條内，故附於此。

原南之右曰順承門。輟耕録

【原】至正二十四年，白索珠扈從皇太子出順承門，由雄霸河間故道往冀寧。九月朔，宦官蘇隴裕勒潛送宮女博果岱出自順承門，以達於皇太子。元史順帝紀 按：白索珠舊作白瑣住，今對音譯改。蘇隴，唐古特語守護也，裕勒，地方也，舊作思龍宜。博果岱，蒙古語麥也，舊作伯忽都。今俱譯改。

【原】明兵逼京師，詔朴賽音布哈以兵守順承門。元史本傳 以上三條原在宮室門，今移改。

〔臣等謹按〕順承門，明正統間改曰宣武，本朝因之，今人猶稱爲順承門。

【增】慶元樓在順承門内街西。析津志

【增】麗春樓在順承門内，與慶元樓相對，乃巴延太師之府第也。上同

【增】朝元樓在順承門内，近石橋慶元樓北。上同

〔臣等謹按〕慶元樓、麗春樓、朝元樓今俱無考。

【原】阜財坊四牌二十舖，過象房橋有王恭廠、燕山左衛、真如寺、承恩寺、圓洪寺、保安寺、望鄉臺。五城坊巷衚衕集 原在西城，今移改。

〔臣等謹按〕象房橋今仍其名。王恭廠廢，今僅有前後王恭廠衚衕之名。燕山左衛，無考。真如寺在今頭髮衚衕内，有碑一，明萬曆三十年諭德黃輝撰。承恩寺，本朝康熙年間毁於火。後殿三楹，東廊房三楹，康熙五十四年僧智性重建。前殿三楹，西廊房三楹，乾隆十二年僧德明重建。圓洪寺久廢，今其地猶名圓洪寺街。保安寺

在今保安寺街，寺内有磬二，一鑄明正德五年製字，一鑄明萬曆四十六年製字。望鄉臺今無考。

原 象房在宣武門西城牆北，每歲六月初伏，官校用旗鼓迎象出宣武門濠内洗濯。長安客話

〔臣等謹按〕象房今隸於馴象所。

補 象房，弘治八年修蓋。工部志

原 象初至京，先於射所演習，故謂之演象所。而錦衣衛自有馴象所，專管象奴及象隻，特命錦衣指揮一員提督之。凡大朝會，役象甚多，駕輦、馱寶皆用之。若常朝，則止用六隻耳。所受禄秩，俱視武弁有等差。其在象房，人有入觀者，能以鼻作觱栗銅鼓聲。觀者持錢畀象奴，如教獻技，又必斜睨象奴受錢滿數而後昂鼻俯首，嗚嗚出聲。將病，耳中先有油出，名曰山性發，則預以巨絙縻縶之，管象房緹帥申報兵部，上疏得旨，始命再驗，發光禄寺。距其斃已旬餘，穢塞通衢，過者避道。大庖何嘗需此殘胔？京師彌文，大抵皆然也。野獲編

原 今朝廷午門立仗及乘輿鹵簿皆用象，不獨取以壯觀，以其性亦馴警不類他獸也。象以先後爲序，皆有位號，食幾品料。每朝，則立午門之左右。駕未出時，縱遊齕草。及鐘鳴鞭響，則肅然翼侍。俟百官入畢，則以鼻相交而立，無一人敢越而進矣。朝畢則復如常。有疾不能立仗，則象奴牽詣他象之所，面求代行，而後他象肯行，不則終不往也。有過或傷人，則宣勅杖之，二象以鼻絞其足踣地，杖畢始起謝恩，一如人意。或貶秩，則立仗必居所貶之位，不敢仍常立。甚可怪也。六月則浴而交之。交以水中，雌仰面浮，合如人焉。蓋自三代之時已有之，而晉唐業教之舞及駕乘輿矣。此物質既麤笨，形亦不典，而靈異乃爾。人之不如物者多矣。露書

原象入北土，從不生育，近年京師象房生一象，人以未見其交而孕爲異。閲曲靖程兵備于周客滇偶筆，乃知象孕十二載乃生，來滇始足十二載耳。雲谷卧餘

原獸之蠢者莫甚於象，然其性最警，立仗有疾則詣他象求替，入朝遲誤則伏而受箠，有罪貶降則退立所貶之位，不敢復居故班。行止舉動，一受象奴之意旨，物之最靈又莫若象也。許氏説文謂象三歲一乳，而段氏酉陽雜俎則謂象孕子五歲始生，程氏客滇偶筆則云孕十有二載乃生，其説各異。程氏又言象必擇人跡不到處交感。鄺氏赤雅則言象交於水，卷樹葉蓋之，見人則羞，必起逐之。今京師洗象觀者且千人，相傳洗時必交於水，殆不然也。兩京求舊録

增王繼皐六月九日宣武門外看洗象十韻　舞獸蒙恩澤，炎蒸湯沐施。金吾開衛仗，玉殿輟朝儀。旗鼓壕池漲，喧闐男女窺。沉浮山起伏，噓吸雨紛絲。垂首欣先浴，前蹤戀久嬉。驚波魚沓沓，遠影燕遲遲。兩岸人如壁，連鑣官共隨。齒妨泥内石，身避水中坻。薄澣馴人意，潛涵伏火時。載歸毛骨竦，跪上萬年卮。帝京景物略

原王恭廠署在都城之西南隅。天啓五年六月忽大震，拔大樹二十餘株，根在上而梢在下，近廠房屋傾倒，木在上而瓦在下，殺數千人。乃改卜於西直門街北建廠，熹廟賜名曰安民。蕪史

原天啓六年五月朔，人或見都城隍廟唱名，厚載門火神廟紅毬滾出，次前門城樓角有數千螢火，忽併合如車輪。至初六日巳時，王恭廠災。震初作，乾清宮御案皆碎，建極殿飛瓦殺人。御史何廷樞、潘雲翼被震死，全家覆入土中。自順承門大街北至刑部街，盡爲齏粉。有女人衣飾盡而身存，其同伴頭去比肩無恙。有從空墜人頭及鬚髮耳鼻，大木遠落密雲，石獅擲出城外，衣服掛於西山樹杪，銀錢器皿飄至昌平閲武場中。崇禎十一年六月二日，安民廠又災，貼廠太監王甫、局官張之秀俱斃，八月復災。綏寇紀略

增天啓六年五月六日巳刻，北安門内侍忽聞粗細樂先後過者三，驚而跡其聲，忽火如球滾上於空，衆方仰矚，西南震聲發矣。望其光氣，亂絲者、海潮頭者、五色者，起衝天，王恭廠災也。北自阜成門，東至刑部街，亘四里，濶十三里，宇坍地塌，木石人禽自天雨而下，燔臭灰瞇，號聲瀰滿，死者皆裸，有失手足頭目於數里外得之者，物或移故處而他置之者。時崇文門火神廟神亦餤餤欲起，勢若下殿出。帝京景物略

增天啟六年五月戊申，王恭廠災。地中霹靂聲不絶，火藥自焚，煙塵障空，白晝晦冥，凡四五里。明史五行志

〔臣等謹按〕王恭廠災，帝京景物略、綏寇紀略皆載爲天啓六年五月六日，蕪史獨載爲五年六月而不載日，乃係傳聞之訛。自當以明史五行志天啓六年五月戊申爲據

也。今改正。

原真如寺北向，以其背象房而立也，寺南松檜榆槐森繞，皆象房樹。寺在元季爲定力院，南向，今之象房是其山門。蓋象房初設於報國寺古松之畔，以隔城致羈赴闕，乃割定力院爲駐象所。燕都遊覽志　原在西城，今移改。

增明諭德黃輝真如寺碑略云：兹寺建於元保寧年間，峨嵋僧真如募建，故即以真如名其寺。明正統十三年，蜀僧常宗修，今僧明傳復修。三僧皆蜀人，亦異事也。

〔臣等謹按〕保寧係遼時年號，黃輝碑作元，誤。本朝乾隆四十年，僧德如重修。

原承恩律寺在都城西南隅，寺址即古雪堂，爲戒壇下院。憲宗純皇帝勅賜知幻禪師以戒律開山，至王恭廠火變之後，益就傾圮。燕都遊覽志

原正德八年四月，令大興、宛平二縣撥佃户二十於護國保安寺以供洒掃。明武宗實録

原是時上誦習番經，崇尚其教，常被服如番僧，演法内廠。保安寺大德法王綽爾濟鄂特色爾出入豹房，與諸權貴雜處。同上　按：綽爾濟，唐古忒語法師也，鄂特色爾，金光也，舊作綽吉我些兒。今譯改。

原嘉靖二年五月，以江彬、錢寧入官房，及故保安寺改爲燕山府軍等衛，凡十五所。明世宗實録　以上四條原在西城，今移改。

〔臣等謹按〕燕山府軍等衛今廢。

原吉祥寺在城内西，元泰定間建。寰宇通志

原寺在城西南隅，萬曆丙午重修，改名石鐙庵。翰林黃輝、陶望齡集縉紳於此放生，其

後林增志踵行之，尤盛。（春明夢餘録）

原庵舊名吉祥，萬曆丙午，西吴僧真程自雲棲來居，發古甃下，得石幢一，式如鐙臺，旁鐫般若心經一部，唐廣德二年少府裴監施朝請郎趙偃書。黄儀部汝亨過其地，以庵甫治而鐙適出，遂手書額稱石鐙庵焉。（帝京景物略）

原石鐙庵在承恩寺之右，迨王恭廠火變，庵亦灰燼矣。（燕都遊覽志）

原陶崇政石鐙庵碑略　次南師杖錫北遊，於都城之西南隅庵曰吉祥者以居焉。發古甃下，得石幢一枚，如鐙臺式，旁鐫般若心經，宛如聖教序。唐代宗時成紀郡夫人敬造，若爲度生施食用者。燕都遊覽志

原宋啟明石鐙庵記　次南上人癸卯歲飛錫京師，駐庵名吉祥，剪除叢莽，掘地得石鐙柱一座，柱刻心經一卷，係廣德二年少府裴監所施，乃以名庵。長安可遊記　以上六條原在西城，今移改。

〔臣等謹按〕石鐙庵在今猪尾衚衕。燕都遊覽志已云化爲灰燼，則今之石鐙庵乃後人重建，非其舊矣。今寺中有石香鑪一，云卽舊傳石鐙，然鑪上並無鐫刻心經，其非舊物可知。蓋後人因鐙無存，遂指鑪以附會耳。黄汝亨書額亦無，惟有碑一漫滅不可讀，碑陰尚存吉祥寺三字，則斯地爲庵之舊址無疑也。又按石鐙，燕都遊覽志作唐代宗時成紀郡夫人所造，長安可遊記作廣德二年少府裴監所施，兩説互異。

欽定日下舊聞考卷五十

城市 內城西城一

〔臣等謹按〕朱彝尊原書自宣武門街西起，至西北城角，俱爲西城，本朝定制，自泡子街南則隸南城，故移於南城卷内。又發祥坊，護國寺街起，至德勝門街西城牆止，原書隸北城，今隸西城，故移敍於西城卷後。又按宣武門北有單牌樓曰瞻雲，又北二里許有四牌樓，東曰行義，西曰履仁，南北曰大市街。

原 金城坊五牌二十二鋪，有普照寺、鐵佛寺。五城坊巷衚衕集

〔臣等謹按〕鐵佛寺在順城街四眼井，鐵佛像現存寺中。普照寺無考。

原 唐淤泥寺卽今鷲峯寺，鷲峯者，唐僧之號也，見唐人石刻心經中。寺在内城西隅。中有栴檀瑞相，元學士程鉅夫記。其説荒唐不足信，然佛之體製衣紋，踽踽欲動，非近代人所能辦。春明夢餘録

原 鷲峯寺在城西牆畔，寺頗湫隘，然供有栴檀佛其中。像爲栴檀木，衣無縫天衣，目上

視，手左昂右頫，相好端嚴，夐異常造。歷代以來，每隨建都之地而供養之。元鐫栴檀佛像於石，而樹碑墀間，恣人搨請。燕都遊覽志

原 城隍廟之南有鷲峯寺，栴檀佛像高五尺許，色近沉碧。萬曆中慈聖太后始傅以金。帝京景物略

原 京師鷲峯寺有栴檀釋迦接引像，其足立處幾於交趾，不作八字，衣紋都作直褶，如出水衣，附著股臂間，面目向上，絶不似今滿月相也。見只編

原 淤泥禪寺心經今在京師城内西南隅鷲峯寺，正書，其末曰大唐貞觀二十二年三月吉日建立，碑曰宫官張功謹敬德監造。今山東河北寺院多云創自敬德，或謂是尉遲敬德。考許敬宗所作敬德神道碑及本傳，並無鎮幽州事，亦不當列於宫官之下也。金石文字記

補 京師有唐人所書心經三：一貞觀二十二年刻石，在淤泥禪寺；一趙偃書，廣德二年刻石；一大足年僧有晦建。古林金石表

補 萬曆己未，鷲峯寺僧濟舟在殿誦經，一士人拜墀下。僧覩儀觀有異，迎上殿，士人不可，僧固迎不已，士自通曰城隍也，殿有戒神呵護，不敢輕入，語罷不見。筠廊偶筆

〔臣等謹按〕鷲峯寺一名卧佛寺，以寺有卧佛得名。栴檀佛像，本朝康熙四年十月奉勅移奉弘仁寺，別以銅範如來像還供本寺。栴檀佛像自西土流傳震旦，本末詳弘仁寺條下。至鐫石佛像，今弘仁寺、聖安寺中俱有之，而燕都遊覽志所稱樹碑鷲峯寺

墀間者，則無可考。所傳唐時心經石幢，今現在庭内，字殊惡劣，絶不類唐人書。且考貞觀止於二十三年，幢上誤刻作三十二年，又將三字改作二字。以唐人書唐時年分，何至謬誤若此？其爲後人僞託無疑。乾隆二十六年御製重修鷲峯寺碑文辨證甚詳，足以正往昔流傳之誤矣。

增御製重修鷲峯寺碑記　鷲峯寺雖非古名刹，而見稱於帝京景物略諸書者，以寺有栴檀佛像故。像卽功德經所云優塡王以香木付天匠所造者。其成像歲月與佛授記因緣，以及西土流傳震旦始末，元翰林承旨程鉅夫記言之特詳。按像自金源始顯於燕京，元時由聖安寺而仁智殿，至於大聖壽萬安寺，凡三易地。明嘉靖中，萬安寺燬，遂移奉於此。本朝康熙四年，皇祖以佛像屢著靈異，宜莊校寶地，表示勝因，而兹寺湫隘不稱，迺於液池西堧建弘仁寺爲瑞相道場。復笵銅肖釋迦如來像還供寺中。夫如來無所從來，亦無所去，則卽境卽佛，本不作分别觀。矧佛無我相人相，説一合相，卽非一合相。又何嘗沾沾於彼之爲是、而此之爲非乎？寺相傳爲卽唐淤泥寺，其説本之明大學士商輅碑記，謂創寺時寺僧秀峯掘地得心經石幢一，幢面鐫唐貞觀二十二年勅修淤泥寺及住持三藏比丘秀峯，因僧名適同，遂詡爲開山宿果。又以幢有宫官張功謹敬德監造字，輒云唐太宗命勛臣所建。考其年，尉遲敬德久致仕，烏得有至幽州建幢事，且列名宫官後？其妄固無容深辨。今幢尚存，字惡劣不類唐人書，或卽秀峯詭爲此刻以飾神奇，無識者遂從而附會，亦未可知。第閱歲已久，姑仍之，而碑辭則鄙俚實甚。輅文人，不應出此，漫漶滅跡，亦一快也。乃孫承澤春明夢餘録又以爲鷲峯者唐僧之號，夫靈鷲一峯，卽西竺耆闍崛，蘭若取以標名，其義易曉。且鷲之與秀，音近字殊，尤不容紊。承澤生長於斯，奈何隨人耳食不加之辨審乎？寺既漸就頽阤，命内府葺新之，俾復舊觀，因舉其大略識諸碑，並爲訂正如右。

【增】吴士雲水塘庵記略　都城之有圓通庵，與鷲峯禪刹並位。其西則名山蒼翠，井洌寒泉；其東則帝宇森嚴，百貨時集；其北則城隍坐鎮，神威濯靈；其南則萬井烟環，鳳城旋繞。以故其地最勝，世爲吾家社館。何以呼爲水塘庵也？以庵外兩旁餘地有注水池通溝洫也。何以爲吾家社館也？吾家聚族而購之，圮則頻聚族而葺之也。僧何以主於道桂也？道桂之師曰西宗，自歙西清泉寺而來，性相習故世相守也。豈第他僧不得睥睨吾家之堂構，亦不得睥睨僧家之衣鉢也。崇禎甲戌吴士雲撰。五城寺院册

〔臣等謹按〕圓通庵今名圓通禪林，在鷲峯寺東。水塘之説無考。吴士雲水塘庵記石刻今在殿中。

【原】天順元年五月，勅户部令順天府於大興、宛平二縣各設養濟院一所。明英宗實録

〔臣等謹按〕養濟院舊址無考。今五城改設棲流所，西城二處，餘四城每城各一處，俱在外城，每年動支户部銀兩，安插貧病無依之人。

【原】元世祖廟在金城坊，洪武十年建。明一統志

補元世祖廟，洪武初建。每歲二八月中旬，擇日遣順天府官祭，嘉靖二十四年罷。明會典

原嘉靖二十四年禮科右給事中陳棐上言：國家於歷代帝王陵寢之祭，自伏羲以至宋孝宗三十五陵，所祭之處俱實有陵墓。惟順天府所祭元世祖陵，但權於府西廟址掃階蓆幄以畢事。夫既曰祭陵，而實無陵，臣以爲罷之便。春明夢餘録

原馬中錫謁元世祖廟作　世祖祠堂帶夕曛，碧苔年久暗碑文。薊門此日瞻遺像，起輦何人識故墳！棹楔半存蒙古字，陰廊尚繪伯顏軍。可憐樹老無花發，白晝鴞鳴到夜分。東田漫稿

〔臣等謹按〕元世祖廟久廢。

原元佑聖王靈應廟即今都城隍廟，在城西刑部街。春明夢餘録

增都城隍廟在大都城西南隅順承門裏，向西，國朝所創建，有碑。元一統志

原天曆二年，加封大都城隍神爲護國保寧王，夫人爲護國保寧王妃。元史

原金佑聖王靈應碑，貞元元年許復書。元佑聖王靈應碑，至元五年任栻撰，張禮書。元城隍廟碑，至治四年莊文昭書。元大都城隍佑聖王廟碑，泰定三年立。元大都城隍廟碑，至順二年虞集撰，喀喇庫庫書。元護國佑聖王記，至正二十五年吴雲書。天下金石志

原都城隍廟元碑七，在寢殿後，其四在左：一長明燈記，立於至正二十六年十月；一立於元貞元年正月，韓從政撰文，許復書并篆額；一立於至正四年九月，余闕撰文，莊文昭書；一立於至正二十五年十二月，童梓撰文，吴雲書，張𤉶篆額。其三在右：一立於至元五年六月，任栻撰文，張禮書；其兩碑則字蹟剥落不可復識矣。寢殿內朱漆木桶二，

大可容水數十石，有萬曆時進造浴盆及換水二碑。蓋都中取水甚難，貯此以備不虞，而道士遂以神所沐浴，謂目疾者洗之可愈，用以誑人云。緇素録

補 都城隍廟有元余忠宣公碑，至正四年立石，文辭猥鄙，青陽集無之，非公作也。稼堂雜抄

〔臣等謹按〕元時七碑久廢。浴盆二今存後殿，然是否即明萬曆間所造，無可考矣。緇素録所稱換水碑二，亦無存。

補 韓從政佑聖王靈應碑序 大元有天下，建大都，立宗廟，安社稷，懷柔百神，凡在祀典者，朝命通祀。殷薦豐腆，春夏不闕。至元初，選都之坤方一隅，命少府督工創建城隍廟，不日落成，丹青盡飾，壯如王者之居。司分善惡，部領山川，特封佑聖王。每遇朔望，車馬畢集，祈禱於神者莫之勝紀。先至元二十八年七月七日夜，文明街之右，盜殺銀千户及奴二人，有司繫鄰佑於獄，考訊逾年。省部委本路府推周從事親蒞乃事，從仕於二十九年五月十八日，引吏齋戒沐浴，禱於王前，同宿廡下。是夜將半，俄聞樂作，遠則有音，近則無跡，徐聽鎖鑰之聲，殿門若開，光如神降。官吏相謂曰：今獲斯應，殺人者，神必知之。次日就引囚徒審問，内有趙塔齊爾者，如神攝之，自行招說：殺銀千户者我也。從此寃獄罪有所歸，遠近聞之，莫不驚嘆焉。翰林院兼國史院從事韓從政撰，太常寺禮值官許復書。按：塔齊爾，蒙古語瘠地也，舊作塔察爾。今譯改。

補 任栻大都城隍廟碑略 京師天下之所趨，奠居者無慮百萬室，是其捍災禦患以顯相生人，福善禍淫以陰贊天道，必有神焉主之。國朝廟祀神於城之坤維，爵號祀秩視外郡有加，以宗社宫闕攸在，示禮重也。神絃歌曰：麗予牲兮腯以純，潔予盛兮肴以芬。桂醑兮瑶樽，神惟德兮是歆。摐金兮節鼓，我歌兮且舞。白雲車兮霓旌，神之來兮帝庭。祈年則穰兮歐魃與厲，神心以懌兮報祀毋替。奎章閣侍書學士兼翰林侍講學士任栻撰，奉直大夫尚舍寺經歷冀州陰陽學正李郁書。

原 虞集大都城隍廟碑 世祖聖德神功文武皇帝至元四年，歲在丁卯，以正月丁未之吉，始城大都，立朝廷宗廟社稷官府庫庾，以居兆民，辨方正位，井井有序，以爲子孫萬世帝王之業。七年，太保臣劉秉忠、大都留守臣段貞、侍儀奉御臣和坦伊蘇、禮部侍郎臣趙秉温言：大都城既成，宜有明神主之，請立城隍神廟。上然之，命擇地建廟，如其言。得吉兆於城西南隅，建城隍之廟，設像而祠之，封曰佑聖王，以道士段志祥築宫其旁，世守護之。自内廷至於百官庶人，水旱疾疫之禱，莫不宗禮之。邇來六十有餘年，國家治平，民物繁阜，日盛一日，而神之所依亦厚矣。祀典之載，所謂有其舉之而莫之敢廢者歟！迺天曆二年二月庚子，皇后遣内侍傳旨中政院臣使言於上曰：城隍神

廟，世祖皇帝時所建，有禱必應，烜赫彰著，而廟久敝弗葺，無以答神明之貺，以繼世祖之意。請出内帑寶鈔五萬緡以修。制曰可。命京尹臣賈某董之，太史以諏日弗協，請俟其吉。九月，參知政事臣趙世安等奉勅封神曰護國保寧佑聖王，其配曰護國保寧佑聖王妃。至順二年二月癸亥，以前所賜爲未足用，增賜寶鈔十萬緡，大修治之。平章政事臣阿爾哈雅、工部尚書臣永和爾實奉詔領其事，且命之曰：庀工而有餘資則以賜諸廟中，給恒用。於是工部率其屬以卽役，土木瓦石，金碧丹堊，既善既足，百工並作，無敢不虔。未幾而告功。於是有勅史臣集製文刻石以垂示無窮。臣集拜手稽首而言曰：聖上受命自天，纂承大統，武臣著功在盟府。百靈相協，固其宜哉。聖后輔佐聖明之成功，而一神之報亦不敢忘，可以觀德，可以致福，可以示勸於臣矣。於戲盛哉！請系以詩曰：惟皇建國，宅中圖大。臨制萬方，式表無外。列雉四周，壯於天垣。爰立明神，以保固完。司空奉詔，慎擇吉士。作廟坤維，以祝休嘏。相維典則，有社有方。羣黎萬姓，罔敢禬禳。惟神孔邇，有堂有寢。曰豫則康，威怒斯凛。歲時牲牢，旨酒明粢。無有小大，士女畢來。列聖清明，歲行六十。風氣宣通，民物豐殖。相爾檐桷，丹堊弗新。何以妥之？俾佑我人。皇上至仁，思保赤子。聖后念之，命禱靈時。天高日明，風塵不驚。大開明堂，治功告成。有祈有報，伊古之道。出財宮府，撤弊改撓。山藻孔文，既閒既安。度其王封，載加彌尊。神來燕喜，百和萃止。導天之貺，爲帝之祉。室家祚永，福禄萬年。貽及於民，生養弗愆。崇墉巖巖，泰山之固。神永有依，斯皇多祜。道園學古録

按：和坦，蒙古語城也，伊蘇義見前，舊作忽都于思。阿爾義見前，哈雅，蒙古語牆也，舊作阿禮海牙。永和爾，蒙古語絨也，舊作巖穆忽爾。今俱譯改。

補 童梓加封聖號頒降宣命記 世祖皇帝定都於燕，既城既隍，爰命太保臣劉秉忠建神祠於坤維，賜額曰佑聖王廟。迨天曆己巳，文宗勅參知政事臣趙世安加封神曰護國保寧，錫香旛及楮幣五萬緡，欲葺其敝。太史以用且弗足遂寢。越至順辛未，益賜緡十萬，重飾像繪，以朽易堅，崇墉增級，金碧丹堊，燦然炳耀。元統初，今上皇帝入正大統，治民事神，式遵祖訓，肇稱殷祀，詔加封曰宏仁廣惠，神妃從其號。至正癸卯春三月，監察御史和遜、敏珠爾、哈雅、伊爾特穆爾、孟克特穆爾、韓楫、黄夔言：比者畿甸有警，雖武臣效力，然全城乂安，詎非神之默助乎？況五穀屢登，疾疫不作，理宜崇於昭報。章達中書、丞相擲公洎郎中薩哩默色、員外福安、都事玖珠，僉謂神之靈異爲民捍患，凡有禳祈，罔不孚應。崇褒徽號，於禮爲當。遂趣下其事於春官，議於奉常，謂宜加封護國孚化保寧宏仁廣惠佑聖王。奏聞，制曰可。仍頒宣命及尚醖香幣，遣集賢院衆官，皇姊莊靖大長公主遣額琳沁佐特，皇后遣資政同知圖列圖阿穆爾布哈，皇太子皇妃遣長慶卿烏蘭特穆爾，咸賚香幣致祭於廟。耋稚趨瞻，牲醴交薦，里人太史院管勾董本立延吳雲書大殿額，飾以泥金，用彰新命。先是，廟祠香火日盛，闢闔灑掃未有主者。長春道士張志忠承詔薦葆光大師段志祥領其事，遂度廟東隙地 建元元殿，旁爲環宇以居道流，俾甲乙住持以守神祠。歲久提點王道從退休於西堂，至是降璽書授守真純素明善大師張德元住持本宮，善應元明守一大師商慎和崇元明善達妙大師朱德明並提點本宮事，創給五品印信。前御史趙元僧時爲集賢都事，實相成之。衆復送志靜淳真大師楊德益爲宮門提舉兼提點宮門事，咸議立石以紀盛典。復謀於本立經其費，乃徵予記其實。謹按祭法，有功於民則祀之，能禦大災捍大患則

祀之，故城隍之神凡天下城池皆祠焉。矧國都萬乘之所居，四方之所仰，宜百靈之所呵護也。朝廷重錫嘉號以報神賜，崇信可謂至矣。然神之影響在人之誠否，靡間貴賤，苟或不誠於中，乃欲媚神以徼須臾之佑，神聰明正直，寧肯顧而歆之歟？書曰：天道福善禍淫，又曰：作善降之百祥，作不善降之百殃。其神之謂矣。賜進士出身承值郎綺源庫提舉童梓撰文，承事郎太子司經吴雲書丹，集賢大學士光禄大夫滕國公張璘篆額。按：和遜，蒙古語空也，舊作忽先。敏珠爾，唐古特語無違之謂也，哈雅義見前，舊作米只兒海牙。伊爾，蒙古語鋒刃也，特穆爾義見前，舊作野里帖木兒。孟克，蒙古語經常之經也，特穆爾義見前，舊作忙哥帖木兒。薩哩，蒙古語地弩也，默色義見前，舊作薩哩密實。今俱譯改。玖珠舊作九住，今對音譯改。額琳沁，蒙古語寶也，佐特，庫也，舊作亦鄰真尊。圖列圖，蒙古語有柴也，阿穆爾，安也，布哈義見前，舊作朶列圖。按：木不花烏蘭，蒙古語紅色也，特穆爾義見前，舊作五魯帖木兒。今俱譯改。

補無名氏長明燈記　大都城隍廟提點道士叩門言曰：君之友阜財里莽吉爾哈雅以宛平縣彰義關之西、石碑道南田地廣九十畝施諸護國孚化保寧宏仁廣惠佑聖王廟，歲租之入以供長明燈，今既授地，宜刊於石，俾後有所徵焉。予謂城隍之祠偏天下郡邑，然神之所以禍焉福焉者，因其人善不善，非以祈禳而得而免也。世之庸夫愚婦，心險行僻，顧乃燃黄爵醴，屈膝頓顙，以伸斯須之敬，神之視之如見肺肝然，寧肯享之乎？善敬神者洋洋如在其上，如在其左右，言焉惟恐神之聽，行焉惟恐神之見，言行不媿於神明而有不蒙其福者乎？今敏珠爾哈雅不私其財，積而能散，深明夫禍盈福謙之理者也。雖然，施者固善矣，苟司其租者不思以時致祭而唯私其藏，非特施者是負而實欺神明矣。其可哉！敏珠爾哈雅累官中奉大夫繕工司卿。

〔朱昆田原按〕許復所書碑，本元成宗元貞元年立石，而劉同人、于司直誤以元貞爲貞元，遂目曰金碑。又莊文昭所書碑乃至正四年立石，非至治也。

原都城隍廟在都城之西，永樂中建。中爲大威靈祠，後爲寢祠，左右爲齋，兩廡爲十八司。前爲闡威門，門外左右爲鐘鼓樓，又前爲順德門，又前爲都城隍門。春明夢餘録

原北京都城隍廟中有石刻北平府三大字，此國初舊物。一老卒云，其石長可丈六尺，下有城隍廟三字，既建北京，埋而露其頂。儀門塑十三省城隍皆立像，左右相對，每歲順

天府官致祭。湧幢小品

〔臣等謹按〕今廟中殿廡門樓規制及殿門扁額與春明夢餘録所載符合。湧幢小品所稱儀門内塑十三省城隍，今考廟中祇列浙江等十二省城隍，而江南省獨缺，蓋明代以江南省爲陪京，故不與各省並耳。至北平府三大字石刻，久已無存矣。

【原】宣德五年六月，命行在工部修北京城隍祠。明宣宗實録

【原】正統十二年十一月，重建城隍廟成。明英宗實録

【原】明英宗碑略　城隍廟在都城西南隅，城完之日，令更造焉。中作正堂，後爲神寢，堂之前爲正門，自堂左右至門翼以周廊，如官司之職掌以案名者十二。廊東西中特起如堂者二，名左右司，正堂以祠城隍之神，而旁以居其輔相者，各以序置。門之外爲重門，東西置鐘鼓樓，其後各有舍以棲其守護之人。蓋總爲屋以間計者一百九十，其地以丈計者深七十一，廣四十一有奇。材出於官之素具，工役於力之常供，一無所預於民，成不浹旬，而功倍於累月。孟子所謂不日成之，或庶幾焉。同上

【補】嘉靖二十七年正月，都城隍廟災，詔工部重建。嘉隆聞見紀

【增】趙符庚重修城隍廟碑略　都城西南隅，朝廷建祠以奉城隍神祀，嘉靖丁未燬於火，命工部尚書文明重建，萬曆乙亥孟夏重修。五城寺院册

【原】廟市者，以市於城西之都城隍廟而名也。西至廟，東至刑部街止，亘三里許。其市肆大略與燈市同，第每月以初一、十五、二十五開市，較多燈市一日耳。燕都遊覽志

【增】城隍廟市，月朔、望、念五日，東弼教坊，西逮廟墀廡，列肆三里。圖籍之曰古今，彝鼎之曰商周，匜鏡之曰秦漢，書畫之曰唐宋，珠寶象玉珍錯綾緞之曰滇粵閩楚吴越者，集市族族，行而觀者六，貿遷者三，謁乎廟者一。廟建自永樂，今稱都城隍之神，歲春秋祀於有司，二門列十三省城隍，冠笏立侍。帝京景物略

【原】城隍廟開市在貫城以西，每月亦三日，陳設甚夥，人生日用所需，精麤畢備。羈旅之客，但持阿堵入市，頃刻富有完美。以至書畫骨董真僞錯陳，北人不能鑒別，往往爲吴儂以賤值收之。其他剔紅填漆舊物，自内廷闌出者，尤爲

精好。往時所索甚微，今其價十倍矣。至於窑器，最貴成化，次則宣德，杯琖之屬初不過數金，予兒時尚不知珍重。頃來京師，則成窑酒杯每對至博銀百金，予爲吐舌不能下。宣銅香鑪所酬亦略如之。蓋皆吴中儇薄倡爲雅談，戚里與大估輩浮慕效尤，瀾倒至此。野獲編

原凡燕中書肆，多在大明門之右，及禮部門之外，及拱辰門之西。每會試舉子，則書肆列於場前。每歲朝後三日，則移於燈市。朔、望并下澣則徙於城隍廟中。燈市極東，城隍廟極西，皆日中貿易所也。燈市歲三日，城隍廟月三日，至期百貨萃焉，書其一也。少室山房筆叢

〔臣等謹按〕都城隍廟廟市，今每歲五月初一日起，至初十日止，非復每月三日，亦非歲朝後三日矣。

〔臣等謹按〕都城隍廟，歷代以來敬禮崇飾，本朝雍正四年，乾隆二十八年，屢發帑興修，恢宏鉅麗，視昔有加。庭中有碑亭二，一爲世宗憲皇帝御製碑文，一爲皇上御製詩文碑。正殿前楹扁曰永佑畿甸。聯曰：保障功隆，俎豆千秋修祀典；邦畿地重，靈威萬國仰神明。皆世宗憲皇帝御書。後楹扁曰神依民社。聯曰：靈鞏天垣，和會九州風雨協；報崇國祀，盈寧億禩社方安。後殿扁曰福蔭黄圖。皆皇上御書。

增世宗御製都城隍廟碑文 國家受天眷命，懷柔百神，祀典所陳，罔不虔肅。況畿甸之內，輦轂之間，陰陽之所和，風雨之所會，人民稠集，庶物蕃滋，以熙以遊，以長以遂，佐予茂育，厥惟神庥。都城舊有廟，祀城隍之神，禮臣以時享薦其內，朕慮廟貌不肅，展敬無由。雍正四年正月，特發帑金命官修飭，是年五月告成。土木之工，丹雘之

飾，恢宏鉅麗，視昔有加焉。足以妥侑神明，壯觀都邑。禮臣構亭礱石，請賜文以爲記。朕惟禮有六祈之祭，書有咸秩之文。皆以報賽神功，爲民求福也。方今海内乂安，萬物得所。豐亨豫大，富壽康寧。酒醴牲牷，豐潔咸備。惟神實歆格焉。而感格之道惟在一誠。蓋誠則通，通則格。陟降上下，錫福在人。以致年穀順成，閭閻樂業，繁禧日集，罄無不宜。將朕與百姓咸嘉賴之。今廟貌聿新，用誌歲月。且令祠官之有事於庭者，讀其文皆知設誠於中，致恭於外，齋明蠲潔，克薦馨香，副朕敬事神祇之意云。

增御製重修都城隍廟碑記　城隍之文，始著周易，其麗於秩祀，蓋緣伊耆八蠟之水庸。至春秋傳，鄭祈四鄘，宋用馬四墉，而其説差備。自時厥後，歷代正史未有明文。歐陽修集古録采李陽冰城隍神記，亦云祀典無之。間考王應麟困學紀聞引北齊慕容儼鎮郢城祀城隍祠，則唐以前廟食，故有援據。今天下自縣而州而府而省，莫不立廟，而都城隍廟尤天下所會歸，不與他等。往往以統隸殊制，卽封號品數視之。然神之所爲禦災捍患，與國之所以崇德報功，其義等爾。乃聞里閈之甿，禬禳趾錯，詹詹然求神於人，尸祝告語曰：前攝者忠肅于氏，後代者忠愍楊氏也。彼言之近鑿，政與鮑至南雍州記以蕭相國廟爲城隍神略同。抑不思于、楊故明藎臣，玆廟創自金元時，果誰氏之司？且幽冀肇域以來，有城卽當有神，更誰氏之司耶？比歲嘗勅工官繕堞濬濠，俾崇者屹安居，深者衍潤澤，庶幾先成民而後致力於神。惟斯有以既其實，而不徒爲捧土揭木之故例，矧朕敬承上蒼鴻貺，胥宇迄乎荒外，西陲城郭諸國咸就戎索。其稱爲行國，嚮無金湯保障者，亦已列堡開屯，埤堄連延，塞河環絡，不翅城金牙而隍蒲類矣。夫欲舉曶爽逖聽之衆，無一夫不宥以都人士之懷，又何一城一隍之區不可綏以都城隍之神之福哉？而況省府州縣之密邇户闥者哉？神廟自雍正丙午興修，年久隊剥，以今癸未正月集將作，支内府金，撤而新之。由寢堂廡序庖湢以逮繚垣綽楔，式奂式堅，悉協程度。維儀門左右，植笏夾立者，兼備外省城隍肖像，雖詢無典實，尚不僭乎令牧郡守方伯會朝邦畿之指。遂仍而弗改。又以落成嘉平之吉，於古索饗時適符，爰親詣瞻禮，即事製長律紀之，命並鍥於碑，使祠官被以神絃，祇薦時事。

增乾隆二十九年御製重修都城隍廟成因詣瞻禮詩　福民育物受禋長，豈在追封侯與王？八蠟水庸垂義古，六爻消息溯名詳。崇祠歲久加丹雘，清蹕辰良致瓣香。功著保甿同社稷，訛傳得氏或于楊。允維萬姓安耕賈，惟冀三時協雨暘。盛德承天施厚貺，大清奕葉鞏金湯。

增東西二感聖廟在京都城隍廟南，泥像。析津志

增石佛寺又西轉北，則城隍廟。自廟前巷口轉北，金城坊是，此街坊之内有楊國公寺，

楊總統之父也。坊之東金玉府，内有琉璃碧瓦所蓋八座藏，藏經板在内，甚爲精製。文宗勅印造三十六部，散施諸禪刹，江南亦有賜者。坊内有軍鐵庫帝師，有大佛殿，在坊之東，翬飛棟宇甲於他寺。同上

〔臣等謹按〕東西二感聖廟及元之金玉府、軍鐵庫、大佛殿，今其遺處略不復覩。姑就析津志所載書之以存古蹟。

【原】舍飯蠟燭寺日給貧人粟米，病者有醫，死者與棺。五城坊巷衚衕集

【原】唐時禁京城丐者，分置病坊於諸寺以廩之，亦謂之悲田院，即今蠟燭、幡竿二寺也。轂城山房筆麈

〔臣等謹按〕蠟燭寺在舍飯寺衚衕，今稱法光寺。幡竿寺隸中城，詳本條下。

【增】李映斗重修法光寺碑略：禁城之西里餘有古刹一，考其鐘銘，寺曰蠟燭，亦曰法光，明季常舍飯於此，故又謂之舍飯寺。順治己亥重修立石。五城寺院册

【原】咸宜坊二牌十舖，有大小石佛寺、能仁寺、通妙宅、顯靈宫。五城坊巷衚衕集

〔臣等謹按〕石佛寺在劈柴衚衕，碑剥落不可讀。先寺僧掘地得石佛一，乃彌勒像也，寺蓋由此得名，然今並無兩寺。能仁寺在兵馬司衚衕。顯靈宫在四眼井，其舊門亦在兵馬司衚衕，相去半里許，石額猶舊蹟也。明嘉靖三年祭告碑二，今並存。本朝乾隆二十一年重修，殿宇宏整，周以石欄，有老松六，虬枝屈曲，蓋數百年物也。

原至元十五年，命承旨和爾果斯寫太祖御容。十六年，復命寫太上皇御容，與太宗舊御容，俱置翰林院，院官春秋致祭。泰定四年，造影堂於石佛寺，未及遷。後至元之六年，翰林院言：三朝御容祭所甚隘，兼歲久屋漏，於石佛寺新影堂奉安爲宜。中書省臣奏：此世祖定制，當仍其舊。報可。元史祭祀志

原至治元年正月，帝詣石佛寺，以其牆垣疏壞，命副樞準台僉院阿薩爾領圍宿士卒，以備巡邏。元史兵志 按：準，蒙古語東也，台，有也，舊作朮温台。阿薩爾，蒙古語閣也，舊作阿散。今俱譯改。

原元統元年正月，立司禋監，奉太祖、太宗、睿宗三朝御容於石佛寺。元史順帝紀

補高麗忠宣王五年九月，王至大都，十月，帝下王於刑部，既而祝髮，置之石佛寺。高麗史世家

補張翥奉迎明宗册寶至石佛寺明日入太廟清祀禮成賦以紀事詩 寶册香輿出法宮，霏烟御路曉濛濛。仗齊劍佩千官裏，金奏簫韶九廟中。宣室鬼神徵賈誼，太常禮樂屬孫通。小臣有幸逢熙事，散作恩波四海同。蛻庵集

原大能仁寺，洪熙元年因舊重修。明一統志

增胡濙大能仁寺記略 京都城内有寺曰能仁，實元延祐六年開府儀同三司崇祥院使普覺圓明廣照三藏法師建造。逮洪熙元年，仁宗昭皇帝增廣故宇而一新之，特加賜大能仁之額，命圓融妙慧淨覺宏濟輔國光範衍教灌頂廣善大國師智光居之。其殿堂樓閣，高明宏壯，像設莊嚴，彩繪鮮麗，禪誦有室，鐘鼓有樓，庖湢庫庾，幡幢法具，靡不完美。惟四天王殿以及廊廡頹圮弗稱。正統八年冬，少監孔哲重新修蓋，并塑四天王像，正統九年甲子七月立。五城寺院册

原大德顯靈宮在皇城西，永樂時建。成化中更拓其制，又建彌羅閣。嘉靖中復建昊極通明殿，東輔薩君殿曰昭德，西弼王帥殿曰保真。西殿有柏，爲雷所擘，其枝委地如屏。春明夢餘録

〔臣等謹按〕雷擘柏今無存，各殿額俱燬。

原按道家之言，崇恩真君姓薩氏，諱守堅，西蜀人。在宋徽宗時嘗從虚靖天師張繼先及林靈素傳學道法。而隆恩真君則玉樞火府天將王靈官也。嘗從薩真君傳授符法。永樂中，杭州道士周思得以靈官之法顯於京師，附體降神，禱之有應，乃於禁城之西建天將廟及祖師殿。宣德中改爲火德觀，封薩真人爲崇恩真君，王靈官爲隆恩真君。又建一殿崇奉二真君，左曰崇恩殿，右曰隆恩殿。成化初，改觀爲宫，加顯靈二字，每歲萬壽節、正旦、冬至及二真君示現日，皆遣官致祭崇奉，可謂至矣。青谿漫稿

增倪文毅岳疏：永樂中，於禁城之西建天將廟及祖師殿，宣德中改廟爲火德觀，封薩真人爲崇恩真君，王靈官爲隆恩真君，又建一殿崇奉二真君，左曰崇恩殿，右曰隆恩殿。成化初年，改觀曰宫，加顯靈二字。遞年四季更换袍服，三年一小焚化，十年一大焚化，又復易以新製，珠玉錦綺，所費不貲。每年萬壽聖節、正旦、冬至及二真君示現之日，皆遣官致祭，其崇奉可謂至矣。今就其言議之，薩真人之法因王靈官而行，王靈官之法因周思得而顯，其法之所自皆宋徽宗時林靈素輩之所傳，一時附會之説，淺謬如此，本無可信。況近年附體降神者乃欽發充軍顧玨、顧綸之父子，其爲鄙褻尤甚。往年禱雨祈晴，杳無應驗，則其怪誕可知。但經累朝創建，一時難便廢毁。所有前項祭告之禮，俱各罷免。其四時袍服，宜令本宫住持并庫役人等於每年應换之日，仍會同道籙司掌印官照舊依期更换，如法收貯，不必焚化，永爲定例。伏乞勑内府衙門，以後袍服宜令本宫住持製造，如此則國用不至於妄費，而邪術可以少貶矣。春明夢餘録

原嘉靖三年二月，營龍虎殿於顯靈宫，以奉真武。大政記

原嘉靖壬辰，上命禮部尚書夏言撰顯靈宫碑，中書舍人顧亨書丹。亨夢縞衣者告之曰：方以類聚，物以羣分。既覺家僮報有雁集於其家之庭院，揮之不去。其日上嘉其書法，令附名於碑，并賜羊酒果饌。四友亭集

原永樂間有周思得者，以王元帥法顯京師。元帥世稱靈官，天將二十六，居第一位。文皇禱輒應，乃命祀神於宫城西。宣德初，拓其祠宇，署額曰大德顯靈宫，後有東西二閣。燕都遊覽志

原世傳靈官藤像，文皇獲之東海，崇禮朝夕如對賓客。所征必載，及金河川，舁不可動，問之，曰：上帝有界，止此也。帝京景物略

〔臣等謹按〕靈官藤像無考。

原顯靈宫道士朝承義工蹴踘，肩背膺腹皆可代足，兼應數敵皆給，自弄可使踘繞身，終日不墮。燕山叢録

原何景明過顯靈宫詩 不到元宫久，桃源更此行。行知瑶水近，坐望赤霄平。洞草秋先長，壇雲晝自生。雙雙玉簫發，風引度仙城。大復山房集

原李惟寅集顯靈宫作 先帝祈靈太乙祠，重來空憶翠華旗。殿中香火儀猶具，海上仙人事轉疑。客與方書閒指畫，老來詩律舊心思。調高身健慚時輩，高閣憑欄眼故遲。貝葉齋稿

原馮琦登顯靈宫閣作 極目長空雁影南，千峯當檻落晴嵐。清秋斜日窺金像，古木寒雲鎖石龕。地迴樓臺三島接，天低烟樹萬家含。虚疑縹緲緱山頂，時有簫聲駐鶴驂。北海集

原正德十一年十一月，刑科給事中齊之鸞上言：邇者京師西角頭新設花酒店房，或云車駕將幸其間，或云朝廷實收其利。陛下爲天地民物之主，四海之富，孰非其有？乃至競錐刀之利於倡優之館乎？請亟罷之。不報。明武宗實録

〔臣等謹按〕花酒店無考。

原金元間有僧自稱萬松野老，居燕京從容庵，耶律楚材見之，參學三年，僧以湛然居士目之。今乾石橋之北有甎塔七級，高丈五尺，草生其頂，有石額曰萬松老人塔。帝京景物略

〔臣等謹按〕萬松老人塔在西四牌樓南大街之西，其北則甎塔寺衚衕也。塔在民居中，原額無存。本朝乾隆十八年奉勅修九級，仍舊制，塔尖則加合者也。

原萬松老人，耶律文正王之師也，其語文正王曰：以儒治國，以佛治心。王亟稱之。謂雲門之宗悟者得之於緊峭，迷者失之識情，臨濟之宗明者得之於峻拔，昧者失之鹵莽，曹洞之宗智者得之於綿密，愚者失之廉纖。獨萬松老人全曹洞之血脈，具雲門之善巧，備臨濟之機鋒，誠宗門之大匠，四海之所式範。其傾心至矣。老人有萬壽語録，釋氏新聞。又善撫琴，嘗從文正王索琴，王以承華殿春雷及種玉翁悲風譜贈之，見湛然居士集，且作詩寄老人，有一曲悲風對譜傳之句。又嘗寄孔雀便面，附以詩云：風流彩扇出西州，寄與白蓮老社頭。遮日招風都不礙，休從侍者索犀牛。傳之法門，亦佳話也。渌水亭雜識

欽定日下舊聞考卷五十一

城市 內城西城二

原 河漕西三牌十三舖，有廣平庫、阜城廠、揀果廠、永清左衛、北新草場、普度堂、白塔寺、祝壽寺、翊教寺。五城坊巷衚衕集

〔臣等謹按〕廣平庫、揀果廠久廢，今其地猶有廣平庫衚衕、揀果廠衚衕之稱。阜城廠、永清左衛、北新草場、普度堂俱無考。白塔寺、翊教寺詳本條下。祝壽寺，考五城坊巷衚衕集，卽普慶寺，在鳴玉坊。朱彝尊原書載入河漕西條下，誤，今移歸鳴玉坊條。

原 正西曰和義，西之右曰肅清，西之左曰平則。輟耕錄

〔臣等謹按〕元西城三門，平則其西南門也。明永樂十九年改爲二門，西之北曰西直，西之南曰平則。正統間又改平則爲阜成，本朝因之，今俗猶稱平則門。和義、肅清二門，今俱無是稱矣。

補至元二十九年，始用御史中丞崔彧言，以明年正月營社稷於和義門內少南，以春秋仲月上戊致祀。牲牢器幣，三獻之禮，八成之樂，亞於郊廟之隆矣。丹墀獨對

原至元二十九年七月，建社稷壇和義門內。壇高五丈，方廣如之，社東稷西，相去約五丈。社壇土用青赤白黑四色，依方位築之，中間覆以黃土，稷壇亦如社壇之制，惟土不用五色。壇皆北向。社主用白石，剡其上如鍾，埋其半於土中。稷不用主，樹以松，於社稷二壇之南各一株。元史祭祀志

原雅克特穆爾凱旋，入自肅清門，都人羅拜馬首。元史本傳

原至正二十四年七月，白索珠引兵入平則門。二十五年八月朔，珠占摩該軍至城外，命軍士緣城而上，碎平則門楗。元史順帝紀　按：珠占，蒙古語厚也，舊作竹貞。摩該，蒙古語蛇也，舊作貊高。今俱譯改。以上四條原在宮室門，今移改。

增王章，字漢臣，常州武進人。崇禎元年進士，歷官御史，巡視京營。賊陷真定，京師大震。章守阜成門，賊薄城下，章手發二礮，賊稍却。頃之，各城門礮聲絕，賊突至，章叱曰：吾巡軍御史也，誰敢犯！賊刺章股墮。章罵曰：逆賊，勤王兵且至，爾滅不旋踵矣。賊怒，横槊刺殺章而去。明史列傳

〔臣等謹按〕明史，王章守阜成門，昭忠録同。甲申傳信録作東直門。

原月張園在阜成門內，傍城垣下。入門，兩垂柳拂地，黛柏蒼槐，深環石砌。堂後枕一池，甚修廣，倒影入屋楹，周遭菜畦。今屬冉都尉矣。燕都遊覽志

原宣家園在阜成門內，舊爲宣城伯衞公別業，旁多宅宇，外有菜圃百塍。後屬之焦鴻

臚，稱焦園，又屬之毛户部，稱毛園。舊有射堂爲習武地，今廢矣。牡丹數種向爲京師第一。先輩言，初創時多奇石。石皆有名，曰隅虎，曰佇鵠，曰鶩羽，曰奮距，今不知所之矣。同上

〔臣等謹按〕月張、宣家二園俱無考。

原帝王廟在西四牌樓大街之西，南向，嘉靖間建，祀三皇、五帝、三王、漢高祖、光武、唐太宗、宋太祖、元世祖其中，而兩廡祀歷代名臣。燕都遊覽志

原嘉靖十年三月，歷代帝王廟成。先是，中允廖道南請撤靈濟宫神，改設帝王廟，禮部以所在窄隘，宜擇地别建。於是工部相度阜成門内保安寺故址，舊爲官地，改置神武後衛，地勢整潔，且通西壇，可鼎新之。詔可。遣工部侍郎錢如京督工，工完，上親詣廟祭。明典彙

原帝王廟殿名景德崇聖之殿，東西兩廡，南砌二燎鑪，殿後爲祭器庫，前爲景德門，門外東爲神庫、神廚、宰牲亭、鐘樓，又前爲廟街。門東西二坊，曰景德，立下馬牌。春明夢餘録

原太祖洪武六年，建帝王廟於金陵。七年，始設塑像，未幾遇火，又建於雞鳴山之陽。及文皇都燕，未遑設帝王廟，僅於郊壇附祭。至嘉靖十年，始爲位於文華殿而祭之。其

年，中允廖道南請撤靈濟宮二徐真君，改設歷代帝王神位及歷代名臣。上下其議於禮部。時李任邱時爲春卿，謂徐知證、知諤得罪名教，固宜撤去，但所在窄隘，不足改設寢廟，宜別擇善地。上以爲然，令工部相地。以阜成門内保安寺故址整潔，且通西壇，可於此置廟。上從其言。次年夏竣役，上親臨祭，今帝王廟是也。是年修撰姚淶卽議黜元世祖祀，李任邱亦執奏以爲不可而止。至二十四年竟斥去，識者非之，則費文通迎合也。廖中允疏以大慈恩寺與靈濟並稱，欲廢慈恩改辟雍，行養老之禮。禮臣以既有國學爲至尊臨幸之地，似不必更葺別所。惟寺内歡喜佛相應毁棄。上是之。像既毁，不數年而此寺鏟爲鞠場，邵陶兩方士以提督靈濟等宮領天下道教入銜矣。任邱先已測上意，故存此宫，智哉！野獲編

增世宗肅皇帝之九年，命建歷代帝王廟如留都。越歲廟成，上親詣致祭。厥後，歲春秋遣大臣祭。廟在阜成門内大市街之西，故保安寺址也。廟設主不像，廟五室，中三皇伏羲、神農、黄帝座，左帝少昊、帝顓頊、帝嚳、帝堯、帝舜座，右禹王、湯王、武王座，又東漢高祖、光武，又西唐太宗、宋太祖，凡十有五帝。廡從祀臣四壇，東一壇九臣，風后、力牧、臯陶、夔、龍、伯夷、伯益、伊尹、傅説。二壇十臣，周公旦、召公奭、太公望、召虎、方叔、張良、蕭何、曹參、陳平、周勃。西一壇八臣，鄧禹、馮

異、諸葛亮、房玄齡、杜如晦、李靖、李晟、郭子儀。二壇五臣，曹彬、潘美、韓世忠、岳飛、張浚，凡三十有二臣。廟初，元世祖猶列，十年九月，翰林修撰姚淶請撤元世祖祀，部議不從。二十四年二月，禮科給事中陳棐復請撤元世祖及其臣穆呼哩等五人神主，得旨如請，而南京亦撤其像祀矣。其帝王陵寢，詔地方官春秋祀如舊制。帝京景物略

補 蕭端蒙京師新建帝王廟碑　皇帝御宇，二紀於茲。明禮飭樂，以化天下。損益舊章，適於中道。既正二郊，造九廟，作明堂，舉大禘，立社稷，敦先師，懷柔百神，咸秩其祀。屬以古先帝王之廟遠在南京，其於崇享之意闕而未備。乃詔於京師立廟，歲時報祀如常儀。竊惟三恪之禮肇於先王，八君之祀列之祭法。所以欽崇先烈，永其祀事者至矣。自秦而下，廢而不講者千年。隋始制爲常祀，各廟所都。唐天寶間，乃以羣臣議置三皇五帝廟各一於京師。高皇帝定鼎金陵，緣先王之意，采隋唐之制，立廟雞鳴山陽，以三皇、五帝、三王、漢唐宋及勝國創業諸主祀焉。其歷代名臣，自風后、力牧而下，凡三十七人，各以其序配食於廟廷。有司歲祀，有隆無替。車駕北徙，坎壇祠廟，更造並置，悉如南都之故，獨帝王之廟未有所立。頃歲乃命司空度基，詹尹諏日，經之營之，以成茲室。蒐百年之遺典，成一朝之偉觀。臣竊以爲茲舉也，四善具焉。崇德報功，不闕不濫，宏教也。備物盡文，以褒先世，廣仁也。同堂而食，選勞而享，茂制也。搜墜補廢，弼成鉅憲，至明也。有是四者，不有所述，其奚以示來世！乃再拜爲之辭曰：明明天子，冠德履仁。粹道沕潏，元化流淳。創物垂範，登三邁五。制法興王，進退今古。惟其有之，是以似之。奕奕寢廟，聿崇祀之。有庭其殖，有室其翼。神其戾止，以享以懌。介我景福，佑我其延。子子孫孫，勿替歷年。同野集

〔臣等謹按〕帝王廟在阜成門大街北，明嘉靖間建。本朝順治二年及康熙六十一年疊奉欽定增祀。雍正二年，世宗憲皇帝親詣行禮，七年重修，有御製碑文。乾隆二十九年又修，易蓋正殿黃瓦。皇上親詣行禮，有御製詩文，俱勒碑殿庭。殿內額曰報功觀德。聯曰：治統溯欽承，法戒兼資，洵哉古可爲監；政經崇秩祀，實枚式煥，穆矣神其孔安。皆皇上御書。

〔又按〕帝王廟增祀之制，於乾隆四十九年復奉諭酌增東西晉、前後五代，共二十三帝，又增入唐代、金代二帝。恭讀御製記文，並御製重修帝王廟告成詩章，仰見大聖人服膺祖訓，釐定祀位，昭示萬年，一本於大公至正。今並恭録卷内。

增 順治二年，定每歲春秋仲月，諏日遣官祭帝王廟。增遼太祖、金太祖、金世宗、元太祖、明太祖五帝，增遼代功臣呼嚕、金代功臣宗翰、宗望、明代功臣徐達、劉基等從祀。大清會典 按：呼嚕，滿洲語手背也，舊作斛羅。今譯改。

增 順治二年，定致祭歷代帝王廟，正殿每代設籩豆一案，五帝龕統改三案，共十六案。其禮神制帛，仍每位一端，每案設帛篚一，兩廡四位共一案，末案三位一案，素帛每位一端，兩廡各增帛篚二，香案香鑪二。其上香儀：皇帝親祭一上香，若遣官致祭三皇位前三上香。雍正二年，世宗憲皇帝親祭，改從三上香儀。禮部則例

增 康熙六十一年十月，諭：歷代帝王每朝崇祀不過一二主，或廟享其子而不及其父，或配食其臣而不及其君。應將凡曾在位、除無道被弒亡國之主外，盡宜入廟崇祀。大清會典

增 康熙六十一年十月，諭：明愍帝無甚過失，國亡由伊祖所致，愍帝不可與亡國者例論。而萬曆、泰昌、天啓三君不應入祀。其歷代配饗功臣，有治安之世輔佐有功者，應量加增補。同上

增 康熙六十一年十二月世宗憲皇帝祗遵聖祖仁皇帝諭旨，增祀帝王各立神牌，每代合原祀爲一龕，增祀功臣亦各立牌位，合原祀入兩廡依次安設。正殿原祀太昊伏羲氏、炎帝

神農氏、黄帝軒轅氏爲一龕，帝少昊金天氏、帝顓頊高陽氏、帝嚳高辛氏、帝堯陶唐氏、帝舜有虞氏爲一龕，夏王禹、商王湯、周武王、漢高祖、漢光武爲一龕，唐太宗、遼太祖、金太祖、金世宗爲一龕，宋太祖、元太祖、元世祖、明太祖爲一龕。增祀夏王啓、仲康、少康、杼、槐、芒、泄、不降、扃、廑、孔甲、臯、發，商王太甲、沃丁、太康、小甲、雍己、太戊、仲丁、外壬、河亶甲、祖乙、祖辛、沃甲、祖丁、南庚、陽甲、盤庚、小辛、小乙、武丁、祖庚、祖甲、廩辛、庚丁、太丁、帝乙，合原祀夏共十有四王，商共二十六王，爲一龕。增祀周成王、康王、昭王、穆王、共王、懿王、孝王、夷王、宣王、平王、桓王、莊王、僖王、惠王、襄王、頃王、匡王、定王、簡王、靈王、景王、悼王、敬王、元王、貞定王、考王、威烈王、安王、烈王、顯王、慎靚王，合原祀三十二王爲一龕。增祀漢惠帝、文帝、景帝、武帝、昭帝、宣帝、元帝、成帝、哀帝、明帝、章帝、和帝、殤帝、安帝、順帝、沖帝、桓帝、靈帝、昭烈帝、唐高祖、高宗、睿宗、玄宗、肅宗、代宗、德宗、順宗、穆宗、文宗、武宗、宣宗、懿宗、僖宗，合原祀漢共二十一帝，唐共十有五帝，爲一龕。增祀遼太宗、景宗、聖宗、興宗、道宗、宋太宗、真宗、仁宗、英宗、神宗、哲宗、高宗、孝宗、光宗、寧宗、理宗、度宗、端宗，合原祀遼共六帝，宋共十有四帝，金共五帝，爲一龕。增祀元太金太宗、章宗、宣宗，宗、定宗、憲宗、成宗、武宗、仁宗、泰定帝、文宗、寧宗、明太宗、仁宗、宣宗、英宗、景帝、憲宗、孝宗、武宗、世宗、穆宗、愍帝，合原祀元共十有一帝，明共十有二帝，爲一龕。共增祀一百四十三君，原祀五龕，增二龕，共七龕。東廡原祀功臣風后、傅説、召公奭、召穆公虎、張良、曹參、周勃、房玄齡、李靖、許遠、李晟、韓世忠十有二人，增祀倉頡、畢公高、仲山甫、魏相、耿弇、宋璟、裴度、李沆、王曾、富弼、文彦博、李綱、文天祥、博果密、常遇春、楊士奇、于謙、劉大夏十有八人，並自西廡原祀移入之夔、伯夷、伊尹、鄧禹、諸葛亮、郭子儀、曹彬、宗翰、穆呼哩、徐達十人，共四十人。西廡原祀力牧、周公旦、太公望、方叔、蕭何、陳平、杜如晦、張巡、岳飛九人，增祀仲虺、吕侯、尹吉甫、劉章、丙吉、馬援、趙雲、狄仁傑、姚崇、李泌、陸贄、赫魯、吕蒙正、寇準、范仲淹、韓琦、司馬光、趙鼎、托克托、李文忠、楊榮、李賢，二十二人，並自東廡原祀移入之皋陶、龍、伯益、馮異、耶律赫嚕、宗望、巴延、劉基八人，共三十有九人，東西共增祀四十人，合原祀以次分列共七十有九人。同上　按：博果密，蒙古語包裹也，舊作不忽木。赫嚕譯義見前，舊作曷魯。今俱譯改。

增乾隆元年諭旨：明建文爲太祖之嫡孫，纘承大統，在位四年，固儼然天下共主矣，不繫之以謚，而稱曰建文皇帝，此俗稱，非史體也。今明史既成，著大學士九卿會議確擬

具奏。隨遵旨議准追謚明建文帝爲恭閔惠皇帝，製造神牌，祀於太祖神牌之次。禮部則例

增歷代帝王廟在阜成門内，南向。廟門三楹，左右門各一，前石梁三。景德門五楹，崇基石欄，前後三出陛，中十有一級，左右各九級。左右門各一。正中景德崇聖殿，九楹，重簷崇基，石欄，南三出陛，中十有三級，左右各十有一級，東西一出陛，各十有二級。兩廡各七楹，一出陛，均八級。廡前燎鑪各一。殿南御碑亭一，殿後祭器庫五楹，均南向。景德門外其東神庫、神廚各三楹，宰牲亭三楹，均西向，井亭一，其西爲承祭官致齋所，廟門内東南鐘樓一。圍垣周百八十六丈三尺八寸。廟門外東西下馬牌各一，景德街牌坊各一。正殿覆黄色琉璃，兩廡青色琉璃。同上

增乾隆四年議准帝王廟行飲福受胙禮，停其别設拜褥。二十九年奏准代祭帝王廟，停其開寫尚書都統職名，將親王郡王等職名具奏請旨，著爲令。同上

增乾隆四十九年諭：朕因覽四庫全書内大清通禮一書所列廟祀，歷代帝王位號乃依舊會典所定，有所弗愜於心。敬憶皇祖實録，有勅議增祀之諭。令查取禮部原議紅本，則係康熙六十一年十一月内具題，爾時諸臣不能仰體聖懷，詳細討論，未免因陋就簡。我皇祖諭旨，以凡帝王曾在位者，除無道、被弑亡國之主此外盡應入廟，卽一二年者亦應崇祀。煌煌聖訓，至大至公，上自羲軒，下至勝國，其間聖作明述之君，守文繼體之主，無不馨香妥侑。不特書生臆論無能仰喻高深，卽歷代以來升禋議禮，未有正大光明若此

者也。乃會議疏内聲明偏安亡弑不入祀典，而仍入遼金二朝，不入東西晉、元魏、前後五代，未免意有偏向。視若仰承聖意，而實顯與聖諭相背。朕意若謂南北朝偏安不入正統，則遼金得國亦未奄有中原，何以一登一黜？適足啓後人之訾議。卽因東西晉、前後五朝有因篡得國，擯而不列，如操丕不得爲正統之例。殊不知三國時正統在昭烈，故雖以陳壽三國志之尊魏抑蜀，而卒不能奪萬世之公評。至司馬氏篡竊以還，南朝神器數易，如宋武帝崛起丹徒，手移晉祚，自不能掩其篡奪之罪。其他雖祖宗得國不正，而子孫能繼緒承休，卽爲守文中主，亦不可概從闕略。況自漢昭烈以至唐高祖，統一區夏，時之相去三百餘年，其間英毅之辟，節儉之主，史不絶書，又安可置而不論？至於後五代，如朱温以及郭威，或起自寇竊，或身爲叛臣，五十餘年，更易數姓，中華統緒，不絶如線。然周世宗承藉郭氏餘業，憑有疆域，尚不失爲令主。此而概不列入，則東西晉、前後五代數百年間創守各主，祀典缺如，何以協千秋公論？他若元魏雄據河北，地廣勢强，太武、道武，勤思政理，講學興農，亦可爲偏安英主。並當量入祀典，以示表章。朕前命館臣録存楊維禎正統辨，論内詳晰宣論，以維禎所辨正統在宋不在遼金之説爲是。所以存春秋綱目之義，見人心天命之攸歸。且檢閲孫承澤春明夢餘録所載明代崇祀古帝王位號，原本列遼金二朝。今通禮内崇祀遼金而不入東西晉、前後五代，似此互相入主出奴，伊於何底？是皆議禮諸臣有懷偏見，明使後世臆説之徒謂本朝於歷代帝王未免區分南北，意存軒輊。甚失皇祖降諭之本意也。至明之亡國由於神熹二宗紀綱隳而法度弛，愍帝嗣統時，國事已不可爲，雖十七年身歷勤苦，不能補救傾危，卒且身殉社稷，未可與荒淫失國者一例而論。是以皇祖睿裁，將神熹二宗撤出，而愍帝則特令廟祀。褒貶予奪，毫釐不爽。實千古大公定論。乃諸臣於定議時轉復將漢之桓靈增入，豈未思炎漢之亡，亡於桓靈而不亡於獻帝乎？從前定議未將東漢全局詳審論斷，轉使昏闇之君濫叨廟食，所議未爲允協。夫自古帝王統緒相傳，易代以後，饗祀廟廷，原以報功崇德。至於嚴篡竊之防，戒守成之主，或予或奪，要必衷於至當，而無所容心於其間，方協彰癉之義。所有歷代帝王廟祀典，著大學士九卿更行悉心詳議具奏，並著於定議後交四庫館恭録皇祖諭旨並朕此旨於通禮廟饗卷首，以昭殷鑒歷朝垂示萬年之至意。隨遵旨議增祀晉元帝、明帝、成帝、康帝、穆帝、哀帝、簡文帝、宋文帝、孝武帝、明帝、齊武帝、陳文帝、宣帝、元魏道武帝、明元帝、太武帝、文成帝、獻文帝、孝文帝、宣武帝、孝明帝、唐明宗、周世宗，共二十三帝，又另單議請增祀唐憲宗、金哀宗共二帝。奉諭旨：據大學士九卿等會議，增祀兩晉、元魏、前後五代各帝王一摺，並聲請唐憲宗、金哀宗應否一體增祀等語。憲宗處唐中葉，各鎮節度憑陵跋扈，僭叛不臣。

憲宗命將專征，削平淮西，厥功頗偉。在有唐一代中尚屬英主。其末年被弑，係禍變猝乘，與荒亂失德召變致衅者不同。至金哀宗處衰弱之時，國勢已不可問，推其致敗之由，實因海陵淫虐階厲，哀宗自縊殉國，與明之愍帝事同一例，自應一體增祀。餘俱著照所議行。禮部冊

增景德崇聖殿，中一龕供太昊伏羲氏、炎帝神農氏、黃帝軒轅氏位。左一龕供少昊金天氏、顓頊高陽氏、帝嚳高辛氏、帝堯陶唐氏、帝舜有虞氏位。右一龕供夏王禹、啓、仲康、少康、杼、槐、芒、泄、不降、扃、廑、孔甲、皐、發，商王湯、太甲、沃丁、大庚、小甲、雍己、太戊、仲丁、外壬、河亶甲、祖乙、祖辛、沃甲、祖丁、南庚、陽甲、盤庚、小辛、小乙、武丁、祖庚、祖甲、廩辛、庚丁、太丁、帝乙位。左二龕供周武王、成王、康王、昭王、穆王、共王、懿王、孝王、夷王、宣王、平王、桓王、莊王、僖王、惠王、襄王、頃王、匡王、定王、簡王、靈王、景王、悼王、敬王、元王、貞定王、考王、威烈王、安王、烈王、顯王、慎靚王位。右二龕供漢高祖、惠帝、文帝、景帝、武帝、昭帝、宣帝、元帝、成帝、哀帝、光武帝、明帝、章帝、和帝、殤帝、安帝、順帝、沖帝、昭烈帝、晉元帝、明帝、成帝、康帝、穆帝、哀帝、簡文帝、宋文帝、孝武帝、明帝、齊武帝、陳文帝、宣帝、魏道武帝、明元帝、太武帝、文成

帝、獻文帝、孝文帝、宣武帝、孝明帝位。左三龕供唐高祖、太宗、高宗、睿宗、玄宗、肅宗、代宗、德宗、順宗、憲宗、穆宗、文宗、武宗、宣宗、懿宗、僖宗、後唐明宗、後周世宗、宋太祖、太宗、真宗、仁宗、英宗、神宗、哲宗、高宗、孝宗、光宗、寧宗、理宗、度宗、端宗，遼太祖、太宗、景宗、聖宗、興宗、道宗位。右三龕供金太祖、太宗、世宗、章宗、宣宗、哀宗，元太祖、太宗、定宗、憲宗、世祖、成宗、武宗、仁宗、泰定帝、文宗、寧宗、明太祖、惠帝、成祖、仁宗、宣宗、英宗、景帝、憲宗、孝宗、武宗、世宗、穆宗、愍帝。同上

增世宗御製歷代帝王廟碑文　歷代帝王崇祀之制，肇於唐天寶七載，始置廟京城，止及三代以前而已。明洪武六年，始於金陵立廟，嘉靖十年，乃建於京師阜成門內。當明初定制時，議禮之臣不能通知大體，崇祀祇創業之君，從祀惟開國之臣。自茲以後闕焉。我皇考聖祖仁皇帝秉大公之道，折衷百代，深惟祀典之宜修，康熙六十一年特頒諭旨，命廷臣詳悉從容確議具奏。逮朕紹緒之初，廷議始上，舊崇祀帝王二十一位，今增一百四十三位，舊從祀功臣三十九人，今增四十人。朕遵奉先志，重書牌位，諏吉入廟，行祭告之禮。仰惟聖祖皇帝用意之厚，立論之正，夐乎不可及也。夫三代以上，若夏啓之能敬承，殷之太甲、太戊、武丁，周之成王、康王、宣王，頌美詩書，光耀史牒。三代

以下，英君哲后，或繼世而生，則德教累洽。或間世而出，則謨烈重光。胥能致海宇之乂安，躋斯民於康阜。嘉言傳於信史，善政式爲良規。至凡蒙業守成之主，卽或運會各殊，屯亨不一，苟無聞於失德，咸帝命所寵綏。爰及歷代名臣，亦皆川嶽鍾靈，爲時輔佐，功在社稷，德協股肱。比諸從龍之彦，何多讓焉！而尚論未詳，明禋久曠，其爲缺略也大矣。夫欽崇往哲，景企前徽，明德可懷，羹牆興慕。睠流風之所被，洵歷世而勿諼。若乃擴追遠之鴻規，破拘墟之臆見，自非忠厚立心，寬仁爲量，卓識超於千古，盛德冠於百王，未有能論及此者。典禮修明，有待今日。然則聖祖皇帝之重加釐定，公當周詳，誠千萬世莫及之仁心，而千萬世不易之定論也。廟貌既新，叙述本末，鐫於青珉，用昭示久遠焉。

增皇上御製重修歷代帝王廟碑文　歷代帝王之祀，其準古遷廟觀德遺意而推而放之者歟！書曰：七世之廟，可以觀德。疏家以爲世祧者迭遷，德盛者弗毁。蓋就一朝爲言。而周禮鄭氏四類注稱，三王五帝九皇六十四氏咸祀之，繁露引爲自近遡遠之明證。斯正合食所權輿。然漢魏以來，有司具儀，率求之肇迹建都，而不聞立廟。洎唐迄明，廟立而代以專祀開創爲常，其制又缺焉未備。我皇祖聖祖仁皇帝康熙六十一年，勑諭禮官增祀，苟非失德失器，卽蒙業守成者皆得與饗。我皇考世宗憲皇帝丕纘先型，詳定位次，臨御伊始，親詣視成，著於奎文者綦悉。間考舊史所記，創守難易之辨，尠有折衷定論，以是對揚曩昔所爲法施於民者不克兼既其實，獨斤斤於殿於門於坊，具顔之曰景德景德焉爾。德故若是其偏而不舉耶？惟祖宗懋敬厥德，咸秩孔修，觀法之所存，即知戒之所寓。義至深遠。大雅不云乎：天難忱斯，不易維王。召公奭迪王祈天永命，一則曰監於有夏，再則曰監於有殷。寖假入廟而徵統系，由百世之後等百世之王，一自昭代概之，皆名之爲勝國。有不深厪夫屋與墟之儆而怵惕動容者哉！顧於其間歷選列辟，若稽古之化浹烝人，治光往牒者，罔不穆穆棣棣，式在几筵。崇異代同堂之報，故於世數之遷而得其示戒於無形，抑於世數之屢遷而不遷而得其垂法。於有永稔乎此者，觀德之意愈以睪然而興矣。廟自雍正癸丑繕葺，距今且三十載。爰以乾隆壬午，出内帑金庀而飭之。故事瓴甋甃以純緑，兹特易蓋正殿黄瓦，用昭舄奕。工告訖功，適屆甲申季春吉祀，祇承家法，躬薦新宫。已爲長律述事，揭言其大指。會所司請製文並鍥諸碑，復詳闡之如此。

增御製祭歷代帝王廟禮成恭記 予小子既敬遵皇祖聖訓，增祀歷代帝王，以今年二月春祭之吉奉神主入廟，禮以克成，祭六欲數，於是退而恭記曰：皇祖之聖，允符我皇考所尊稱大成，有類先師孔子而無以復加也。即此增入之旨，實出大公至明，乃稱歷代之名議而非有意於其間也。夫歷代者，自開闢以來君王者之通稱，非如配享先師孔子，有所旌別彰癉於其間也。夫有所旌別彰癉於其間，則必有所進退，而是非好惡紛然起矣。入者主之，出者奴之，將無所底止。且以旌別彰癉言之，湯武卽有慚德，則歷代開創之君，湯武且不若。審如是，三皇五帝之外，其宜入廟者有幾？是非祭歷代帝王之義也。故我皇祖謂非無道亡國、被弒之君，皆宜入廟者，義在此。但引而未發，予小子敢不敬申其義乎！蓋自洪武建廟南京以來，北京祖之所祀者寥寥。明洪武六年始建歷代帝王廟於南京，而崇祀者三皇、五帝、夏禹王、商湯王、周文王、武王、漢高祖、光武帝、隋高祖、唐高祖、太宗、宋太祖、元世祖十九帝，已而罷周文王、隋高祖、唐高祖之祀，嘉靖九年，罷南京廟祀，建歷代帝王廟於北京。二十四年，又罷元世祖之祀。及我世祖定鼎燕京，幼齡卽位，百度畢舉，爾時議禮之臣，於議歷代帝王廟位次亦頗有所出入。我世祖定鼎燕京，因明代祀典，順治二年，增祀遼太祖、金太祖、金世宗、元太祖、明太祖，凡五帝。而我皇祖之諭，亦因近大事之際，在康熙六十一年十一月，諸臣未能仰遵聖意，其出入亦頗不倫。會典載康熙六十一年皇祖諭旨，凡帝王在位除無道、被弒亡國之主外，盡宜入廟崇祀。爾時廷臣不能仰體聖意，詳細討論，且疏奏在十一月大事前數日，所議增祀夏商以來帝王一百四十三位并漢之桓靈皆入之，實不倫矣。予小子於昨歲閱大清通禮，始悉其事。因命大學士九卿更議增祀，而以仲春躬祀入所增神主於廟。昨歲因閱大清通禮，見崇祀歷代帝王位次有不愜於懷者，如漢之闌入桓靈，而於前後五代全未議及，因勅大學士九卿等更議，增祀晉元帝以來二十五帝，而於桓靈則徹出之，以昭公論。今歲仲春入神主於廟，躬禮致祭，詳見禮成述事詩并序。予嘗論之，洪武之去遼金而祀元世祖，猶有一統帝繫之公。至嘉靖之去元世祖，則是狃於中外之見，而置一統帝繫於不問矣。若順治初之入遼金而去前五代，則爾時議禮諸臣亦未免有左祖之意。孰若我皇祖之大公至明，昭示千古，爲一定不易之善舉哉！夫天下者，天下人之天下也，非南北中外所得私。舜東夷，文王西夷，豈可以東西別之乎？正統必有所繫，故予於通鑑輯覽之書，大書特書，一遵春秋，不敢有所軒輊於其間。予於歷代通鑑輯覽一書，自隆古以至本朝，四千五百餘年，於南北朝及宋元遼金正統偏安天命人心繫屬存亡之際，大書特書，必公必平。如南宋自德祐以前尚有疆域可憑，至臨安既破，帝㬎見俘，宋統始絕。故自丙子三月以前爲宋帝㬎德祐二年，三月以後爲元世祖至元十三年。至於元順帝北遷沙漠，委棄中原，則自至正二十八年八月以後，正統乃歸之明，爲洪武元年。至我朝世祖定鼎京師，在甲申五月，維時明福王尚監國南京，故通鑑輯覽仍書明以別之，直至乙酉五月，大清兵下江南，福王就執，始書明亡。折衷義例，惟嚴惟謹。一遵春秋之法，無所容心曲徇於其間也。以爲一時之議雖權，萬古之論不可欺也。然則歷代帝王之祀果即非如配享先師孔子，漠無旌別彰癉於其間乎？曰：不然也。歷代帝王胥祀於景德之殿，其有德無德，若南若北，曰中曰外，是一家非一家，章章如，昭昭如，孰可以爲法，孰可以爲戒，萬世之後，入廟而祀者，孰不憬然而思，惕然而懼耶！是即不明示旌別彰癉，而已寓旌別彰癉於無窮矣。其有不憬然思惕然懼者，則是無道之倫，必不能入此廟矣。嗚呼，可不懼哉，可不懼哉！雖然，予更有後言焉。蓋宜入廟與不宜入，誠昭然應知懼，而我大清國子子孫孫祈天永命所以綿萬禩無疆之庥者，更當以不入斯廟爲棘。安不忘危，治不忘亂，用慎苞桑之固，思及此有不忍言而又有不忍不言者。世世子孫其尚凜難諶之戒乎！

增乾隆三年御製戊午季秋祭歷代帝王廟禮成紀述八韻　明禋稽古制，殷禮值秋時。肅肅旗常列，蹌蹌鵷鷺隨。爽風開寶扇，旭日耀靈祠。兩序陳鐘鼓，千秋煥鼎彝。羹牆增愾慕，典籍信昭垂。對越嚴將祀，欽承儼若思。志曾希舜禹，心媿作君師。代謝固天運，孫曾鑒在兹。

增乾隆二十九年御製重修歷代帝王廟告成既奉神御復位爰以春祭恭臨式瞻實枚用申誠肅詩　三皇五帝道功崇，歷代君王懋建中。雖是乘除撫人世，莫非兢業代天工。由來觀德視遷廟，用以陳年新閟宫。更憶戴黄教易瓦，舊制廟瓦皆甃用純緑，兹以新葺，正殿易蓋黄瓦。載聞刻羽發調桐。考經聖祖加之位，康熙六十一年皇祖考定歷代帝王廟位，守成列辟並增入祀典。敬法世宗祀以躬。皇考於雍正二年春季親詣行禮。樂亮禮章溯古制，牲蠲幣量冀神通。落成洽止攄誠恪，蕆祀虚徐仰顯融。周監在殷殷監夏，難諶益切惕予衷。

增乾隆四十年御製躬祭歷代帝王廟禮成有述　載禋景德仲春和，帝王廟正殿曰景德崇聖。數入聲則誠非疏未過。十載一來瞻廟貌，帝王廟爲中祀，例應遣官。乾隆甲申春以修葺廟宇落成，親臨致祭，逮今十一年矣。萬年永式省賡歌。聖惟吾法庸吾戒，法者實稀戒實多。但匪墮宗均入祀，歷代帝王位次，舊時惟祀開創之君及守成令辟，每代不過一二位。康熙六十一年，皇祖以歷來祀典或祀其子而不及其父，祀其臣而不及其君，未爲允協，諭廷臣另議非大無道失國者皆祀之。又以明之國事壞於神宗、光宗、熹宗，而不亡於愍帝，諭撤神、光、熹三宗而祀愍帝，實爲千古不易之公論也。仁皇奕代著金科。

增乾隆四十八年御製癸卯暮春祭歷代帝王廟禮成述事　本擬古稀中祀疏，值兹精力尚能諸。況乎古帝胥天子，嬗以斯時逮藐予。籩豆式陳冀假饗，史書具載凛乘除。禮成旋復鑾輿返，迴顧猶殷意綣如。

增乾隆五十年御製仲春祭歷代帝王廟禮成述事有序 昨歲閲四庫全書，内大清通禮所列歷代帝王廟位號有弗愜於心者，敬憶皇祖實録，勑議增祀諭旨，凡帝王在位除無道、被弑亡國之主，此外盡應入廟。乃命取紅本閲之，始知爾時廷臣不能仰體聖懷，詳細討論。且疏奏在壬寅十一月皇祖大事以前數日，故致多遺漏。因諭大學士九卿等更議增祀，於乙巳年春祭入廟躬禮告虔，以申馨香妥侑敬承前典之意。昨年四庫閲全書，祀典於心未愜諸。向閲皇祖實録，增祀歷代帝王諭旨，意謂彼時諸臣已遵奉德意，秩祀無遺，是以乙未年躬祭帝王廟詩有但匪墮宗均入祀，仁皇奕代著金科之句。及昨歲閲大清通禮，並檢閲紅本，始知崇祀者尚少，而於前後五代則全無，反闌入後漢之桓靈，甚不愜於懷。因勑大學士九卿等更議，增入晉元帝、明帝、成帝、康帝、穆帝、哀帝、簡文帝、宋文帝、孝武帝、明帝、齊武帝，陳文帝、宣帝，元魏道武帝、明帝、太武帝、文成帝、獻文帝、孝文帝、宣武帝、孝明帝，唐憲宗，後唐明宗，周世宗，金哀宗，凡二十五帝，其桓靈則撤出之，以昭公論，用符前訓。將謂聖言已遵畢，孰知廷議反成虚。重加考訂俾全入，用潔聲香侑定居。敢以古稀謝躬祭，曰欽曰監益殷予。

原弘慈廣濟寺，東望西安門，西接平則門帝王廟，南鄰乾石橋萬松老人塔，北近大街，寺基二十畝。弘慈廣濟寺志

〔臣等謹按〕弘慈廣濟寺在歷代帝王廟東，寺基二十畝，今無復舊規矣。

原萬安弘慈廣濟寺碑　都城内西大市街北有古刹廢址，相傳爲西劉村寺。景泰間人有得佛像及石龜石柱於土中，山西僧普慧與其徒圓洪輩圖興復之。尚衣監太監廖屏以聞，賜額曰弘慈廣濟寺，天順丙戌歲也。弘慈廣濟寺志

原萬曆癸未，彭城伯張守忠、惠安伯張元善重修。同上

〔臣等謹按〕弘慈廣濟寺舊爲西劉村寺，金時劉望雲建。明天順初，僧普慧因其址重葺之，賜額曰弘慈廣濟寺。本朝康熙三十八年奉勅重修，御製碑文勒石，并臨米芾觀音讚及滲金釋迦觀音普賢像頒賜寺中。正殿額曰妙明圓通，戒壇額曰持戒律。皆聖祖仁皇帝御書。乾隆十二年皇上臨幸兹寺，御製詩一首勒石殿西，并御書種諸善根額，恭懸殿内。

增聖祖御製弘慈廣濟寺碑　蓋聞堂開鹿苑，誇祇樹之香林；境闢鷲峯，傳寶華之勝地。若其清風盈丈室，亦豈在於離羣；皎月映禪心，初何嫌於近市？正以琳宫伊邇，瞻龍象者知尊；精舍非遥，聽鼓鐘者易肅。兹弘慈廣濟寺，夙稱名刹，舊住高僧。梵宇莊嚴，峙鳳城之兑位；唄音宣朗，接紫陌之西隅。古木垂蔭於階除，皓鶴聞經於戺户。境幽塵隔，如在山林。心遠地偏，焉知闤闠？蓮花幢内，常明日月之燈；柏子香中，深入栴檀之海。六時禪誦，鐸鈴響徹丹霄；四海緇流，鉢錫雲依法界。藏經閣敞，珠聯貝葉之文；説戒壇高，石點雨花之偈。是以駐蹕常臨於淨地，揮毫特賁於禪扉。睠此幽恬，賞其清曠。僧湛祐，心通釋典，志勵虔修。葺陳構而維新，率羣衲以遵禮。住持僧然叢，克襄厥事，庭宇秩然。蓋其教以利益羣生爲本，其事以修持戒律爲歸，朕嘉其同善之心，挹彼廣慈之義。俯俞敦請，爰錫斯文。振寶筏之宗風，弘金繩之覺路。用垂貞石，以示來茲。

增乾隆十二年御製廣濟寺鐵樹歌 石橋之北鳳城西，莊嚴淨域開招提。我來白晝考歲月，苔階偶撫昔人碑。石龜石柱出廢址，如幻具足非然疑。寶構珠纓懸日月，相好特表天人師。戒壇左峙授摩羯，擘窠神蹟輝雲楣。戒壇内持戒律扁，聖祖御筆也。曲廊右轉築精舍，雖城市也而幽奇。庭前倔强矗老幹，摩挲不辨桐與檟。輪囷盤鬱戛霄漢，層層旌節排神芝。白足僧人稱鐵樹，木疏希見誰能知？大椿散木此其類，名以不壞理亦宜。佷山千歲挺不朽，彼小隱耳奚堪題！飽參佛定得如是，熟聞世道何紛兮？天風爲我吹萬慮，童童蓋下聊依遲。

增張守忠張元善重修廣濟寺碑記略 弘慈廣濟寺肇自天順丙戌，落成於成化甲辰，迄今歷百年，殿宇傾頹。因與同志者於萬曆甲申孟夏鳩工修葺，易朽成堅，稍稱完整云。弘慈廣濟寺志

增高珩重修金佛像碑記略 弘慈廣濟寺，帝城古刹也。兵燹以來，丹青漶漫，紺宇白毫，風雨剥落。工部尚書巡撫畿輔捷軒王公太夫人劉氏捐貲鼎新之，下至法筵供器，一切燦然。康熙九年，歲次庚戌夷則月望日立石。同上

增嚴我斯栴檀佛記略 康熙中，王國弼與其弟國臣得栴檀香，高數尺，實而藏之。江南劉拱北良工也，爲刻佛像，三年像始竣，以辛酉之冬迎入廣濟寺供養。是年十月三十日聖祖臨幸，解白帨懸像左臂焉。弘慈廣濟寺新志

欽定日下舊聞考卷五十二

城市 內城西城三

原白塔寺建自遼壽隆二年，塔制如幢，色白如銀。至元八年，加銅網石欄。天順二年，改名妙應寺。春明夢餘録

〔臣等謹按〕壽隆原書作壽昌。按遼史，壽隆爲道宗年號，而無壽昌紀年。昌字蓋隆字之誤也，今改正。

原妙應寺在阜成門內，寺右偏有白塔一座，創自遼壽昌二年，爲釋迦佛舍利建，內貯舍利戒珠二十粒，香泥小塔二千，無垢淨光等陀羅尼經五部。元至元八年，世祖發視，石函銅瓶，香水盈滿，色如玉漿，舍利堅圓，燦若金粟，前二龍王跪而守護。瓶底獲一銅錢，上鑄至元通寶四字。帝后閱之，愈加崇重，卽迎舍利崇飾斯塔。角垂玉杵，階布石欄，簷掛華鬘，身絡珠網。制度之巧，蓋古今所罕有矣。長安客話

增凡塔下豐上銳，層層筍拔也。白塔獨否，其足則銳，其肩則豐，如膽之倒垂然。肩以

上長項矗空，節節而起，頂覆銅盤，盤上又一小銅塔，塔通體皆白。宛平縣志

原至元十六年，建聖壽萬安寺於京城。二十五年四月，萬安寺成，佛像及窗壁皆金飾之，凡費金五百四十兩有奇，水銀二百四十斤。二十六年七月，幸大聖壽萬安寺，置栴檀佛像，命帝師及西僧作佛事坐静二十會。元史世祖紀

原元貞元年正月壬戌，以國忌，卽大聖壽萬安寺飯僧七萬。元史成宗紀

原至治元年七月，奉仁宗及帝御容於大聖壽萬安寺。元史英宗紀

原天曆元年十月，幸大聖壽萬安寺，謁世祖、裕宗神御殿。二年五月，幸大聖壽萬安寺，作佛事於世祖神御殿。元史文宗紀

原世祖帝后影堂在大聖壽萬安寺，裕宗帝后亦在焉。世祖影堂藏玉册十有二牒，玉寶一鈕。堂有真珠簾，又有珊瑚樹、碧甸子山之屬。元史祭祀志

〔臣等謹按〕元代影堂久廢，玉册玉寶等物今俱無存。

原至正二十八年六月甲寅，大都大聖壽萬安寺災。是日未時雷雨中，有火自空而下，其殿脊東鼇魚口火焰出，佛身上亦火起。帝聞之泣下，亟命百官救護。惟東西二影堂神主及寶玩器物得免，餘皆焚燬。此寺舊名白塔，自世祖以來爲百官習儀之所。其殿陛欄楯一如内廷之制。成宗時置世祖影堂於殿之西，裕宗影堂於殿之東，月遣大臣致祭。元史五行志

原張翥辛未二月十三日雷火焚故宮白塔詩　數聲起蟄乍聞雷，驟落千山白雨來。恐有怪龍遭電取，未應佛塔被魔災。人傳妖鳥生謳火，誰覓番僧話劫灰。豈復神靈有遺恨，冷烟殘燼滿荒臺。蛻庵集

原天順元年，改妙應寺賜額。成化元年，於塔座周圍甎造燈龕一百八座以奉佛塔。相傳西方屬金，故建白塔鎮之。然同時元創有五色塔，而今僅有黑塔在其後，餘湮没莫考矣。燕都遊覽志

原劉基白塔寺詩　物换星移事已迷，重來此地惑東西。可憐如鏡天邊月，獨照城烏半夜啼。犁眉公集

補蒲道源白塔寺翻修正殿興工祭文　紺殿重修，齋廚創構。興作之始，恐干神祇。畚鍤方陳，先事而告。願祈陰相，俾無震驚。閑居叢稿

補何遷白塔寺偶題　朝登百尺臺，俯拾金光草。隔塵車馬聲，知是長安道。吉陽文集

〔臣等謹按〕妙應寺舊名大聖壽萬安寺，又名白塔寺，在阜成門街北，創自遼道宗年間。元至元二十六年，奉迎栴檀佛像居寺之後殿，詳弘仁寺條下。明天順元年，改名妙應，本朝康熙二十七年，修寺與塔，有御製碑文二立石殿庭中。乾隆十八年重修，御書般若波羅密多心經一卷及梵文尊勝咒，並賜大藏真經全部七百廿四函，以爲塔之鎮。御製修妙應寺文及修白塔銘俱勒石七佛殿庭中。正殿扁曰意珠心鏡，塔下三寶殿扁曰具六神通。聯曰：風散異香禪偈静；烏窺清唄法筵開。皆皇上御書。四十一年，奉勑又修。寺内有御製滿、漢、蒙古、西番合璧大藏全咒十套，西番首楞嚴經一分，維摩詰所説大乘經全部，寺僧敬謹尊藏。

增聖祖御製妙應寺碑　都城西偏，阜成門之左有白塔寺，相傳遼道宗四十二年建。其制如幢，爲白銀色。元世祖復崇飾之。明天順中，復改爲妙應寺。計塔寺創始於遼，距今五百九十二年矣。歷歲既多，漸就圮隳。朕惟我皇考世祖章皇帝定鼎燕都，四方所止。兹塔與寺當都城乾兑之隅，兆庶瞻仰，不欲使數百年舊蹟一旦頹落傾弛，爰命鳩工庀材，揆日而葺治之。凡丹青黝堊垣檻欄楹之制，皆焕乎一新。無改舊觀，無增侈飾。特以修舉廢墜，昭示來兹而已。役既成，乃誌其歲月而勒諸石。

增聖祖御製妙應寺碑　白塔妙應寺，歲久漸頹。既命仍舊制修治，載考像教之傳，其來已遠，勝會古刹，代有盛衰。朕方以聖人之道治天下，型德昭儉，古訓是師。有所規度，務崇簡樸。緬維遼以來至於我朝，中更四代。定鼎於兹，六七百年。王氣之所扶輿，雖一樹一石猶不忍其堙廢。兹塔也，屹金方之名區，儼先代之舊觀，葺而新之，蓋風人勿翦之義也。稽自元明間，工竣皆勒貞珉，詳厥本末。今之役其可不紀乎？爰伐石樹碑，述所以修舉之意。

增御製重修妙應寺碑　京師阜成門東白塔妙應寺，自我皇祖聖祖仁皇帝增葺鼎新，迄於今幾七十年矣。層構巋然，凌峙霄漢，而金碧堊雘，漸復漫漶。寺之堂廡門垣亦滋剥落。朕惟首善之區，凡琳宫梵宇，所以壯觀瞻而衞法寶者，有其舉之，莫可廢也。兹寺建自遼道宗時，歷元迄明，代加崇飾。逌聖祖康熙二十七年，焕舊爲新，御製碑文以修舉廢墜、無增侈飾之義垂示來許。夫慈氏之教無而能妙，空而善應，寂感無方，不可思議。而窣堵波爲供養莊嚴第一功德。矧兹聖蹟垂昭，弘敞巍峻，光遠益耀。都人士庶莫不瞻視虔奉，尤所當崇護於勿替者。方今蒙被鴻庥，海宇乂寧，黎兆殷阜，力有餘羡。爰勅有司徵材召工，因其舊觀，普事營飾，不陋不侈，一循皇祖之志。不數月而蕆厥事。翬飛鳥革，耀如翼如，寶鐸金鈴，相輪丕焕。壽隆以來，數百年之勝蹟賴皇祖持護之靈得以弗墜。於赫哉聖澤之所庇者遠也！役既成，識其緣起於右。

增御製重修白塔碑銘　粤大清乾隆十有八年，歲在癸酉秋七月，重修妙應寺白塔。朕手書般若波羅蜜多心經一卷，及梵文尊勝咒，並大藏真經全部七百廿四函，用以爲鎮。閲三月工竣，既勒文紀事，復爲之銘曰：神京西偏，寶塔屹然。位正臨兑，隅袤控乾。色應金白，形規幢圓。昉於何時，創遼迄元。載歷有明，更名以傳。皇我聖祖，修舉廢湮。然不斷燈，演無遮筵。祇陀金布，闍崛石邊。流丹耀景，虹光燭天。空花不散，魯殿巍焉。予緬聖澤，敢弗祇虔？爰命葺鳌，完毁補偏。咨將作匠，量水衡錢。敝者更之，漫漶飾旃。匪棘其欲，期善繼先。像設告蕆，親莅禮觀。莊嚴珠珞，的爍寶蓮。圓相具足，卍字駢旋。伽梨互映，忍鎧並堅。栴檀雲湧，獅象隊聯。周視招提，五色相鮮。天龍八部，雞足九堧。地字無垢，界名初禪。七寶競彩，百和騰烟。畢落枝蔚，曼殊華妍。峩峩窣堵，拔地孤騫。玉筍不攛，雪山齊巔。放毫相光，現離垢緣。金柈影直，寶鐸響連。於爍蘭若，朗耀大千。皇祖遺蹟，勿墜益綿。聖祖丕冒，佛慈廣延。上資壽母，福海無邊。共溥利益，覃及垓埏。運華嚴界，散功德泉。緊茲精藍，寔廣福田。爰誌樂石，垂億萬年。

原 附近有黑塔寺、青塔寺，然寺存而無塔。春明夢餘録

原 弘慶寺在順天府西，舊名黑塔寺，正統元年改建。明一統志

〔臣等謹按〕黑塔寺在南小街冰窖衚衕，青塔寺在阜成門四條衚衕，相距里許，皆無塔，亦皆無寺額，獨各有碑可考耳。

增 張益弘慶寺碑畧　都城阜成門内朝天宮白塔之西有寺，曰黑塔者，建自前代，廢圮已久。正統丁巳，住持一清募資修造，經始於是年之春，落成於癸亥之秋。爲佛殿者一，天王殿者一。前闢山門，後開方丈，伽藍齋堂廚庫在其左，祖師禪堂在其右。請額於朝，賜額爲弘慶禪寺，正統十四年夏四月立。

增 胡濙弘慶寺碑畧　弘慶寺在朝天宮右，舊曰黑塔寺。正統二年成國公朱勇、修武伯沈清新之。正統八年，奏請賜額曰弘慶，正統十四年立。

〔臣等謹按〕草場口有萬佛寺，俗亦呼黑塔寺，其衚衕亦以黑塔寺名。寺無塔，亦無碑碣可考，不知何以沿其稱也。

增 蔣冕青塔寺碑畧　都城西北隅舊有寺曰青塔，古刹也，創始無傳。宣德間僧慧燈募修之。正德八年六月立。五城寺院册

【增】張一桂重修青塔寺碑畧　青塔寺者，卽勝國時勅建大永福寺也。寺在都城阜成門内，故有青浮圖，稍東爲白塔禪寺，相距里許，俗稱青塔寺云。寺創自延祐間，國朝天順、成化中嘗再新之，迄今又且百祺矣。殿宇僅存遺址，沙門佛寶毅然以興復爲己任，太監王喜等捐資助之，工始於隆慶壬申，訖於萬曆乙亥。萬曆三年重陽月立。五城寺院册

【增】阜成門内關帝廟不知何時所建，元泰定間修。同上

〔臣等謹按〕關帝廟在西四牌樓宣武街西，額曰雙關帝廟，蓋兩像並祀也。廟内有元李用、吳律二碣。又明碑三：一爲正統十年侍讀學士苗衷撰，一爲弘治十五年光禄卿張天駿撰，一爲嘉靖十九年通政司右參議蔡文魁撰。本朝乾隆三十六年重修。

【增】吳律關廟碑畧　都城西市舊有廟，毁久弗修。泰定乙丑十月朔，宣政院使臣瑪勒圖采輿論以上聞。遂出内帑錢一萬貫，命卽故基作興之。皇后賜如其半。廼命翰林侍讀學士臣阿爾威紀其實，侍郎臣瑪勒、提點臣完顔額森董其功，不兩月廟貌像設焕然一新。按：瑪勒圖，蒙古語有牲畜之謂也，舊作滿圖。阿爾義見前，威，蒙古語樹林也，舊作阿魯威。瑪勒，蒙古語牲畜也，舊作馬兒。今並譯改。

〔臣等謹按〕吳律碑，元泰定三年立。其先又有李用碑，泰定元年立，辭義冗淺，不具録。

【補】漢經廠外廠聖祚隆長寺有萬曆四十五年勅建碑。行國録

〔臣等謹按〕聖祚隆長寺在西四牌樓北宣武街西報子衚衕。明萬曆間初建，碑無存。本朝乾隆二十一年修，有御製詩。殿中扁二，一曰般若觀空，一曰蓮花淨界。聯曰：妙諦不多禪一指；善緣無量佛千身。皆皇上御書。

【增】乾隆二十一年御製隆長寺詩　燕都四百載，梵宇數盈千。自不無頽廢，豈能盡棄捐？

間因爲葺築，亦以近街鄽。重見金輪煥，成詩紀歲年。

原 成化二十二年冬十月，復建大永昌寺。先是，寺建於西市，已有成緒。及國師繼曉以星變被譴，寺亦隨廢。至是，太監梁芳請更擇地建之。乃令工部左侍郎杜謙等相度地基，得故廣平侯袁瑄宅。時瑄家已失侯，瑄妻固請以宅獻，而託芳請襲侯。芳言於上而許之。既又市其旁民居數十家，大興工役，視舊益加廣矣。明憲宗實録

原 二十三年五月，以工部尚書謝一夔代杜謙督造大永昌寺。明典彙

原 正德五年六月，户部言，永昌寺舊址改建爲倉，未有名。乃賜名曰太平倉。明武宗實録

原 六年十一月，以太平倉賜永壽伯朱德爲私第。户部尚書孫交言：昔田蚡請考功地益宅，漢武不許。夫隙地尚不輕畀，況此倉乎！奏入，不聽。同上

原 八年三月，改太平倉爲鎮國府，又欲毁廒口爲府聽。工部奏祖宗稽古建宫，府部具有定制。今改倉爲府，有乖舊典，況位屬乾方，乾，天門也，且此地初爲永昌寺，再爲新石廠，又爲太平倉，屢改屢廢，推之地理，察之人事，俱未便。上曰：既以此地爲天門，宜當通達，前此閉塞，何不以聞？其以實陳狀。工部再請罪，乃宥之。同上

原 嘉靖元年五月，改鎮國府乃爲太平倉，命總督倉場官管理。明世宗實録

原 康陵先立鎮國府，後乃自封鎮國公，府在鳴玉坊，嘉靖初仍改太平倉矣。都人至今猶

呼西帥府衚衕也。兩京求舊録

（臣等謹按）西四牌樓大街以北有帥府衚衕，又北有太平倉衚衕，皆沿舊稱也。今倉府遺跡俱無可考。

原普安寺在西城河漕西翊教寺之東，有李賢、董份二碑。析津日記

（臣等謹按）普安寺在翊教寺西，析津日記作在翊教寺東，誤。李賢碑無考，董份碑今存，詞甚鄙俚，且誤份爲汾，乃他人僞托。至翊教寺，考明侍郎汪道昆、編修林增志二碑，俱稱始於宋時，迄今尚爲戒壇下院，亦古刹也。

增徐階重修普安寺功德碑畧　禁垣西北有渠曰漕。近漕之西，舊有普安寺。起於國初，歲久頽敗，司禮監太監黄錦修之，凡五春秋而落成。嘉靖甲子十月立。

增葛守禮重修普安寺碑畧　西城河漕西有梵宇曰普安，建自國初，修於嘉靖。萬曆二年四月十日，慈聖皇太后發帑金重葺其舊，加造藏經殿五楹，廊房二十楹。工始於萬曆三年二月，訖於是年五月。

增汪道昆重修翊教寺碑畧　城西翊教寺，宋所建也，修於成化八年，廢久矣，嘉靖三十一年，司禮太監焦忠撤而新之。萬曆五年立。

增林增志重修翊教寺碑畧　鳳城之西，寺名翊教，源於宋朝，蕃於萬曆，沿禩周甲，物力耗頽，僧心宗募修之。崇禎十六年癸未立。

原正法寺、寶禪寺俱在河漕西，有勅建碑。明順天府志

（臣等謹按）寶禪寺在寶禪寺衚衕，明尚書萬安、學士彭華、尚書甘爲霖三碑今並存寺中。本朝康熙年間，大學士明珠，乾隆年間，大學士公傅恒先後修葺，立碣以紀其事。正法寺在寶禪寺西，乾隆二十一年，官因其舊修葺之，改額曰正覺。明孝

宗、武宗二碑俱存，爲内官黄高立者。既乖褒予之義，而辭復甚俚，今概不録。

原至大元年，立大承華普慶寺都總管府。二年，改延禧監，尋改崇祥監。四年，陞爲崇祥院。泰定四年，復改爲大承華普慶寺總管府。天曆元年，改爲崇祥總管府，置普慶營繕提點所。三年，改爲營繕司。元史百官志

原至大四年十月，賜大普慶寺金千兩，銀五千兩，鈔萬錠，西錦綵緞紗羅布帛萬端，田八萬畝，邸舍四百間。皇慶二年七月，賜普慶寺益都田百七十頃。元史仁宗紀

原至治元年二月，作仁宗神御殿於普慶寺。元史英宗紀

原泰定元年四月，作昭聖皇后御容殿於普慶寺。八月，遣翰林學士承旨鄂齊爾祀太祖、太宗、睿宗御容於普慶寺。元史泰定帝紀 按：鄂齊爾，蒙古語金剛也，舊作斡赤。今譯改。

補寶禪寺在崇國寺之街西，即元大承華普慶寺也。成化庚寅，供用庫内官麻俊買地治宅，掘土得趙承旨碑，始知爲寺基。乃復建佛殿，山門廊廡廚庫悉具，聞於朝，改賜額曰寶禪寺，立太子少保户部尚書眉山萬安碑於庭。以寺既改額，承旨舊碑廢不復存。夫承旨書法，世所共珍，内官惟知少保尚書之文足重於世，而不知安之人品汙下，見其文者方且唾而不觀，咸以不見承旨碑爲憾也。薊邱雜抄

原姚燧普慶寺碑畧 大承華普慶寺者，皇帝爲皇祖妣徽仁裕聖太后報德作也。先是，大官達納監龍興還，老而無子，自簿臧獲數千指，牛羊馬駝蹄角亦數千，田産資貨猶不與存，盡獻之隆福宫。裕聖則曰：吾何庸斯其賜，今皇上四

年，裕聖上仙，撤是獻屋，爲殿三楹，事佛妥靈，以盡孝思。至大元年，視昔所作圖報弗稱，乃市民居倍售之，佔跨有數坊，直其門，爲殿七楹，後爲二堂，行宁屬之，中是殿堂，東偏仍故殿，少西疊甓爲塔，又西再爲塔殿，與之角峙。自門徂堂，廡以周之，爲僧徒居。中建二樓，東廡通庖井，西廡通海會，市爲列肆，月收僦直，寺須是資。是役也，未嘗發民一夫，皆傭工爲之，其費一出宮帑。牧庵集　按：達納，蒙古語管也，舊作答難。今譯改。

補袁桷普慶寺後殿上梁文　積翠凌空，儼諸天之層構；側金布地，成四梵之妙緣。皇帝味道圓明，宅心清淨。深植善本，靈山之付囑未忘；廣種福田，寶所之莊嚴彌奐。像設參前而山立，威儀殿後以雲趨。一一青蓮，層層貝葉。爰以棲神而凝睇，亦云澄觀以集思。成祇樹園，作平等觀，虹梁將舉，龍象具瞻。清容居士集

補趙孟頫大普慶寺碑銘　惟上帝降大命於聖元，太祖法天啓運聖武皇帝起自朔方，肇基帝業，以睿宗仁聖景襄皇帝爲之子。睿宗躬擐甲冑，翦金河南，雖不及撫有萬方，篤生聖嗣，是爲世祖聖德神功文武皇帝。雄畧蓋世，神武不殺，命將出師，不再舉而宋平。九域分裂者二百餘年，一旦一之，遐陬荒裔，咸受正朔，幅員之大，古所未有。於是治曆明時，建官立法，任賢使能，制禮作樂，文物粲然可紀。中統、至元之間，海內晏然，家給人足，而又妙悟佛乘，欽崇梵教，慈惠之德，洽於人心。肆世祖之享國三十有五年。施及裕宗文惠明孝皇帝，正位儲宮，仁孝而敬慎，問安視膳之暇，順美幾諫，天下陰受其賜多矣。至元廿二年，裕宗陟方。未幾，順宗昭聖衍孝皇帝亦遽賓天。三十一年，世祖登遐。當是時徽仁裕聖皇后不動聲色，召成廟於撫軍萬里之外，授是神器，易天下岌岌爲泰山之安。大德二年，武宗撫軍於北，今上日侍隆福，怡言煦之，摩手撫之，擇師取友，俾知先王禮樂刑政爲治國平天下之具，恩莫大焉。四年，裕聖上仙，皇上追思罔極，始建佛殿於大都。既而之國覃懷，屬成廟登遐，內難將作，上馳至京師，先事而發，殄殲大憝，封府庫，奉符璽，清宮以安太后，遣使以迎武宗。武宗既踐阼，以上至德偉功，不踰月而立上爲皇太子。上緬懷疇昔報本之意，乃命創佛宇，因其地而擴之，凡爲百畝者三。鳩工度材，萬役並作，置崇祥監以董其事。其南爲三門，直其北爲正覺之殿，奉三聖大像於其中。殿北之西偏爲最勝之殿，奉釋迦金像，東偏爲智嚴之殿，奉文殊普賢觀音三大士。二殿之間，付峙爲二浮圖，浮圖北爲堂二，屬之以廊，自堂徂門，廡以周之。西廡之間爲總持之閣，中寘寶塔經藏焉。東廡之間爲圓通之閣，奉大悲彌勒金剛手菩薩。齋堂在右，庖井在左。最後又爲二閣，西曰真如，東曰妙祥。門之南，東西又爲二殿，一以事護法之神，一以事多聞天王。合爲屋六百間，盤礎之固，陛戺之崇，題楶之騫，藻繪之工，若忉利兜率，化出人間，其工匠之傭，悉皆內帑，一毫不役於民。既成，賜名曰大普慶寺。給田地民匠碓磑房廊等以爲常住，歲收其入，供給所須。上既卽大位，崇祥監臣請立石紀事，勑臣孟頫爲文。謹稽首再拜爲之頌曰：皇元應運，誕受萬方。帝以聖承，於前有光。明明天子，神明八葉。德盛功豐，富有大業。太祖張之，世祖皇之。天子康之，於赫皇武。皇武桓桓，聖謨孔彰。神器斯安。粵昔裕聖，功在社稷。我報之圖，天乎罔極。惟覺皇氏，具大神力。人天共依，是資福德。廼卜陰陽，相地柔剛。歲吉辰良，大匠是將。廼斲廼繩，築構遄興。務殫乃心，母費是懲。役者謳歌，相厥子來。匪民是庸，一須國材。有岑其宇，有踐其廡。有楹惟旅，金鋪雕礎。載瞻聖容，端相儼然。是依是崇，獲福無邊。皇帝仁孝，永命於天。聖子神孫，維千萬

年。松雪齋集

〔臣等謹按〕孟頫碑久廢，已見前薊邱雜抄所載矣。

補 笑巖德寶禪師生長都下，受法於玉泉明聰。萬曆初，居西城之柳巷，人罕知者。一日有梵僧來參，亞身翹袖，作種種相。師以拄杖畫字，隨方答之。僧作禮騰空而去。弟子問：適來僧問何法？師曰：此阿羅漢西天秘密語也。雲棲袾宏曰：予嘗游京師，參笑巖於柳巷，敗屋數椽，殘僧數輩而已。其高致可想見。今其塔在小西門，萬曆十二年立。塔銘，雲南布政司參政南城羅汝芳所撰也。泠然志

增 明僧德寶號笑巖，京師人，錦衣世家吴氏子也。生於正德壬申，年二十二，披薙於都門之廣慧寺，師事了空。徧參名山，得紹臨濟二十八代衣鉢。其傳燈弟子則有天童磬山焉。卒年七十四，墓在西直門外之小西門。我世祖章皇帝詔舉天下高僧，如報恩目澄、昂溪者，皆其法裔也。世祖章皇帝三瞻禮焉，且命朔望祀之，所著有南北集行世。宛平縣志

〔臣等謹按〕今西直門草廠地有以柳巷名者。小西門僧塔無考。

原 朝天宫西三牌十五舖，有椒園廠、菊子園、官菜園、西城草廠、青塔寺、立禪廟、朝陽庵、秀頭庵、妙清觀。五城坊巷衚衕集

〔臣等謹按〕朝天宫本元代舊址，盛於明嘉靖時，齋醮之及無虚日。考名山藏所紀，

其崇奉與大高玄殿相埒。明憲宗詩云：禁城西北名朝天，重簷巨棟三千間。致飾之巍煥，有由來矣。燬於天啓年間。今阜成門東北雖有宮門口東廊下、西廊下之名，其實周廻數里大半爲民居矣。西廊下有關帝廟，乃土人因其餘址而葺之者。然止大殿三楹，殿前甬道綿亙數百武，砌石斷續，猶見當時規制。宮後向存舊殿三重，土人呼爲獅子府，蓋卽元天師府也。今皆廢。西城草廠，今蔣養房衚衕有隙地，猶有是名，或卽其遺址也。朝陽庵在玉帶衚衕，有明嘉靖二十年重修碑，稱正德戊寅寺獲石佛一，又尊勝咒幢一，上刻開皇年號曰朝陽寺云云。今石幢猶存庵中，幢三面正書，六面梵書，正書殘缺，其可見者第一行爲寺故□□靈塔記五字，第二行爲宛平□西關人也父李祥母王氏師自十一十六字，第三行爲寺主爲師施經受具自後偏習經論於大十六字，第四行爲僧臘二十二荼毘七字，第五行爲二十六日建五字，第六行爲法弟比丘尼沙門智懃九字。按遼史，開泰二年，改唐幽都縣爲宛平縣，宛平之名自此始。今幢有宛平字，其爲遼時物無疑。開皇之號，蓋僞托也。舊獲石佛，今無存。別有香鑪石座，其製八角，每角亦有三梵字。妙清觀詳後條。椒園廠、菊子園、官菜園、立禪廟、秀頭庵皆無考。

原朝天宮在皇城西北，元之天師府也。春明夢餘録原宣宗章皇帝倣南都之制，建朝天宮於皇城西北，有三清殿以奉上清、太清、玉清，通明殿以奉上帝，建普濟、景治、總制、寶藏、佑聖、靖應、崇真、文昌、元應九殿以奉諸神，東西建具服殿以備臨幸。宮成於宣德八年閏八月，御製詩文勒碑紀事。憲宗純皇帝成化十七年六月重修，亦御製詩文勒碑紀事。至天啓六年六月廿夜，十三殿齊災。宮後天師府有趙孟頫張天師像贊碑、人道歌碑，虞集黄籙大醮碑。帝京景物畧

原凡大朝會，百官先期習儀二日。國初或在慶壽寺，或在靈濟宮，宣德間建朝天宮於阜成門内白塔寺西，始爲定所。長安客話

〔臣等謹按〕帝京景物畧載趙孟頫、虞集朝天宮三碑，明宣德成化間紀事二碑，今俱無存。

原李東陽詩　石徑苔深步屧空，菊花開遍去年叢。重游誤落秋風後，舊事都消夜雨中。已覺地偏非世界，却憐身病是樊籠。諸公只隔瀛洲路，未遣丹邱鶴夢通。懷麓堂稿

原李夢陽詩　馬上城中見雪山，白雲蒼樹滿燕關。蓬萊咫尺無人到，松柏黄昏有鶴還。當日翠華遊物外，百年金殿鎖人間。浮塵擾擾江湖遠，悵望巖棲不可攀。空同集

原田一儁詩　星垂殿閣月垂枝，又是千官拜舞时。鳳闕未瞻周黼扆，龍宮先試漢威儀。爐烟裊裊分中禁，冠珮鏘鏘儼法墀。班徹共趨庭左右，載賡宣廟憲皇詩。田鍾台集

增明宣宗朝天宮詩　巍巍太極至道宗，元始一氣開鴻濛。上立清都九天重，勾陳環御紫微宮。帝居玉清天之中，主宰氣機權化工。妙運闔闢無終窮，仁存發育萬彙同。居高視聽明且聰。頫矜下土氓蚩蚩，簡命有德兼君師。有克敦二訓以治，惠溥中夏暨四夷。恒申錫之祥與祺，國家受命式九圍。三聖昭事肅以祇，薄海内外躋雍熙。駢見疊出承蕃釐。予嗣大寶御兆民，好生惓惓體帝仁。靡間遐邇視惟均，秉恪夙夜堅忱恂。一心綏懷副高旻，都城乾位宮宇新。精潔祀事居明神，既落厥夕瑞應臻。景星煌煌燭天門，惟天至仁錫嘉祥，予諒非薄曷克當。所篤虔志祈穹蒼，七廟在天綏明靈。聖母萬壽長樂康。鞏固社稷寧家邦，時和歲稔民物亨。二儀奠位七政明，一統八表皆昇平。帝

京景物畧

增明憲宗朝天宫詩 元氣鴻濛帝所居，三清景界神所都。星辰環拱天之樞，風雷鼓盪天之隅。龜蛇蟠結昭靈符，文昌道化彌元虛。諸祖通明如可呼，諸真妙應無時無。矜憐萬姓本來愚，長養萬物同洪鑪。睠兹玄教非妄傳，古今崇事殊精虔。琳宫玉宇在在然，金身寶像霞光連。麒麟不斷焚龍涎，膽瓶高插瑤葩鮮。春祈秋報清鐙前，朝瞻夕禮幡幢邊。禁城西北名朝天，重簷巨棟三千間。創自我祖宣皇时，朕今承繼載新之。輝煌不減先成規，神祇下上鸞鳳隨。百官預於兹肄儀，羽士日於兹祝釐。祝我祖廟明靈綏，祝我慈闈樂耆頤。祝我皇圖民物熙，千秋萬載無窮期。同上

增胡濙妙清觀碑畧 觀在西直門内，正統十年，太監陳日新以所居宅施爲五華觀下院。景泰二年，賜額妙清，並予官料以助興作。始於景泰三年五月，落成於六年十一月。景泰七年三月立。

〔臣等謹按〕妙清觀在西直門南小街扒兒衚衕。明景泰七年碑猶在，碑陰刻云崇禎十一年六月初二日安民廠天災震塌本觀，十二年六月之吉重修。所謂天災，乃安民廠火藥局災也。寺今僅存殿三楹。

原阜成門迤北三里許爲正義坊。坊北數武有十方禪院，相傳爲北留庵。萬曆初，有大力者奪之。於時五臺陸公捐資首唱歸其直，堂其址。畚築之餘，得殘碑尺許，有貞觀年月及北留寺記等字，然後知其爲唐寺也。燕都遊覽志

原馬之駿詩 宛在風光裏，悠然水木間。屢尋沿岸寺，稍見著城山。懺佛難除懶，逢僧即共閒。淹留無不可，擠與暮鴉還。何處堪消夏，非山即水鄉。樹深渾欲暝，花近反無香。欲晚波難綠，迎秋木漸蒼。市譁原未遠，煙景乃微茫。馬仲良詩集

〔臣等謹按〕十方禪院在西直門小街，土人亦呼爲彌勒庵。唐殘碑無考。

原鳴玉坊三牌一十四舖，有神武後衛、燕山衛、淨妙庵、古燈庵、寶禪寺、普度寺、響

鈴寺。五城坊巷衚衕集

〔臣等謹按〕神武等衛今廢。寶禪寺詳見前河漕西條下。響鈴寺即今新街口祝壽寺，俗猶仍其名。淨妙庵、普度寺俱無考。

原日中坊四牌十九舖，有永泰寺、廣濟寺、延壽寺。五城坊巷衚衕集

〔臣等謹按〕永泰寺在西直門大街高井衚衕。内有碑二，一爲明成化八年沙門圓顯撰，一爲兵部侍郎謝九儀撰，而年號剥落不可辨。廣濟寺在西直門新街口。明正德九年爲梅樂禪師敕建，有沙門大勛撰碑，又有梅樂禪師小傳一碑，都穆撰，吴寬跋，今並存寺中。延壽寺隸中城，詳本條下。

增西之北曰西直，永樂十九年立。明一統志

補弘治戊午夏，京師西直門熊入城，守衛者不知覺，有被傷者。鈞陽馬公謂野獸入城非宜，乞嚴武事，備盗賊。何孟春謂同列曰：熊之爲兆，既當備盗，亦須慎火。未幾，城内在處火災，禮部燬焉。或問孟春此占出何書。曰：宋紹興己酉，永嘉災前數日，有熊自南渡至城下，高世則謂其倅趙允紹曰：熊於字能火，郡中宜慎火。果延燒官民舍十七八。偶憶此事云然，不意其驗也。餘冬序録

增新街口龍王廟，雍正七年敕建。五城寺院册

〔臣等謹按〕龍王廟在西直門内街東，雍正七年奉世宗憲皇帝發帑創建，乾隆十八年奉旨易蓋琉璃瓦，三十八年奉敕重修。

增崇元觀在西直門内新街口，俗名曹公觀。大清一統志

〔臣等謹按〕崇元觀在西直門大街北，觀門去通衢數十武，綽楔表之，上有三界聖境四字。有舊碑一，漫滅不可辨。本朝乾隆三十三年修，有御製詩，立碑庭中。玉皇殿扁曰神霄輯瑞，三皇殿扁曰統紀權輿，三清殿扁曰道德開宗。玉皇殿聯曰：帝座星辰環紫極；仙階鸞鶴捧紅雲。皆皇上御書。

增乾隆二十三年御製崇元觀拈香卽事詩　觀瞻日下屬神皋，葺舊寧煩事伐鼛！慶落便中紆法駕，時孟冬時享禮成，詣御園問安，道出西直門，適當修觀落成，因就便瞻禮。崇元疑早會仙曹。金題重燦雲房複，絳節紛朝玉座高。七字聊因識緣起，楔碑乘暇一揮毫。椓人何事當去聲夔皋？建築居然興鼓鼛。此寺爲明璫曹化淳所建，故俗名曹公觀。富貴那曾鎮爾輩，裔苗誠未忝其曹。開門已忘去聲君恩厚，督廠偏誇璫勢高。覽古不禁懷鑑古，慎微切切在含毫。

增沙門圓顯修建永泰寺碑畧　宛平縣日中坊有佛寺，歲久委於瓦礫，修武伯沈清等卽故址新之。其殿曰天王殿大雄殿伽藍殿祖師殿，堂曰講法堂。左右有廊，鐘鼓有樓，禪室香廚，靡不備具。始作於正統八年，訖工於天順元年，清等請於朝，賜額曰永泰。五城寺院册

增謝九儀重修永泰寺碑畧　京師西直門內洪橋之西北有寺曰永泰，建自先朝，歲久而敝，太監李朗以己資新之。同上

欽定日下舊聞考卷五十三

城市 内城西城四

原發祥坊七舖，有大興左衞、崇國寺、正覺寺、弘善寺、白米寺。五城坊巷衚衕集

〔臣等謹按〕崇國寺在今西四牌樓大街東，德勝門大街西。明宣德年賜名大隆善寺，成化間賜名大隆善護國寺。今其地稱護國寺街，每月逢七八兩日有廟市。大興左衞、弘善寺、白米寺俱無考。正覺寺詳後本條下。

原崇國寺在皇城西北隅定府大街。元時有東西二崇國寺，此則西崇國寺也。趙孟頫書有寺碑。宣德間重建，賜額大隆善護國寺，今都人猶稱崇國焉。燕都遊覽志

〔臣等謹按〕定府大街在東而護國寺在西，中隔德勝門大街。遊覽志云，寺在定府街，殆紀載之訛也。又護國之名，乃明成化間所增。此云宣德，亦屬失考。至都人稱崇國者，或當日初改寺名時語，今皆稱爲護國寺矣。

原大隆善護國寺，都人呼崇國寺。寺始至元，皇慶修之，延祐修之，至正又修之。元故

有南北二崇國寺，此其北也。宣德己酉，賜名隆善。成化壬辰，加護國名。正德壬申，勅西番大慶法王凌戩巴勒丹、大覺法王札什藏布等居此。中殿三，旁殿八，最後景命殿。殿旁塔二，曰佛舍利塔。成化八年勅碑二，正德七年勅碑二，梵字碑二。又天順二年碑二：其一西天大喇嘛桑噶巴拉行實碑，其一大國師智光功行碑。又有元碑四：其一至元十一年重修崇國寺碑，沙門雪磵法楨撰；其一至正十四年皇帝勅諭碑；其一皇慶元年崇教大師演公碑，趙孟頫撰并書；其一石斷爲七，環鐵束而立之，至正二十四年隆安選公傳戒碑，危素撰并書。寺爲托克托丞相故宅，今千佛殿旁立一老髯幞頭朱衣，一老媪鳳冠朱裳者，托克托夫婦也。後僧録司，司右姚少師影堂。少師佐成祖爲靖難首勳，侑享太廟。嘉靖九年移祀大興隆寺，俄寺災移此。木主題推忠報國協謀宣力文臣特進榮祿大夫上柱國榮國公姚廣孝。像露頂袈裟趺坐，上有偈署獨庵老人題。獨庵，少師號也。帝京景物略 按：凌，唐古特語長也，戩，莊嚴也，巴勒丹，全威也，舊作領占班丹。札什，唐古特語吉祥也，藏布，美好也，舊作著肖藏卜。桑噶，梵語僧也，巴拉，守護也，舊作桑渴巴剌。今俱譯改。以上二條原在北城，今移改。

〔臣等謹按〕寺中諸碑林立，帝京景物略所載元碑四俱存。其未載者，尚有至元二十一年聖旨碑，碑陰刻崇國北寺地産圖。又元小碣二：一爲大德二年轉長生藏經記，一爲至治元年看轉大藏經長供記。所載明碑八，成化中勅碑二俱存。朱彝尊原書引帝京景物略作七年立，今考碑文實八年，非七年也。據碑改正。正德七年二碑及天順二年二碑今各存其一，梵字碑二俱存。其未載者尚有宣德十年大國師巴勒丹札什壽像碑，成化十七年勅建大隆善護國寺看誦藏經碑，嘉靖二十二年藏布嘉勒燦承繼祖傳住持碑，今遴載於後，並恭載本朝康熙六十一年御製崇國寺碑。殿旁二塔今存。托克托夫婦像現侍立殿中，姚廣孝畫像無考。

【原】成化八年七月，修隆善寺畢工，命工匠張定住等三十人爲文思院副使，寫碑官尚寶司少卿任道遜爲本司卿，司丞程洛爲少卿。於是工科都給事中王詔等言：方修寺之初，臣等失於論諫，固已獲罪於陛下，不容於清議矣。今寺成碑完，而官爵之濫如此。彼西征北伐捐軀殞命之人將何以勸酬之？明憲宗實録

【原】番僧有數等，曰大慈法王，曰西天佛子，曰大國師，曰國師，曰禪師，曰都綱，曰喇嘛，俱光禄寺支待，有日支酒饌一次、二次、三次又支廪餼者，有但支廪餼者。上卽位初，禮部尚書胡濙等議減去六百九十一人，正統元年五月，濙等備疏慈恩、隆善、能仁、寶慶四寺番僧當減去者又四百五十人。明英宗實録

【補】崇國寺佛殿前曰延壽，後曰崇壽，再後曰三仙千佛之殿。趙子昂書崇教大師演公碑，危太僕書隆安選公傳戒碑，在千佛殿阼階南，僧雪澗書重建寺碑，在千佛殿西階南。又有至正十四年聖旨碑，上序元諸帝皆用國語，所云青吉斯皇帝者太祖也，諤格德依皇帝者太宗也，色辰皇帝者世祖也，諤勒哲圖皇帝者成宗也，庫魯克皇帝者武宗也，布延圖皇帝者仁宗也，格根皇帝者英宗也，胡土克圖皇帝者明宗也，額琳沁巴勒皇帝者寧宗也。中不及文宗者，後至元六年以帝謀不軌，使明宗飲恨而崩，詔撤其廟主，故碑文亦不書也。炙硯録按：諤格德依舊作窩闊台，照蒙古源流改正。色辰，蒙古語聰明也，舊作薛禪。諤勒哲，蒙古語壽也，圖，有也，舊作完澤篤。庫魯克，蒙古語超衆之謂也，舊作曲律。布延圖舊作普顔篤。布延，蒙古語福也。格根亦蒙古語明也，舊作格堅。胡土克圖，義俱見前，舊作忽都篤。額琳沁巴勒義俱見前，舊作亦隣真班。今俱譯改。

〔臣等謹按〕倪粲炙硯録又云，陶氏輟耕録載元世系，完澤篤作完者篤，格堅作華堅，忽都篤作忩都篤，亦憐真班作懿憐真班，當以石刻爲正云云。此蓋據石刻以訂

陶宗儀之誤，自謂精審。今按同文韻統，證以蒙古及西番語，一一釐定之，乃悉與正音相合。不但輟耕録所載字舛聲淆，即石刻之文亦不免沿譌襲謬，所謂楚固失之，齊亦未爲得也。

原 趙孟頫大崇國寺佛性圓融崇教大師演公碑銘略 師名定演，俗姓王氏，世爲燕三河人。七歲入大崇國寺，事隆安和尚。世祖賜號佛性圓融崇教大師。至元二十四年，別賜地大都，乃與門人協力興建，作大殿以像三聖，樹高閣以庋諸經。丈室廊廡，齋廚僧舍，悉皆完美。故崇國有南北寺焉。時昊天宿德雄辯大師，授以道宗刺血金書戒本，於是祝髮之徒萬計。禮師自涖講席，爲羯磨首。師數蒙聖恩，嘗賜白玉觀音菩薩像。臨終具湯沐淨髮，與門人別，怡然長往。舊制，近郭禁火化，師卒以聞。上在春宮，特旨有司賻喪，令於城西南淨土院荼毘。獲舍利數百粒，葬魯郭之野起支提焉。松雪齋集

補 釋法楨大都崇國寺重建碑略 京師有寺曰崇國，前至元乙酉，世祖賜地，傳戒大德沙門定演開創，凡百餘楹。皇慶延祐間，仁宗皇帝阿南達錫哩皇后賜鈔三千餘定，買地別建三門，壽元皇太后復賜鈔五百定，而經營焉。至正十一年歲次辛卯孟夏，大竹林寺沙門雪澗法楨撰，奉訓大夫中書刑部侍郎葛禋書，儒林郎江南諸道行御史臺監察御史許居直篆。按：阿南達錫哩義俱見前，舊作刺挱室利。今改正。以上二條原在北城，今移改。

增 危素大崇國寺空明圓證大法師隆安選公特賜證慧禪師傳戒碑略 至正二十三年十月，宣政使特古斯布哈等請賜傳戒之碑於崇國寺，乃命中書參知政事臣素撰文書丹，張[illegible]篆額，特賜善選證慧師。按善選師姓劉氏，世居香河會仙鄉馬家里，生於金大定十五年四月。稍長，出家於里中隆安寺，禮真覺爲師，博通華嚴妙旨。聞燕京永慶寺正法藏大師通清涼國師義疏，廼造習焉。它日燕坐佛前，聞雲版聲，頓然開悟，遂以空明自號。我師伐金，師轉徙平灤軍中，僅得還燕。閔忠、崇國二寺已俱爲兵毀，丞相雅克里等奉朝命，徙各寺人匠，中書令耶律楚材署疏，請主閔忠寺。尋之崇國寺。行臺舒穆嚕明安聘主寶集寺。歲壬子五月庚子，演說八關淨戒，詰旦謂衆曰：今日止得見汝等一度。又明日留偈而逝世。壽七十有六，僧臘五十有六。是年七月庚子，瘞諸宛平縣玉河鄉魯郭里之祖塋。又樹塔在隆安寺。師示寂既久，行秀傳戒本于崇國定志，志傳昊天顯淨，淨傳崇國定演，演傳原教法聞。臣素採摭始終，發明傳戒之原本，以授今大崇國寺住持普明淨慧大師臣僧智學，俾刻諸石，至正二十四年九月壬申立。五城寺院册 按特古斯，蒙古語全也，布哈義見前，原作帖古思不華。今譯改。

增 明憲宗大隆善護國寺碑記略 禁城西隅有佛刹曰大隆善寺，成於宣德己酉，實我皇祖考因舊更新者也。歷歲滋久，新者復敝，朕仰思先烈，敢不是葺！乃出内帑金帛，市材僦工，鼎新締構，踰年而工告成，規模宏壯，差勝於昔。因增其額曰大隆善護國寺，落成有日，爰述以文。成化八年十一月初二日。同上

〔朱彝尊原按〕趙子砥燕雲録稱，奉使官中書侍郎陳過庭、門下侍郎耿南仲并文武五十餘員元在真定；丁未八月，遣詣燕山崇國寺安泊。則崇國寺金已有之。蓋南北二寺，北建自演公，南則金之舊，今已迷其處矣。原在北城，今移改。

〔臣等謹按〕金元之崇國寺，明改護國，本朝康熙六十一年，奉敕修，有聖祖仁皇帝御製碑文。乾隆十二年，聖駕臨幸，有御製詩，皆恭鐫立石寺中。

增聖祖御製崇國寺碑文　禁城西安門外乾隅，有崇國寺，元大德時所建。至明正德間，命大慶法王居之，爲西僧香火地，迄今二百餘載。康熙六十年春，諸蒙古汗、王、貝勒、貝子、公、台吉、塔布囊等請創寺祝釐，朕未俞允。復合詞陳奏，謂兹寺爲前代名刹，規模具存。纂葺之工，減於肇構。堅懇興修。朕重違其誠，勉從所請。於是藩族庀材，匠氏并力。經始落成，曾不踰歲。蓋棟宇仍舊，而丹雘增焕矣。諸蒙古恭順三朝，述職無曠，至於朕躬，款化益衆。凡在龍堆瀚海内外百餘部落，皆吾藩籬屏翰。故往歲親征漠北，除其蟊賊，近復平定西藏，寧其疆宇，實嘉諸蒙古忠愛之忱，永矢不渝也。今諸蒙古建新兹寺，用祈福佑朕躬，益見諸蒙古感恩思報之誠，而上下交孚，至於絶漠遐陬，胥聯爲一體焉。爰爲記。

增乾隆十二年御製護國寺詩　護國祇園已有年，勝跡靈蹤傳日下。日下舊聞云，大隆善護國寺都人呼崇國寺，趙孟頫書有碑。寺爲托克托丞相故宅，今千佛殿旁立一老髯幞頭朱衣，一老媼鳳冠朱裳者，托克托夫婦也。誰知今日梵王宇，乃是前元丞相舍。我屢經過未臨顧，問古尋詩其可罷。初冬清蹕移御園，道便琳宮一停駕。重扃獰有開明守，曲砌明争越綾砑。森然喬木蔭玉墀，紛若豐碑傍雲榭。天人帝釋各殊相，或喜而齗怒而咤。夜摩兜率六欲天，其次修羅鬼王伯。能仁端居乃無爲，信有三摩司造化。試思舍宅福何在，墨胎翁媪相看乍。幞頭鳳帔易舊裝，祇博腐儒相獎借。道同豈必繫衣冠，雀弁黄收異周夏。北魏金遼率殷鑒，謬云復古罪無赦。北魏金遼及有元皆易漢衣冠者也，不一二世而陵夷衰微。蓋忘本棄舊，徒尚虚文，雖復古何益耶！當年燮理責難辭，翁而有知首肯謝。甲第潭潭富且宏，周覽規模增感訝。隔街燕國有賜居，其門如水纔三架。隔街即大學士張廷玉居之，故戲及之。

原 京師有姚少師畫像，面大方肥，紅袍玉帶，髠頂上戴唐帽，今崇國畫像猶是僧服，姿容瀟灑，雙睛如電光之燦。像贊云：看破芭蕉拄杖子，等閑徹骨露風流。有時摇動龜毛拂，直得虚空笑點頭。蓋本色衲子語。長安客話

原 袁宏道崇國寺遊記 崇國寺僧引觀姚少師像，像贊皆本色衲子語，少師自題也。過番僧舍，觀曼殊諸大士變像。藍面猪首，肥而矮，遍身帶人頭，有十足駢生者，所執皆兵刃，形狀可駭。僧言烏斯藏所供多此像，因談彼國風俗及道里險遠之狀。大率烏斯藏諸國以中國最下茶爲國寶，市物皆用之。黄白金反滯不得行。國無稻，所食皆麥菽，數十里一君，如中國之郡邑然，僻陋儉苦之鄉也。袁中郎集 以上二條原在北城，今移改。

增 王鏊姚少師像詩 下馬摩挲讀古碑，欲詢往事少人知。獨留滿月龕中像，共識凌烟閣上姿。頗隱三毫還可似，功高六出本無奇。金陵戰罷燕都定，仍是臞然老衲師。震澤集

原 正覺寺在發祥坊。明順天府志 原在北城，今移改。

〔臣等謹按〕正覺寺在正覺寺衚衕。有碑二：一爲成化四年翰林院修撰陳鑑撰，録畧如左；一爲嘉靖元年通政司參議顧經撰，辭冗不具録。

增陳鑑正覺寺碑略　御馬監太監韓諒賜宅一所，在宛平縣發祥坊，施於善人鄭道明，於成化三年春創建佛殿、天王伽藍殿、僧房三十餘間，菜圃果樹數百株，義井二。韓諒奏聞，勑賜正覺禪寺。成化四年立。五城寺院冊

原金剛寺在積水潭之上，興德寺東。寺有石勒金剛經。前小閣，後静室，紙窗棐几，殊有幽趣。後乃改創大殿高閣，左右翼樓數十楹，往昔清深幽遠之致盡化於砂礫間矣。燕都遊覽志

原金剛寺卽般若庵也，背湖水，面曲巷。舊有竹數叢，小屋一區。萬曆中蜀僧省南大之，前立大殿，後建高閣。寺西廡石刻金剛經，署宰官名，倩人筆也。士大夫看蓮北湖，每一憩寺中。帝京景物略　此條原在北城，今移改。

〔臣等謹按〕金剛寺又名般若庵，在積水潭東南。石刻金剛經今無存。惟姚希孟募緣疏碑及本朝順治十年大理寺丞高去奢撰碑在庭中。

增韓四維夏雨同文湛持諸公集金剛寺詩　禁烟何處磚城西，晚入鐘聲穩故棲。世路日燒千變化，空門雨色一端倪。似長夏夢松如髮，漸易秋光草出泥。自是遠公堪作友，平橋家在綠楊堤。坐聽高言風易寒，月臺香盡破冰丸。磬鐘響在空非界，師友心期戒有壇。樹入水烟多晚合，山圍城郭自長安。林鵶宿鳥喧難定，不礙聲聞著野干。帝京景物略

增顧錫疇過金剛寺詩　結夏禪林迥，無門可閉關。湖光依北郭，爽氣借西山。日永諸天静，鐘清初地閒。新辭魔眷屬，定入夜雲還。握日草

原興德古刹，左旁地俱售之般若庵，逼仄不能容步，右旁多僧舍，修篁綠籜，叢木青桐，相望楚楚。後有平臺，大可畝許，解帶臨風，開襟敵水，固不減在濠濮間也。燕都遊覽志　原在北城，今移改。

〔臣等謹按〕興德古刹今寺額曰興隆禪林，在金剛寺後，平臺久廢。

原 從興德寺折北而西，爲蓮花庵，疏林朗樾，含吐餘清。後一臺瞰湖陽諸寺，若列眉案，隣有火神祠。後亦有臺可以眺遠。燕都遊覽志 原在北城，今移改。

〔臣等謹按〕蓮花庵今未詳其處。遊覽志云，從興德折北而西。則蓮花之距興德，徑頗紆迴。或一二里許，皆未定。今按地安橋北有火神廟，廟後瀕湖，有樓可瞻眺。志所稱庵祠遺跡，或卽其地，然他無可證，謹識以闕疑。

原 于慎行詩 禪宮遥倚北樓開，樓下平湖落照來。金水環城全象漢，蓮花湧寺宛成臺。諸香各捧空王座，一葉能浮大乙杯。便是忘歸歸亦醉，夕陽清角莫相催。穀城山房集

原 吳惟英詩 去年花外客，今復到長堤。淺水兼天闊，新蒲與岸齊。鐘傳高閣遠，柳覆小橋低。指點村烟起，歸心促馬蹄。墨響齋集 以上二條原在北城，今移改。

增 朱宗吉九日集蓮花池詩 西風吹燕臺，木葉落我前。寒衣又砧杵，遊子悲經年。偶聞節重九，攜酒向湖天。漁歌操北音，水鳥閒自然。澄波白日下，蒲柳寒已烟。風色一何似，客歸豈不賢。帝京景物略

增 鄧以讚蓮花庵詩 霧起雲低作夕陰，雨餘荷氣四邊侵。一秋僻寺時休暇，半晌餘鐘夜淺深。湖上月生孤片影，草閒蟲老久高吟。年來漫習山僧味，始向塵中靜此心。鄧定宇集

原 海子在府西三里，汪洋如海，中有芰荷鳧鷗可玩。紀纂淵海

原 禁城中外海子，卽古燕市積水潭也。源出西山一畝、馬眼諸泉，繞出甕山後，匯爲七里濼，紆迴向西南行數十里，稱高梁河。將近城，分爲二：外繞都城，開水門；內注潭中，入爲內海子。繞禁城，出巽方，流玉河橋，合外隍，入於大通河。湧幢小品

原 積水潭在都城西北隅，東西亘二里餘，南北半之。西山諸泉從高梁橋流入北水關匯此。

或因内多植蓮，名爲蓮花池。或因水陽有淨業寺，名爲淨業湖。内官監向嚴魚禁，今稍弛矣。酒後一葦，山光水色，簫鼓中流，時復相遇，江以北來無此勝游。然泛必從小徑，抵鰕菜亭，乃盡幽深之致。中元夜，寺僧於淨業湖邊放水燈雜入蓮花中。游人設水嬉，爲盂蘭會，梵唄鐘鼓，雜以宴飲，達旦不已。水中花炮有鳧雁龜魚諸種。冬時河凍，作小冰牀，各坐於上。一人挽行，輪滑如騾駛。好事者恒覓十餘牀，攜圍爐酒具酌冰凌中。積水潭水從德勝橋東下，橋東偏有公田若干頃，中貴引水爲池，以灌禾黍，緑楊毿毿，一望無際。稍折而南，直環北安門宮牆左右，流入禁城，爲太液池，汪洋如海，俗呼海子套。燕都遊覽志

原海子岸上接龍王堂，以石甃其四周。海子一名積水潭，聚西北諸泉之水流行入都城而匯於此，汪洋如海，都人因名焉。仁宗延祐六年二月，都水監計會前後與原修舊石岸相接，月五日興工，十一日工畢。至治三年三月，大都河道提舉司言：海子南岸東西道路，當兩城要衝，金水河浸潤於其上，海子風浪衝齧於其下，且道狹不時潰陷，泥濘車馬，難於往來，如以石砌之，實永久之計也。泰定元年四月，工部應副工物，七月興工，八月工畢。元史河渠志

原至元三十年秋，車駕還自上都，過積水潭，見舳艫蔽水，天顔爲之開懌。特賜都水監

郭公錢一萬二千五百緡，仍以舊職兼提調通惠河漕運事。（元名臣事略）

補都人呼飛放泊爲南海子，積水潭爲西海子。按海子之名見於唐季，王鎔爲鎮帥，有海子園，嘗館李匡威於此。北人凡水之積者輒目爲海，若寶坻之七里海，昌平北之四海冶，是也。元時運船直至積水潭，王元章詩：燕山三月風和柔，海子酒船如畫樓。想見舟楫之盛。自徐武寧改築北平城後，運河、海子截而爲二。城内積土日高，雖有舟楫，橋梁不能度矣。（詠歸録 以上六條原在北城，今移改。）

增大都之中舊有積水潭，聚西北諸泉之水，流行入都城而匯於此，汪洋如海，都人因名焉。世祖肇造都邑，壯麗闕庭，而海水鏡淨，正在皇城之北，萬壽山之陰。自至元三十年濬通惠河成，上自昌平白浮村之神山泉，下流有王家山泉，昌平西虎眼泉，孟村一畝泉，西來馬眼泉，侯家莊石河泉，灌石村南泉，榆河温湯，龍泉，冷水泉，玉泉，諸水畢合，遂建澄清閘於海子之東。有橋南直御園通惠河碑，有云取象星辰，紫宮之後，閣道横貫，天之銀漢也；擬跡古昔，恣民漁採，澤梁無禁，周之靈沼也。（元一統志）

增積水潭在宛平縣西北三里，東西亘二里餘，南北半之。西山諸泉從高梁橋流入北水關，匯此，折而東南，直環地安門宮牆，流入禁城，爲太液池。元時既開通惠河，運船直至積水潭。自明初改築京城，與運河截而爲二。積土日高，舟楫不至，是潭之寬廣，

已非舊觀。故今指近德勝橋者爲積水潭，稍東南者爲十刹海，又東南者爲蓮花泡子，其始實皆從積水潭引導成池也。大清一統志

〔臣〕等謹按〕積水潭上有鎮水觀音庵，本朝乾隆二十六年改建，賜名曰匯通祠。有扁二，一曰潮音普覺，一曰功兼利濟。皆皇上御書。庭中恭立御製詩碑。

增 乾隆二十六年御製積水潭匯通祠詩 瀦蓄長流濟大通，通潞轉漕，藉玉泉引流匯濟是潭，在都城西北隅，入皇城爲太液池，東南出經大通橋爲運河，以歲久淤墊，命重加挑濬，並葺新舊祠名曰匯通。澄潭積水映遙空。爲關溯潤應垂制，河流分派，灌輸紆餘瀦蓄，前人經理實善，旗民夾岸而居，人烟輻輳，因築牆爲之限制，以禁污穢。因葺崇祠喜畢工。海寺月橋率難考，燈船歌館漫教同。是潭爲前明游讌之所，見日下舊聞。紀吟權當留碑記，殷鑒恒深惕若衷。

增 又御製積水潭三首 積水蒼池蓄衆流，節宣形勝鞏皇州。疏淤導順植桃柳，三里長溪可進舟。一座湖亭倚大堤，兩邊水自別高低。片時濟勝浮烟舫，春樹人家望轉迷。烟中遙見廟垣紅，瞬息靈祠抵匯通。雨意溟濛猶未止，出郊即看麥苗芃。

原 趙孟頫大都紅牆外海子上即事詩 白水青山引興多，紅裙翠袖奈愁何。祇從暮醉兼朝醉，聊復長歌更短歌。輕燕受風迎落絮，遊魚吹浪動新荷。餘杭溪上扁舟好，何日歸休理釣蓑。松雪齋集

原 盧亘海子上即事詩 馳道塵香散玉珂，彤樓花暗弄雲和。光風已轉瀛洲草，細雨微添太液波。月榭管絃催曙發，水亭簾幙受寒多。少年易動傷春感，喚取青霞對酒歌。皇元風雅

原 宋本詩 度橋西望似江鄉，隔岸樓臺罨畫妝。十頃玻瓈秋影碧，照人騎馬過宮牆。至治集

原 許有壬飲海子舟中江城子詞 柳梢烟重滴春嬌。傍天橋。住蘭橈。吹暖香雲，何處一聲簫。天上廣寒宮闕近，金晃朗，翠岧嶢。 誰家花外酒旗高。故相招。儘飄搖。我政悠然，雲水永今朝。休道斜街風物好，纔此去，便塵囂。

圭塘小藁

原宋褧海子岸望海潮詞　山含烟素，波明霞綺，西風太液池頭。馬似遊龍，車如流水，歸人何暇夷猶。叢薄擁金溝。更蕭蕭宫樹，調弄新秋。十里烟波，幾雙鷗鷺兩漁舟。暮雲樓閣深幽。政砧杵丁東，絃管啁啾。澹澹星河，熒熒燈火，一時清景難酬。馬上試冥搜。填入耆卿譜，模寫風流。明日重來柳下，攜酒教名謳。燕石集

補黄清老海子上有期作　金堤晴日共鳴鑣，傾蓋松陰待早朝。數盡荷花數荷葉，碧雲移過水東橋。樵川集

補張翥清明日海子風入松詞　尋春春在鳳城東。羅帕玉花驄。美人半彈垂鞭袖，游塵滿目斷雲空。淺碧湖波雲漲，淡黄官柳烟蒙。相如多病賦難工。宿酒更頻中。歸來自按新聲譜，憑誰解唱與東風？一夜小窗疏雨，杏花明日應紅。蛻庵樂府

補趙子昂同李子構過海子，飲於酒家，有小姬勸飲，子昂賦詩云：小姬勸客倒金壺，家近荷花似鏡湖。遊騎等閒來洗馬，舞鞋輕妙迅飛鳧。油雲判涴纏頭錦，粉汗生憐絡臂珠。只有道人塵境静，一襟涼思詠風雩。子構詩云：馳道塵香逐玉珂，彤樓花暗鼓雲和。光風漸緑瀛洲草，細雨微生太液波。月榭管絃鳴曙早，水亭簾幙受寒多。少年易動傷心感，唤取青眉對酒歌。子構名材，京兆人。年十七賦此詩，又嘗於客座詠十月桃得句云：劉郎再來歲云暮，王母一笑天回春。衆皆閣筆。子構夭死，子昂稱其詩雜於唐人中未易辨，而皇元風雅、元詩體要皆作盧亘詩，非也。不出户庭録　以上八條原在北城，今移改。

〔臣等謹按〕朱彝尊原書所載盧亘詩，朱昆田引不出户庭録辨爲李子構作。今以元文類考之，當以朱昆田之説爲是。又皇元風雅載盧亘詩與子構互異者凡九字，逐作散，鼓作弄，漸緑作已轉，生作添，鳴曙早作催曙發，傷心作傷春，青眉作青霞，謹附識以備考。

原水關在德勝門西里許，水自西山經高梁橋來，穴城趾而入，有關爲之限焉。下置石螭，迎水倒噴，旁分左右，既噏復吐，聲淙淙然自螭口中出。燕都遊覽志

原德勝門之西，城垣下有水竇焉，西山諸水從此流入都城水口，爲石犀以當之，遏衝突緩水勢也。而庵其上，名曰鎮水觀音庵。其北卽水入處，泠泠有海潮之音。庵創自成祖時姚少師，而内臣鋼公者實纘成之。長安可遊記 以上二條原在北城，今移改。

〔臣等謹按〕水關在德勝門西，石螭在南岸，石犀不可考。水由城牆入處，今名鐵欞牐，蓋牐口密植鐵欞，以防人之出入，而無碍於行水也。鎮水觀音庵詳積水潭條下。

增牐河水門在和義門北，金水河水門在和義門南，肅清門廣源牐別港有英宗、文宗二帝龍舟。析津志

〔臣等謹按〕元西城三門至明徐達改建都城，廢肅清門，餘平則、和義二門，仍舊制。説見陳循寰宇通志。蓋今之西直門，卽元之和義，而肅清遺址當自此迤北而西也。又西直門外長河萬壽寺西有廣源牐，土人呼爲斗府牐。考大清一統志，載其始建在元至正二十六年，距西直門七里。以今證昔，遺闉遺牐相連可知，卽別港亦可約略計矣。

增水關是水所從入城之關也。水一入關，方廣卽三四里，北水多鹵，而從關以入者甘，水鳥盛集焉。沿水而刹者墅者亭者，因水也，水亦因之。刹各鐘磬，亭墅各聲歌。歲初伏日，御馬監内監旗幟鼓吹導御馬數百洗水次。歲盛夏，蓮始華，宴賞盡園亭，雖蓮香所不至，亦席亦歌聲。歲中元夜盂蘭會放燈蓮花。中冬冰堅凍，一人挽木小牀驅如衢，曰冰牀。雪後集十餘牀，罏分尊合，月在雪，雪在冰，西湖春，秦淮夏，洞庭秋，東南人自謂未曾有也。帝京景物略

原于慎行北闈詩　西城別苑勝瀛洲，十里平湖静不流。岸草離迷橋畔雨，宫槐隱映水邊樓。聲傳簫管三天近，香散芙蓉六月秋。信道吾皇簡遊幸，石鯨飛處鎖龍舟。穀城山房集

原公鼐苑北水關小寺詩　淨域青蓮會，明湖玉鏡遊。水原分太液，客至自瀛洲。頓起濠梁想，疑來洞壑幽。弄珠乘月去，晚吹覺新秋。問次齋稿　以上二條原在北城，今移改。

增謝鐸過北海子因憶賓之相約不果詩　鳥外青山昨雨過，馬頭西望翠嵯峨。烟光平墮寒雲起，秋色空明水氣多。岐路有情方坎坷，客心無賴亦蹉跎。歸來莫怪相期晚，不出從嗔奈爾何。桃溪淨稿

增于慎行雨行北安門外湖上詩　湖上窗欄如畫舟，一天凉雨入空秋。平橋蘆荻蕭蕭冷，別浦鷗凫汎汎流。霧色近迷三苑樹，烟光遥際五城樓。時清湛湛多濃露，十里芙蓉接御溝。穀城山房集

增韓四維飲水關湖上詩　山光連市口，水氣濕城腰。擊鼓誰家月，臨風數處簫。韻題分永夜，人物計今朝。喧醉無高簡，難令秋寂寥。風日閒過此，心情草木知。遠山曾故舊，好友省言詞。病裏安棋局，年荒窄酒巵。烟波不盡望，長是苦吟時。帝京景物略

原蓮花社有亭在水關西，今傾圮。燕都遊覽志

原鰕菜亭在蓮花社西，一藩隔之，水部戴大圓建。上同

原舊城巋然傑堵，云是元時舊址，中作鐵溝，昔時以車運冰上流者，今尚堅緻。寒蘚荒苔，遥映林泉，翠蒨殊可憑高弔古。同上　以上三條原在北城，今移改。

〔臣等謹按〕蓮花社、鰕菜亭、舊城俱無考。

增元好問臨錦堂記　燕城自唐季及遼爲名都，金朝貞元迄大安，又以天下之力培植之。風土爲人氣所移，物産豐潤，與趙魏無異。六飛既南，禁鑰隨廢，此焦土之變，其物華天寶，所以濟宫掖之勝者，固已散落於人間矣。御苑之西有地焉，深寂古淡，有人外之趣。稍增築之，則可以坐得西山之起伏。幕府從事劉公子裁其西北隅，爲小圃，引金溝之水，渠而沼之，竹樹葱蒨，行布棋列，嘉花珍果，靈峯湖玉，往往而在焉。堂於其中，名之曰臨錦。癸卯八月，公子觴予此堂，坐客皆天下之選。酒半，公子請予爲堂作記，并志雅集。予亦聞去秋堂之南，來禽再華，騷人詞客多爲樂府歌詩以記其異。名章雋語，傳播海内。夫營建之盛，游觀之美，以今日較之，十倍於臨錦者抑多矣。而臨錦獨以名天下，何也？蓋劉公子出貴家，志得意滿，時輩莫敢與抗。乃能折節下士，敦布衣之好，以相期於文字間，境因人勝，果不虚語。河朔板蕩以來，公宫侯第，曲室便房，止以貯管絃，列姬侍，深閉固拒，勑外

内不得通，其不爲風俗所移者纔一二見耳。異時有鄉儒術通賓客，置鄭莊之驛，授相如之簡，以復承平故事者，予知其自臨錦主人發之，故樂爲之書。遺山集

〔臣等謹按〕臨錦堂遺址無可蹤跡，據元好問記云：御苑之西有地，裁其西北隅爲小圃，引金溝之水渠而沼之，是兹堂南背城而北面海。以其地考之，當在今積水潭之南岸以西云。

原 淨業寺，從德勝門西，循城下行，徑轉得此寺，昔爲智光寺之基。寺東軒有二楹可坐，寺前舊作廠棚，列席浮尊，宴飲殊適，今廢矣。湖上有魚藕監。燕都遊覽志

原 淨業寺門臨水岸，去水止尺許。其東有軒，坐蔭高柳，荷香襲人，江南雲水之勝無以過此。明水軒日記

原 劉效祖看蓮詩　杖履吾何適，逢僧曲水邊。三乘開寶地，六月湧金蓮。雨過塵心淨，風來爽氣偏。浮生閒自惜，不是爲逃禪。劉念庵詩集

原 朱國祚夜宿淨業寺詩　僧樓佛火漾空潭，李廣橋低積水含。一夜朔風喧樹杪，薊門飛雨遍城南。介石齋集　以上四條原在北城，今移改。

增 劉榮嗣遊淨業寺詩　塵事溪邊淨，游思雨後濃。於君歡識面，久我想臨風。樹影移殘席，荷香度遠空。飛棲俱不定，暫此失樊籠。帝京景物略

增 劉應秋九日集淨業寺湖上詩　芰荷池上遠鴻飛，望處西山翠不微。白鶴仙人頻换酒，青蓮釋子爲開扉。坐依緑樹懸蘿影，閒看青濤映草菲。日暮笙歌雙闕靄，太平天子正垂衣。劉大司成集

增 孫如游淨業寺詩　禪堂入暮可曾關，馬逐飛花向此間。鐘界朝昏應自急，水流深闊正如閒。蒼然野岸燈初過，迥爾疏林月始彎。風定湖光分半翠，不知是影是真山。帝京景物略

增 戴九元集淨業寺湖亭詩二首　湖月林風誰是主，叉魚踏藕自留賓。頻尋柳色城邊路，獨占秋光醉裏身。敗葉疑鷗浮漸遠，老僧如鶴瘦堪親。隣家亭子終年閉，不教蘆花笑殺人。湖上壕邊秋色深，蓼花蘆葉共蕭森。平潭樹逐波光動，隔岸林連夕照陰。鷗夢乍驚隣寺磬，鴻聲欲度滿城砧。涼風莫更翻荷露，客袂颼颼恐不禁。帝京景物略

增范景文游淨業寺湖亭詩　湖容大半入秋工，領略尤當在雨中。水氣易陰仍近夜，荷香因靜不關風。波間坐石聽呑吐，雲際看山想異同。對寺心如花不染，味來茶韻亦能空。冰餐堂稿

原太平庵在淨業寺北。循城垣有橋，橋下爲水關，清流瀰瀰，南流注入大湖。岸左爲庵，庵小而潔。燕都遊覽志　原在北城，今移改。

增楊方盛重修太平庵碑記　德勝門西不半里，有一道場，爲王聚洲在工垣時建，稱滇省香火院云。相傳草創經始，直塹回塘，掘出片石，勒太平庵三字，因以名庵。庵背城臨湖，可數頃許。每秋夏之間，接天蓮葉，向日荷花，四顧送青，滿波輪綠。有仕人謀據庵之勝，問主僧可讚，讚不可，更修之，追尋舊碑，則没滅不可復識。蓋前僧有售志，滅其跡爾。崇禎七年甲戌立。五城寺院册

〔臣等謹按〕太平庵在淨業寺西，遊覽志作北，誤。又考碑後題有太平院三字，則玆庵亦嘗名院矣。

增黄景昉同閔中畏李括蒼招集太平庵詩　與子逢休澣，良遊興未孤。地偏贏艾柳，身已伴鷗鳧。野艇纔容膝，新蓮漸放鬚。老僧能好事，隨意饌伊蒲。不遠城隅勝，風塵已覺寬。隔溪鳴布穀，新果薦文官。鐵瓦通泉古，冰壺濯夢寒。春衣仍可典，無畏酒杯乾。帝京景物略

原漫園在德勝門積水潭之東，米仲詔先生所構；中有閣三層。先生嘗爲湛園、勺園，及此而三。燕都遊覽志　原在北城，今移改。

〔臣等謹按〕漫園今無考。湛園詳中城本條下。勺園詳郊坰本條下。

增米萬鍾漫園初成詩　紀勝無勞出郭輿，卧遊眺聽日堪書。嵐銜石髮縈山帶，梵挾松絃韻木魚。狎主風烟俱老大，慣親鷗鳥獨迂疏。偶從圖畫親摹得，疑向江鄉乍卜居。勺園稿

增劉榮嗣立春日米仲詔邀集漫園詩　結侶同幽賞，佳游不厭賒。看雲來野岸，問柳到僧家。寒氣通春信，迴風逗雪花。心關石徑草，青動幾分芽。半舫集

原定國徐公別業，從德勝橋下右折而入，額曰太師圃。前一堂，堂後紆折至一沼，地頗

疏曠。沼内翠蓋丹英，錯雜如織。沼北廣榭，後擁全湖，高城如帶，庭有垂柳，裊裊拂地，婆娑可翫。堂左右書室，西築高臺，聳出樹杪，眺望最遠，濱湖園爲第一。燕都遊覽志　原在北城，今移改。

【增】吳惟英社集定國公園詩　城西喧未去，輒得此園林。柳碧午亭暗，荷香暑坐深。鶯堤通北岸，雉堞隔高岑。荒落澄湖曲，塵飛了不侵。墨響齋集

【增】張學曾社集太師圃詩　苑外湖光淨，橋西野色分。花晨先著雨，亭午不飛雲。同客俱鄉思，徽詩得酒羣。清游餘戀戀，車馬散斜曛。帝京景物略

【原】孝廉劉百世別業，堂三楹，南有廣除，眺湖光如鏡，故名鏡園。下有路，委折臨湖。門作一臺，望山色遥青可鑒。臺下地最卑，眺湖較遠，今屬冉都尉。燕都遊覽志

【原】相國方公園在城北水關西。同上　以上二條原在北城，今移改。

【增】元石湖寺在德勝門内北湖旁，後爲方閣老園。春明夢餘録

〔臣等謹按〕石湖寺無考。方園據太平庵崇禎七年碑末記云，本庵東有園地八丈九尺，東至方家園南，西並至湖邊，北至城路，是方家園雖亦久廢，可即太平庵而得其故址矣。定園、鏡園俱廢。

【原】劉茂才園，創三楹北向，無南榮，東纍層級而降，下作朱欄小徑。北軒二楹，南有小沼種蓮，北扉當湖東，有書室，上作平臺。此地居湖中，乃南北最修處，所以獨勝。燕都遊覽志

原湜園者，太守苗公君顥別業也，西面望湖。同上

原楊園在湜園稍南，楊侍御新創。同上　以上三條原在北城，今移改。

〔臣等謹按〕劉茂才園、湜園、楊園，今俱無考。

欽定日下舊聞考卷五十四

城市 內城 北城

【原】北居賢坊五牌三十八鋪，有濟陽衛、大寧衛、燕山右衛、義勇左衛、北新倉、大軍倉、五岳觀、圓寧觀、報恩寺、柏林寺、金太監寺。五城坊巷衚衕集

【原】正統十年五月，以在京居賢、崇教二坊草場築倉收糧。明英宗實録

【原】萬善寺在北居賢坊，有勅建碑。明順天府志

〔臣等謹按〕濟陽等衛今無考。北新倉、大軍倉詳官署門。五岳觀今存，其地即以是名。創自宋元間，明萬曆八年重修，有吏科給事中吴文燦撰碑。圓寧寺在今羊管衚衕，係元時舊蹟，以僧圓寧得名。明嘉靖十五年，沙門朽庵、宗林重修，其碑尚存寺中。又有元時石碣，亦作圓寧，其爲圓寧寺無疑。朱彝尊原書引五城坊巷衚衕集誤作元寧，今門額亦作元寧者，乃書額者未之考耳。報恩寺今存，内有碑一，明成化二年修撰嚴安禮撰。柏林寺在今雍和宮東，建於元至正七年，明正統間重建。有

正統十二年祭酒李時勉碑。金太監寺今已毀，其地猶名金太監衚衕云。萬善寺亦在今羊管衚衕，明隆慶三年重修，有禮部尚書趙貞吉碑。

原五岳觀，宣德元年建。寰宇通志

〔臣等謹按〕五岳觀碑云，創自宋元間。寰宇通志云宣德年建，誤也。

原洪武元年八月，天兵定燕都，危學士素走報恩寺，俯身入井，寺僧大梓挽出之，謂曰：國史非公莫知，公死，是死國之史也。危由是不死。翰林待制黃殷士啤投居賢坊井中，從人張午負以出，曰：君小臣而死社稷耶？黃曰：齊太史兄弟皆死小官，彼何人哉！午使家人環守，至日昃，會大將軍徐達下令，勝國之臣俱輸告身。黃紿午取告身，午出，還求勿得，亟往視井，則黃已死，午買棺以斂，且營葬焉。餘冬序録

原柏林寺在國子監之東，有夏泉、金湜、包琪、潘暄、陳政、楊煥、孟陽、司馬恂於此分韻賦詩，寺僧彙而成册，朱之蕃跋其尾。燕都遊覽志 以上二條原在東城，今移改。

〔臣等謹按〕柏林寺，本朝康熙五十二年奉勅修，乾隆二十二年重修。正殿内恭懸聖祖仁皇帝御書萬古柏林四字額。天王殿額曰摩尼寶所，東齋堂額曰法苑金湯，西禪堂額曰心空及第，無量殿額曰善獅子吼，後閣額曰萬佛寶閣，小法堂額曰中流砥柱。皆世宗憲皇帝御書。正殿額曰覺行俱圓。聯曰：座上蓮花前後果；庭中柏子去來心。無量殿額曰祥輪永駐，後閣額曰寶相莊嚴，大悲壇額曰攝諸禪定。皆皇上御書。

增御製重修柏林寺碑文 京師名刹不勝紀，而柏林寺以傅近雍和宫特著。雍和宫者，我

皇考興慶潛邸也。皇考祝釐皇祖，故於康熙癸巳施檀重修，且請於皇祖，特賜萬古柏林之額。若禪堂，若經閣，則皆皇考寶翰。後先輝映，至自今又四十餘年矣。塗之丹者日以剥，構之聳者日以落。爰以乾隆丁丑仲冬，勅所司葺而新之，逮戊寅長至訖工。寶界莊嚴，人天增勝。考寺之始創也，不著於圖志。惟明正統間所存故碣稱元至正七年肇建。乃其所援據僅出屋梁題字。近時孫承澤春明夢餘録闕而不詳，朱彝尊日下舊聞亦第載夏泉、金湜、包琪輩故嘗聯詠於此。將謂希風蓮社則可，若藉林興起之緣，不足引以爲重也。夫史策所傳天池躍龍之篇，一名一物猶必鄭重愛惜，被諸樂府，垂示無窮。兹也精藍翼然，依光聖蹟，所以肯構而崇飾之者，匪直表章緇素而已。夫人之情雖善忘，而孩提時事或不忘者，以其見聞久而孺慕切也。兹寺之葺其不可已者以此。將作以礱石請，故不徵象教言詮而書之，重記實也。

〔臣等謹按〕柏林寺西爲行宫。殿中額曰心香室。聯曰：近華鬘雲邊，慧心常照；入旃檀林裏，香界俱清。内間聯曰：心田淨洗全如水；鼻觀清芬詎必蓮。俱皇上御書。

增 乾隆二十三年御製柏林寺拈香詩 柏林古刹炳長安，歲久瓌題昔廢殘。況是近鄰躍龍邸，特教重焕散花壇。緑衣隨喜思依怙，萱阤延釐合施去聲檀。佛法故當忘平聲一切，於斯云忘（去聲）我誠難。

【原】八蜡廟在府治東北。（明順天府志）

〔臣等謹按〕八蜡廟今無考。

【原】崇教坊十四鋪，有天聖寺、淨居寺、極樂寺、崇興庵。（五城坊巷衚衕集）

〔臣等謹按〕天聖寺今存，在小三條衚衕。淨居寺、崇興庵無考。

【原】極樂寺在崇教北坊，元至元間建。開元寺在崇教南坊，俱有勅建碑。（明順天府志）

〔臣等謹按〕極樂寺在安定門街東，明嘉靖辛酉重修，行人司尹校撰碑。開元寺在新橋路北，内有開元寺興造碑記，明正統十年國子司業趙琬撰。後改名惠明寺，據天順四年趙昂撰勅賜惠明寺碑畧云，開元寺住持定慧以寺名請，謂寺創自唐開元間，歷宋元以至明宣德初再造，越數歲而成功，寺因舊號，未遂改正，乞賜新名，遂賜今名云。本朝乾隆元年，奉勅重修，改名慈壽寺。稍東有寶公寺。又東爲東藥王廟，有明萬曆年間碑。

【原】圓恩寺在昭回坊，元至元間建。又慈善寺、文昌宫俱在靖恭坊，亦有勅建碑。（明順天府志）

〔臣等謹按〕圓恩寺在圓恩寺衚衕，有碑二，剥落不可讀。寺西有廣慈庵，碑偈有建立十方院圓恩是比鄰之句，可以爲證。文昌宫在帽兒衚衕，乾隆二十七年重修。西側有斗母宫，其勅建碑無考。慈善寺在鼓樓大街路東，有明萬曆十四年頒賜藏經並勅諭一通，及通政司李琦撰碑。正殿額曰慧根真相，聖祖仁皇帝御書。

增顯佑宫在地安門東北，雍正九年重修，歲恭遇萬壽日，遣官致祭。大清一統志

〔臣等謹按〕顯佑宫，中奉真武，明永樂十三年創建，成化十五年修，俱有碑。本朝雍正九年重修，乾隆二十八年又修，正殿額曰拱辰錫福。聯曰：太紫衞皇圖，功資左輔；上清通昊綍，化運元樞。皆皇上御書。

增御製重修顯佑宫碑記　議禮家禀承經訓，斥道流傅會神奇之事以爲説莫吾勝，顧不揆夫天人幽明所究極。道者之説之本出乎經，故道晦而經益荒，即禮亦因之以缺。圖誌載真武之神爲靖樂王太子，受道秘於紫虚元君，入山修錬飛昇，從而著寶號傳真籙，疑於精英惚怳足以聳動一世之耳目，而不能塞扶翊風教者之心。然禮不云乎！前朱雀而後玄武。釋者謂玄武即龜蛇，爲旐有四斿，其星虚危七宿，其次元枵娵訾，凡注天官職方者莫不徵引。蓋先王取象以節軍旅疾徐進返之度，爲能應天而順人。即由此推之，命討告功，若禡禨伯禱，庸得謂非其所有事而竟齒於無文之秩乎？今道家奉神，左右有將曰龜曰蛇，正數典不忘其朔。至改玄武爲真武，則自宋時避廟諱以真代玄始。而羽士尊之曰北極玄天，又取漢時五帝義疏沿而襲之，其訓後爲北方，原出經解，匪彼氏哆譚尤信。

京師顯佑宮建自明永樂十三年，以祀佑聖真君。正德中，更署額爲靈明顯佑。按成化碑記備詳洪武及靖難間行陣呵護之應。雖語涉響像，尚不謬經文飾怒遺意。其後濫觴罔制，致内官陳善憑兹援納左道，猥瀆明禋，宮猶巍然，神豈顧饗？惟是神宮，地當坎位。稟元冥之令，符天一之行。佑國佑人，昭格融顯。有其舉之，亦莫可廢。乃以癸未孟春，出内帑之羨，鳩工庀材，匪增曰葺。其年十有二月訖事，整贍恢閎，足以揭虔展事。所司礱石請記，爲推明闡道正經之大者，以示前民用而祛民惑。其他世俗昭報如雞鳴之祠，武當之幣，皆略而不書。

增 乾隆二十九年御製顯佑宮三首 百年琳觀勝朝遺，丹雘重新焕柍楣。有舉何妨遵不廢，瓣香慶落迓春祺。崇構枚枚豁且庨，迎門古月在梅梢。（墀中砌石，上有文象梅梢古月，舊物也。）清霄香雪雲間泛，入藉依稀林與茅。武當送豈效前明，壬癸龜蛇語或誠。但使佑民卽宜敬，禋宗奚必致深評。

原 北之東曰安貞。（輟耕録）

原 程鉅夫賜地京師安貞門以築室。（元史本傳 以上二條原在宫室門，今移改。）

原 永樂七年六月，修安定門城池。（明成祖實録 原在世紀門，今移改。）

原 靈椿坊八舖。（五城坊巷衚衕集）

原燕山，竇十郎故居，或云在城西，或云在昌平，或云在涿州，或云在薊州。當時馮瀛王道贈詩，有靈椿一株老之句。今北城有靈椿坊，疑是十郎舊里。此靈椿所以名坊也。淥水亭雜識

補張翥買屋靈椿坊詩　五槐濃緑蔭門前，東宇西房十數椽。不是衰翁買屋住，歸時留作僱船錢。蜕庵集

原金臺坊九鋪，有萬寧寺、法通寺、淨土寺、千佛寺。五城坊巷衚衕集

〔臣等謹按〕萬寧寺今存。法通寺，元至正間建，明成化丁酉年復建，堂三間，曰淨業；弘治十二年翰林院學士汪諧爲之記。萬曆四十年修，有户部主事劉應詔撰碑。本朝康熙四十四年重修，改名淨因寺。侍讀學士查昇撰碑。殿外額曰淨因寺，殿内額曰拈花正教。皆聖祖仁皇帝御書。淨土寺在淨土寺衚衕。寺内有明嘉靖二十二年碑，千佛寺卽吉祥寺，有紀事碑一，嘉靖丙申順天府學生馬經撰。畧云，吉祥寺卽元之千佛寺也，在都城坎地金臺坊。舊有石刻云元貞丙申建，至宣德癸丑凡百三十有八年，因故址而新之，遂爲精藍焉。正統戊午五月，敕賜爲吉祥寺，而俗猶以千佛寺稱之。萬曆九年，另建千佛寺於德勝門北八步口，遂稱小千佛寺以别之。

原大德九年二月，建大天壽萬寧寺。元史成宗紀

原成宗布爾罕皇后，京師創建萬壽寺，中塑秘密佛像，生形醜怪，后以手帕蒙覆其面，尋傳旨毁之。元史后妃傳　按：布爾罕，蒙古語佛也，舊作卜魯罕。今譯改。

原泰定四年五月，作成宗神御殿於天壽萬寧寺。元史泰定帝紀

原天壽萬寧寺在鼓樓東偏，元以奉安成宗御像者，今寺之前後皆兵民居之。從湢室而入，有穹碑二，尚存，長各二丈餘。西一碑國書，不可讀，東一碑，歐陽原功文，張起巖書，姚慶篆額，題曰成宗欽明廣孝皇帝作天壽萬寧寺神御殿碑。其北列明碑四，一爲馮祭酒夢禎文，一爲焦太史竑文。析津日記

〔臣等謹按〕萬寧寺，析津日記所紀四碑，撰文姓名只標其二，此外二碑想無足傳，故原書畧之。今寺中止存焦竑一碑，餘俱無考。

原吉祥寺在府治西，元泰定間建。明一統志

補慈隆寺在金臺坊酒醋局外廠東，萬曆二十二年御馬監太監高勳修建。寄園寄所寄録

〔臣等謹按〕慈隆寺在高公庵衚衕。因寺爲高勳所建得名。其西爲酒醋局衚衕。寺有明萬曆二十三年洗馬朱國祚撰碑。

原張公海棠二株，在鐘鼓樓東中貴張宅中，元時遺物。叢本數十圍，修幹直上，高數丈，下以朱欄障之，參差數陰，猶垂數畝。近日易主不知其幾矣。燕都遊覽志

〔臣等謹按〕張公海棠今無考。

原中心閣在府西，元建，以其適都城中，故名。閣東十餘步有臺，繚以垣，臺上有碑刻中心臺三字。明一統志

增中心臺在中心閣十五步，其臺方幅一畝，以牆繚繞。正南有石碑，刻曰中心之臺，實都中東南西北四方之中也。析津志

增中心臺敵樓一十二座，窩鋪二百四十三座。圖經志書

增雙青楊樹大井關帝廟，又北去則昭回坊矣。前有大十字街，轉西，大都府巡警二院；直西，則崇仁倒鈔庫；西，中心閣；閣之西，齊政樓也，更鼓譙樓。樓之正北乃鐘樓也。析津志

〔臣等謹按〕析津志所載中心閣、中心臺舊蹟俱無考。今舊鼓樓大街北城牆有中心臺之名，蓋元朝都城偏北，以鼓樓大街之中心臺爲東西南北之中也。

增鐘樓在金臺坊東，卽萬寧寺之中心閣。圖經志書

增鐘樓京師北省東鼓樓北，至元中建，閣四阿，簷三重，懸鐘於上，聲遠愈聞之。析津志

增鐘樓之制雄敞高明，與鼓樓相望。本朝富庶殷實，莫盛於此，樓有八隅四井之號，蓋東西南北街道最爲寬廣。同上

原危素爲翰林學士，居鐘樓街。會稽王山農冕遊大都，嘗見其文而不相識。一日，危騎而過出農所，與之坐，不問其姓名。徐曰：君非鐘樓街住耶？危曰：然。不出他語而罷。人問之，山農曰：吾觀其文有詭氣，目其人舉止亦然，料知必危太僕也。霏雪録

原張怡雲能詩詞，善諧笑，名重京師。趙松雪、商正叔、高房山爲寫怡雲圖以贈。姚牧庵、閻静軒每於其家小酌。一日過鐘樓街，遇史中丞，中丞欲偕行，速從者歸攜酒饌，因共造海子上之居。姚閻呼曰：怡雲！今日有佳客，此

中丞史公子也。張便取酒壽史，歌雲間貴公子，玉骨秀橫秋，水調歌一闋。史甚喜。有頃，酒饌至，史取銀二錠酬歌。席終，左右欲徹金玉酒器，史云：休將去。賞音如此。青樓集

〔臣等謹按〕明一統志，鐘樓，明永樂十八年建，蓋遷都北京營繕宮闕時也。後亟燬於火。本朝乾隆十年奉旨重建，十二年落成。有御製重建鐘樓碑記。

增御製重建鐘樓碑記　皇城地安門之北，有飛簷傑閣翼如煥如者，爲鼓樓。樓稍北，崇基並峙者，爲鐘樓。其來舊矣。而鐘樓亟燬於火，遂廢弗葺治。朕惟神京陸海，地大物博，通闤別隧，黎庶阜殷。夫物龐則識紛，非有器齊壹之，無以示晨昏之節。器鉅則用廣，非藉樓表式之，無以肅遠近之觀。且二樓相望，爲紫禁後護。當五夜嚴更，九衢啓曙，景鐘發聲，與宮壺之刻漏，周廬之鈴欜，疾徐相應。清宵氣肅，輕飈遠飏，都城内外十有餘里，莫不聳聽。仿挈壺雞人之遺制，宵衣待漏，均有警焉。爰飭所司，重加經度。基仍舊址，搆用新製。凡柱棁榱題之用，悉甃以甎石，俾規制與鼓樓相稱。經始於乾隆十年，閱二年工竣。所司請紀之石以式於後。夫春秋之義，興作必書。矧茲樓之成，昭物軌，定衆志，體國誠民，著在令典，修而舉之，以重其事，弗可以已也。乃爲之銘曰：鳧氏賦形，鼓盪元音。體乾作則，爲圜爲金。式鎔九乳，儆壹衆心。啓閉出入，罔敢不欽。京邑翼翼，四方之極。洪鐘萬鈞，司寤所職。鏗以立號，協於箭刻。巍樓高組，乘風屴崱。昔罹鬱攸，久廢不修。咨彼工師，審揆其由。木母火子，長風颼

颾。鼓之則熾，匪藉人謀。聿規新制，瓴埴比次。巧斲山骨，輸我匠契。尺木不階，屹然巨麗。拔地切雲，穹窿四際。岌嶪峥嶸，金觚繡甍。鳥革翬飛，震耀華鯨。不窕不槬，桐魚應聲。偕是雷鼓，鏜䡖砰訇。宣養九德，振肅庶類。作息以時，品物咸遂。以器節時，以時出治。宵旰攸資，亦宣堙滯。聲與政通，碩大龐洪。正宮堂皇，元氣昭融。導和利用，警聽達聰。億萬斯年，揚我仁風。

原齊政樓在府西海子東岸，元建，取齊七政之義。明一統志

原齊政樓，都城之麗譙也。東中心閣，大街東去即都府治所，南海子橋、澄清閘、西斜街，過鳳池坊北，鐘樓。此樓正居都城之中，樓下三門。樓之東南轉角街市俱是針舖。西斜街臨海子，率多歌臺酒館，有望湖亭，昔日皆貴官游賞之地。樓之左右俱有果木餅麪柴炭器用之屬。齊政者，書璇璣玉衡以齊七政之義。上有壺漏鼓角，俯瞰城堙，宮牆在望，宜有禁。析津志

增鼓樓在金臺坊，舊名齊政。上置銅刻漏，制極精妙，故老相傳，以爲先宋故物。其制爲銅漏壺四，上曰天池，次曰平水，又次曰萬分，下曰收水。中安鐃神，設機械，時至，則每刻擊鐃者八，以壺水滿爲度。涸則隨時增添，冬則用温水云。圖經志書

〔臣等謹按〕今鼓樓不用銅壺等物，惟以時辰香定更次，鼓則鑾儀衛派旗鼓手專司，

香則欽天監所掌。漏壺室今猶存，銅刻漏無考。

【原】日中坊在北安門西，二十二鋪。五城坊巷衚衕集

【原】金水河源出宛平縣玉泉山，流至義和門南水門入京城。至大四年七月，奉旨引金水河水注之光天殿西花園石山前舊池，置牐四以節水。元史河渠志

〔臣〕等謹按〕義和門原刻訛作和義門，今改正。

【原】張翥金水橋上聞苑池荷香作　立馬金河上，荷香出苑池。石橋秋雨後，瑶海夕陽時。深樹棲鴉早，微波浴象遲。煩襟一笑爽，正喜好風吹。蜕庵集

【原】張羽燕山春暮作　金水橋邊蜀鳥啼，玉泉山下柳花飛。江南江北三千里，愁絶春歸客未歸。静居集

【原】張和金河橋期友納涼不至作　涼月鑑廣津，微風集高樹。翻翻棲鳥驚，杳杳流螢度。蕭條旅中懷，悵望橋東路。有約君不來，無語獨歸去。篠庵集

【原】馬祖常御溝春日詩　御溝流水曉潺潺，直似長虹曲似環。流入宫牆才咫尺，便分天上與人間。春波十頃碧琉璃，白日樓臺照影時。好爲畫船多載酒，半酣西望碧參差。水南沙路雨清塵，桃李花開蛺蝶春。三月京華寒食近，東風十里酒旗新。石田集

【原】薩都拉立春御溝作　燕姬白馬青絲韁，短衣窄袖銀鐙光。御溝飲馬不回首，貪看柳花飛過牆。薩天錫詩集

【原】宋褧御溝詩　泱泱穿雲出磵初，千迴百折到皇居。行人不敢來飲馬，稚子時能坐釣魚。内史府前晴晃漾，雲巖觀後晚舒徐。波漫罯約通丹禁，風颭輜軿映畫裾。三月霏煙著楊柳，九秋涼露泣芙蕖。荒唐莫説流紅怨，自是清漣解起予。燕石集

【原】又早出過御溝作　殘月欲落日未生，樹根交合積水明。翠花迢迢沙磧杳，銅駝陌上馬聲少。同上

【原】萬寧橋在海子東岸，跨玉河上流。明一統志

增萬寧橋在玄武池東，名澂清牐，至元中建，在海子東。至元後復用石重修，雖更名萬寧，人惟以海子橋名之。析津志

〔臣等謹按〕萬寧橋北，今屬北城，橋南屬中城。

原澄清閘在鼓樓南海子東岸，萬寧橋西。至元二十九年建，名海子閘。水部備考

原宣德六年五月，修宛平縣之澄清閘。明宣宗實録　原在郊坰門，今移改。

增雋景山詩　六丁竭力用工夫，不用長虹枕海隅。石齒泠涵雲蹟潤，樹頭寒掛月輪孤。嘶風寶馬踏晴雪，出蟄蒼龍戲貝珠。佇立細看今日事，臨卭未遂馬相如。析津志

原火神廟在北安門湖濱，金碧琉璃，照映漣漪間，西與藥王廟相並。燕都遊覽志

〔臣等謹按〕火神廟即唐火德真君廟，在北安門萬寧橋北路西，湖之西南爲西藥王廟，乾隆二十四年重修。中懸皇上御書扁聯，火祖殿扁曰司南利用。聯曰：蔌粟並資仁，功成既濟；槐榆分布令，序美惟修。關帝殿扁曰氣壯山河，玉皇閣扁曰紫霄香案，斗母閣扁曰妙統辰樞。

原北城日中坊火德真君廟，唐貞觀中址。元至正六年修，萬曆三十三年改增碧瓦重閣焉。前殿曰隆恩，後閣曰萬歲景靈閣，左右輔聖、弼靈等六殿。殿後水亭望北湖。殿堧二碑：一右春坊朱之蕃撰，一禮部侍郎翁正春撰。帝京景物畧

原天啓元年三月，命太常寺官以六月二十二日祀火德之神，著爲令。明熹宗實録

原袁中道過火神廟詩 作客尋春易，游燕遇水難。石橋深樹裏，誰信在長安。珂雪齋集

〔臣等謹按〕孫承澤天府廣記云，火德真君廟，唐貞觀中建。帝京景物略原文亦云唐貞觀中址，元至正六年修。朱彝尊節録省文，遂訛作至正年建耳。今增正。又帝京景物略所載殿後水亭，今存。前殿扁曰隆恩，今改爲靈官之殿，後閣扁曰萬歲景靈閣，今改爲萬壽景命寶閣。左右扁曰輔聖弼靈，今仍其舊。門及後閣俱改加黄瓦，非碧瓦矣。殿前二碑雖存而無字。又街北則大覺寺，東偏殿後亦奉火神，有本朝順治十七年工部侍郎周天成重修廟碑。其西偏中殿奉關帝，後殿亦奉藥王，有嘉靖癸亥重修碑，碑字剥落不可讀。又有順治辛卯重修碑三。乾隆二十二年奉勅重修。關帝殿扁曰德威昭佑。聯曰：正氣鍾靈開正覺；神明普佑顯神功。藥王殿扁曰利益羣生。皆皇上御書。

原元時海子岸有萬春園。進士登第恩榮宴後，會同年於此。宋顯夫詩所云臨水亭臺似曲江也。今失所在。淥水亭雜識

〔臣等謹按〕萬春園久廢，以其地考之，當近火神廟後亭云。

原清虚觀、廣福觀俱在日中坊。明順天府志

原清虚觀，景泰二年建。寰宇通志

〔臣等謹按〕清虚觀在舊鼓樓大街，有景泰五年胡濙撰碑。稍西爲大石橋，有雙寺，東曰嘉慈，西曰廣濟，成化間建，萬曆中修。有碑五。廣福觀在鼓樓斜街，有碑一，已仆，上刻天順勑命，下刻成化誥命，蓋當時道録司也。舊鼓樓斜街在今鐘鼓樓西北，街雖以是名，其遺蹟不可考矣。

原 大慈恩寺在府西海子上，舊名海印寺，宣德四年重建。明一統志

原 海子橋北舊有海印寺，宣德間重建，改名慈恩，今廢爲廠。長安客話

原 李夢陽上巳過海印寺作　勞生苦役役，況乃值温陽。林園有嘉榮，溪渚生柔芳。秉蕑迹已陳，祓禊難獨忘。駕言適蓮宇，逶迤陟虹梁。巍宫延暮色，陂樹藹青蒼。詎知幽勝區，占兹佳麗鄉。居然心境寂，彌增塵路傷。空同集

原 又鏡光閣詩　吾生走紛境，性意苦不適。揭來鏡光游，不覺祇樹夕。鳥藏丹閣暮，蕭椷柹葉赤。杳如造巖壑，闃焉寡人迹。其王戴金冠，天子之所客。迓我薝蔔下，坐我紅罽席。落日入虚牖，窈窕雲光白。團團石蓮燈，照耀錦繡壁。忽聞鈴磬發，轉悵俗務迫。静躁本殊科，利義各有癖。伊予竟何爲，奔併阻行役。乞君摩尼珠，一照幸不惜。同上

原 何景明慈恩寺詩　海子橋西寺，高樓御苑花。中流自日月，平地有煙霞。客至開金殿，宸游想翠華。十年復到此，朋舊各天涯。大復山人集

原 孟洋過海印寺作　傍湖臺殿何年起，繞寺烟波望不窮。樹裏逶迤銀漢接，宫前宛轉玉河通。長橋晚落千尋影，高閣晴含萬里風。滄海漫求人世外，蓬萊今在帝城中。孟有涯集

原 胡侍九日同諸公登海印寺鏡光閣詩　湖景澄珠閣，雲虹度石梁。行攀雙樹杪，坐對九華觴。水抱香城入，山横禁苑長。憑高不厭晚，待月詠禪牀。濛谿集

原 袁袠登鏡光閣詩　絶磴翔雲上，飛軒踐斗迴。旗亭開百市，魏闕枕三台。地接榆關險，山迎桂苑來。登高還望遠，秋氣使人哀。袁永之集

原 屠應峻鏡光閣詩　鏡光閣在帝城邊，遥控西山奠北川。忽有風雲來絶塞，坐看雷雨下諸天。微茫野色俱堪畫，漭沆中流好放船。東下林塘幽絶處，江南秋望此依然。蘭暉堂集

原范言鏡光閣詩 尋芳偶到慈恩寺，石榻山僧入定時。獨上鏡光開晚閣，坐看雲氣動春池。行廚竹裏烟初禁，御漏花前日正遲。寂寞東房無好約，青袍白馬欲何之。菁陽集

原朱大啓經海印廢寺詩 我行海子橋，不見鏡光閣。惟有青蓮花，涼風吹又落。昜寄軒集

補李時勉春日遊海印寺詩 禪刹凌空出，山門近水開。遠尋祇樹底，斜過禁城隈。鳥熟當亭下，僧閒愛客來。一燈還續火，歷刼獨餘灰。傍海宜看月，談空想渡杯。佛存金擁象，砌古石扶臺。方丈無塵到，危巢有鶴回。長廊聞梵罷，歸騎夕陽催。古廉集

補王梅秋日登鏡光閣詩 紺園珠閣帝城邊，下有晴波接御川。彩仗不聞龍艦合，珠簾如隔鳳笙傳。秋風車馬平陽館，落日溝塍杜曲田。撫景未能摛麗藻，登臨空自感流年。柘湖遺稾

補張弼花朝遊大慈恩寺詩 花朝尋花不見花，行行直至梵王家。周遭金海波光合，遠近翠樓烟景賒。綵衲番僧通漢語，香酥仙乳薦巴茶。憑高總覽乾坤勝，萬歲山蒸五色霞。東海集

〔臣等謹按〕海印寺久廢，今海潮寺中有嘉靖五年碑云，海印寺東爲廣福觀，西爲海潮寺，則寺址應在海潮寺東。再考龍華寺碑云，輔碧峯與海印，今碧峯寺前有地名馬公廠，殆卽長安客話所云海印寺久廢爲廠者與！

增李東陽遊慈恩寺後園有感詩 亂溪流水入荒塍，九曲灣頭十丈藤。尋偏野亭無舊主，訪回蕭寺有遺僧。蒼苔斷處看將合，老樹栽時記未曾。莫怪瘦童淹送馬，十年一到竟何能。懷麓堂集

增又重經慈恩寺憶張滄洲題瑢僧故廬詩 石橋飛步欲凌空，百丈清陰九折通。水底樓臺天上下，岸邊花柳路西東。春題杏苑懷張籍，晝卧廬山夢遠公。今日一杯還一曲，獨吟孤酌與誰同。同上

原千佛寺，萬曆九年孝定皇太后建。春明夢餘錄

原寺在德勝門北八步口，殿供毘盧舍那，佛座繞千蓮，蓮生千佛，時朝鮮國王貢尊天二十四身阿羅漢一十八身，詔供寺中。其像銅也，而光如漆，尊天所執持器，乘海失之補之，厥工遜矣。寺南一里有小千佛寺。帝京景物略

〔臣等謹按〕千佛寺諸銅像今存。

原千佛寺建於明萬曆初，中有長沙楊守魯、安陽喬應春二碑，皆鎮陽林潮書。潮以鴻臚寺主簿直文華殿中書。應春碑稱諸天阿羅漢皆太監楊用所鑄，劉同人帝京景物略乃謂爲朝鮮國王所貢，當以碑爲實也。涿水亭雜識

原楊守魯千佛寺碑記畧 西蜀僧偏融自廬山來游京師，御馬太監楊君用以其名薦之司禮監馮公保，隨貿地於都城乾隅，御用監太監趙君明揚宅也。將建梵刹，迎偏融主佛事，聞於聖母皇太后，捐膏沐資，潞王公主亦佐錢若干緡，卽委楊君董其役。辛巳秋落成。寺南向爲山門，爲天王殿，爲鐘鼓樓，中爲大雄寶殿，爲伽藍殿，後爲方丈，爲禪堂，爲僧寮，爲庖湢，爲園圃，左右側則有龍王廟及井亭，養老禮賓諸所靡不備。燕都遊覽志

〔臣等謹按〕燕都遊覽志載楊守魯碑云，蜀僧偏融，今考寺碑作偏融，又釋修懿有句云，耆宿推三藏，師資事偏融。作偏字，志之誤也。今改正。

原喬應春新建護國報恩千佛寺寶像碑畧 大司禮樞輔馮公上承聖母皇太后命，特建寶刹，於是御馬監太監楊君用受偏融上人指，鑄毘盧世尊蓮花寶千佛，旋繞四向若朝者然，鑄十八羅漢二十四諸天，復塑伽藍天王等像。工始於萬曆庚辰，浹歲而告成。辛巳秋七月既望立石。燕都遊覽志

〔臣等謹按〕千佛寺，本朝雍正十一年奉勅重修，賜名拈花寺。殿外額曰覺岸慈航，世宗憲皇帝御書。殿内額曰普明宗鏡，皇上御書。

增世宗御製拈花寺碑文 昔我世祖章皇帝萬幾餘暇，留神内典。其時法門龍象受知最深者曰玉琳琇國師，嘗欲令其徒茚溪森主席京師，宣揚道法，眷顧之意至厚。朕閱玉琳茚溪語録，歎其高風卓識，超冠叢林。因爲頒諭表章，追封賜祭，以仰承世祖皇帝優崇正

梵之至意。既又念直省剎寺棋布，開堂秉拂者日衆，而禪宗愈衰。是以再三誥誡，俾各勤求本分，直透向上一關，仍擇宗門法侶具正知正見者爲之表率倡導焉。京師内城西北隅有護國報恩千佛寺者，創自前明，歷百有六十載。琳宫頽敝，鐘鼓寂寥。爰命重加修整，經始於雍正十一年正月，本年九月告成。梵宫禪宇，焕儼輝煌，堪爲大衆熏修參學之所。因擇琇國師下法嗣名超善者，命主方丈，錫寺額曰拈花，揭之山門。粤自世尊以正法眼藏涅槃妙心實相無相微妙法門囑付摩訶迦葉，迨香至來兹震旦，提唱宗乘，爲不立文字教外之别傳。迄今數千年，靈山一會，儼然未散。鬘陀優鉢，徧滿寰區，日月星辰，山河大地，人民六畜，城郭市廛，有情無情，卽色非色，處處是拈花道場法會，刻刻是拈花時節因緣，物物是如來手中之花，塵塵剎剎有調御丈夫人天師宛爾拈出。但須本分衲僧，瞥然薦取，便續從上以來諸祖心燈。如或未能，則參須真參，悟須實悟。三藏十二分千七百則公案，不出此二字。字中有大海潮音，噌吰訇訇震諸人耳根，字中有大摩尼珠，晃朗照耀奪諸人眼識。蓋執指忘月，便是二鐵圍山，見月忘指，便是曹溪一滴也。居此寺者尚其證琇國師之所證，入此大圓覺海，步步踏得正修行處，不負世尊當日拈花示衆，與世祖皇帝護持佛法深恩，以爲直省剎寺倡，朕有厚望焉。

〔臣等謹按〕拈花寺東舊有真武廟，明景泰三年擴而新之，賜名妙緣觀。成化十年修，碑二，俱胡濙撰。本朝乾隆五年重修，刑部侍郎張照書碑。又觀中有虛靖真君大道碑，碑陰刻沖元亭書養心百字今存。

增李東陽過真武廟懷朱文鳴故友詩　淼淼蒼波白鷺飛，苔痕長滿釣魚磯。松陰不改三株樹，鶴夢還醒一羽衣。細數鄰家遺老盡，久懷同學故人稀。沿流不覺尋詩遠，把酒看花事事遲。懷麓堂集

原李長沙別業在北安門北，集中西涯十二詠，程篁墩學士和之，有桔槔亭、楊柳灣、稻田、菜園、蓮池，而響牐、鐘鼓樓、慈恩寺、廣福觀皆在十二詠中。今其遺址不可問，當在越橋相近，蓋響牐卽越橋，下牐而鐘鼓樓則園中可遥望爾。淥水亭雜識

增李東陽西涯雜咏十二首　海子　海子西入城，中與龍池連。高樓河口望，正見打魚船。西山　磐石傍幽溪，羣峯坐回首。靜愛白雲來，蒼苔濕衣久。響牐　春濤夜忽至，汩汩溪流滿。津吏沙上來，坐看青草短。慈恩寺　水繞湖邊樹，花垂石上藤。長來寺前坐，不識寺前僧。飲馬池　立馬春池上，沙水清可憐。溪翁熟予馬，汲罷不須錢。楊柳灣　沙崩樹根出，細路縈如線。垂柳隔疏簾，人家住西岸。鐘鼓樓　月黑行人斷，高樓鐘漏稀。城中聞夜警，邏吏不曾歸。桔槔亭　野樹桔槔懸，孤亭夕照邊。閒行看流水，隨意滿平田。稻田　水田雜花晚，畦雨過溪足。老僧不坐禪，秋風看禾熟。蓮池　秋風吹芰荷，西塘涼意早。獨負尋芳期，苦被詩人惱。菜園　西園芳意濕，不聞春雨聲。野人閉門睡，園中青菜生。廣福觀　飛樓凌倒景，下照清澈底。時有步虛聲，隨風渡湖水。懷麓堂集

增又宿海子西涯舊鄰詩　匹馬緣溪却度橋，華門疏樹影蕭蕭。東鄰舊路元相接，北郭幽期豈待招。滿地月明如白晝，一燈人語共清宵。悠悠二十年前事，都向春風夢裏消。同上

增再經西涯詩　新築湖堤面面平，亂橋攲岸石縱橫。輕鷗著水驚還去，老馬緣溪戀復行。舊日鄰家今幾在，別來光景共誰爭。匆匆不盡逢僧話，剛說無生便有情。同上

增重遊西涯次韻方石詩　流水平堤柳繞垣，重來又隔幾寒暄。輕鷗似解隨人意，老馬猶能識寺門。千載高情彭澤社，百年幽事杜陵村。王郎亦有攜琴興，聊共清風石上尊。同上

增重經西涯詩　秋氣澄清天宇高，一林霜葉晚蕭騷。黄花節近無風雨，碧水潭空盡羽毛。屢算老時驚歲月，難忘情處是兒曹。卜居未定居仍卜，薊北天南兩意勞。同上

〔臣等謹按〕西涯爲李東陽幼時故居，成德淥水亭雜識云，遺址不可問。今考東海集

誥命碑陰記云：曾祖洪武初以兵籍隸燕山右護衛，挈先祖少傅始居白石橋之旁。後廓禁城，其地已入北安門之内，則移於慈恩寺之東海子之北。又云：吾祖代父役靖難之師，實在行伍，以功得小旗，遷居海子之西涯，坐賈爲養。然則西涯者卽海子之北、慈恩寺之東也。集中重經西涯詩甚多。其二首之次首有注云：東陽六歲時，先君以詩命題，手改結句云，明月滿天霜滿地，清風時復送虚寒。謹識於此。然則本傳東陽四歲能徑尺書，景帝召試之甚喜，抱置膝上賜果鈔還家時，正在西涯。是其幼時所居之地也。其與程敏政倡和西涯十二詠所詠，不盡在别業中。大約舉其左右之相近者而悉詠之。韓愈所謂某水某邱意也。今既載西涯十二詠於前，而更採集中遊宿西涯四作附焉。

原銀錠橋在北安門海子三座橋之北，此城中水際看西山第一絶勝處也。橋東西皆水，荷芰菰蒲，不掩淪漪之色。南望宫闕，北望琳宫碧落，西望城外千萬峯，遠體畢露，不似淨業湖之逼且障也。燕都遊覽志

原陸釴歸自城西至玉河北作　參差宫樹殿東西，樹裏青山落日低。回首旌旗猶未定，晚來風起玉河堤。春雨堂稿

原廣化寺在日中坊雞頭池上，元時有僧居之，日誦佛號，每誦一聲，以米一粒記數，凡二十年，積至四十八石，因以建寺焉。析津日記

〔臣等謹按〕廣化寺在今鴨兒衚衕，無碑碣可考。左爲海會庵，右爲興善寺，有崇禎七年奬諭司禮監太監曹化淳詩碑。

【原】萬嚴寺在城内北，元至治元年建。寰宇通志

〔臣等謹按〕萬嚴寺無考，今鴨兒衚衕有萬善寺。

【原】海子南岸舊有海子橋，亦名月橋，俗呼三座橋，近漸圮。燕都遊覽志

〔臣等謹按〕元時以積水潭爲西海子，明季相沿亦名海子，亦名積水潭，亦名淨業湖。湧幢小品、青樓集、燕都遊覽志諸書所載各殊。今則並無西海子之名。其近十刹海者卽稱十刹海，近淨業寺者卽稱淨業湖，迤西與李廣橋諸處相近者則稱積水潭。考淨業湖、積水潭地分今隸西城，詳西城卷内。

【原】傅若金海子詩：獨步金河上，遥看碧海隅。橋疑通月窟，船或到方壺。蜃室寒休杼，龍宫夜出珠。浮槎八月晚，應念客星孤。傅與礪詩集

【原】馬祖常海子橋詩：南望蓬萊觀，行人隔苑牆。有時馴象浴，不見狎鷗翔。宫樹飄秋葉，江船認石梁。辟雍真可作，擬賦獻文王。石田集

【原】又詩：朝馬秋塵急，天潢曉鏡舒。影圓雲度鳥，波静藻依魚。石棧通星漢，銀河落水渠。無人洗寒露，爲我媚芙蕖。同上

【原】王蒙海子橋詩：暮登海子橋，西繞紅門歸。霜風著宫樹，葉葉帶紅飛。據鞍吹短篴，乘月搗征衣。江南冰雪裏，音信寄來稀。王叔明集

【原】宋褧過海子觀浴象詩：四蹄如柱鼻垂雲，踏碎春泥亂水紋。鸂鶒鵁鶄好風景，一時驚散不成羣。燕石集

【原】程敏政海子詩：十里城陰路，西湖一派分。秋晴沙岸尾，時見白鷗羣。篁墩集

原常倫經海子詩 積水明人眼，蒹葭十里秋。西風揺雉堞，晴日麗妝樓。柳徑斜通馬，荷叢暗渡舟。東鄰如可問，早晚卜清幽。常評事集

原吴維岳經海子詩 閒行豈爲趁芳菲，湖水東看人禁闈。樓閣倒涵千樹影，笙歌深駐五龍旗。榴花歇雨新經眼，草色揺沙欲上衣。通籍十年惟混世，羣鷗何事亦驚飛。霽寰集

補楊載海子橋送客詩 金溝河上始通流，海子橋邊繫客舟。此去江南春水漲，拍天波浪泛輕鷗。楊仲宏詩集

原龍華寺在德勝門東。成化三年建，萬曆五年重修。春明夢餘録

原成化三年，錦衣衛指揮僉事萬貴自創寺成，疏請寺額於朝，憲宗賜額曰龍華寺。有沙門道深碑記，萬曆中修撰朱之蕃復爲碑記焉。寺門稻田千頃，南客思鄉者數過之。帝京景物略

原龍華寺明碑二：其一播陽釋道深撰，廣陵趙昂書，撫寧侯朱永篆額；其一金陵朱之蕃撰，高陽孫承宗篆額，永春李開藻書，文辭甚俚，不足觀。淥水亭雜識

原張佳允詩 地有龍華勝，心隨石榻清。春風一枕到，孤月萬松明。花散諸天雨，鐘鳴不夜城。抽簪如可得，於此悟無生。崌崍先生集

原劉應秋避暑龍華寺作 無地堪逃暑，清齋試掩扉。庭空雙鳥過，日落一僧歸。多病藥爲茗，臨風苧作衣。浮名今老大，久矣息塵機。劉大司成集

補馮有經龍華寺詩 湖際先朝寺，幽棲驗物情。磬聲松下静，鳥語竹間清。菰米羞香飯，園葵薦露羹。重來知幾日，虚負老僧盟。畿輔詩存

增于慎行夏日同張洪陽憩龍華寺詩 同過湖上寺，伏日坐清涼。水影交宫闕，松聲和講堂。雨歸蓮葉静，風起稻花香。小借支公榻，于于午夢長。穀城山房集

增王應翼龍華寺詩 湖波遠遠濕朝暾，細寫秋光上寺門。花木欲深香色聚，稻田全覆緑雲屯。壁殘瓢笠逃塵劊，殿古鐙幢屈世尊。物外老僧邀客坐，將迎半日竟無言。帝京景物略

〔臣等謹按〕龍華寺在簪兒衚衕，僧道深及朱之蕃碑俱存。本朝康熙五十二年奉勅改

名瑞應寺，有吏部侍郎湯右曾撰碑。後閣額曰法雲真際。聯曰：花外梵音流慧日；階前樹色繞慈雲。皆聖祖仁皇帝御書。

增湯右曾瑞應寺碑畧 康熙五十二年三月十八日，爲皇帝六十萬壽聖節，而瑞應寺者則左都御史揆公祝釐之所也。寺爲龍華寺舊址，公拓而新之，踰年訖工，以其事聞。天子乃錫之嘉名，親灑宸翰，蛟龍岌纏，炳在榜額。又書唐人七字詩，俾張殿柱。以四月七日於苑西禁廬宣賜。公再拜捧持而歸，左右莫不動色。右曾時侍直，親覩之也。夏五月間，廣廷植木，文光果實忽並蒂駢顆，青熒光澤，寺僧因驛騎寄公。時公方扈從塞垣，右曾亦至行在，相顧驚歎，以爲上甫賜額，瑞卽應之。因爲公賦詩。明日，上命中使取進，俯同原韻，御製一章，傳爲盛事。五城寺院册

增康熙五十二年石刻御製詩 西域滇黔有此種，花從貝梵待春融。龍章瑞應題真境，載筆欣瞻近法宮。內白皮青多果實，叢香葉密待詩公。冰盤光獻楓宸所，更喜連連時雨中。

〔臣等謹按〕瑞應寺西有小龍華寺，所以別於茲寺也。

原三聖庵在德勝街左，巷後築觀稻亭，北爲內官監地。南人於此藝水田，粳秔分塍，夏日桔槔聲不減江南。燕都遊覽志

〔臣等謹按〕三聖庵在瑞應寺西路南，北臨稻田，亭久圮，地甚窄，非復舊觀，特存其名耳。

原袁宗道三聖庵紀游畧 德勝門內東偏有公田若干頃，中貴治之，引水爲池以匯，沿池數里，綠楊鬖鬖，一望無際。池邊一庵曰三聖，面亭背田，門前古木四章，身如青銅，亭亭直上，蒼翠可愛，殿堂不甚崇，然極雅麗。瀟碧堂集

原庵背水田，門前古木四，柯如青銅。其西有臺，臺下畝方廣如庵，豆有棚，瓜有架，

緑且黄也。外與稻楊同候。臺上亭曰觀稻，觀不直稻也。畦隴之方方，林木之行行，梵宇之厂厂，雉堞之凸凸，皆觀之。帝京景物略

原 十刹海在龍華寺之前，方五十畝，室三十餘間，相比如號舍，佛殿亦分一舍，不更廣也。創作者三藏師，陝西人。帝京景物略

〔臣等謹按〕十刹海在龍華寺西東向。帝京景物略云，明萬曆中建，本朝順治六年修。碑云乃僧徧融所創，即所稱三藏者也，康熙三十一年重修。

增 釋懿修十刹海詩 十刹海非刹，凝然古德風。市居巖壑裏，門向水田東。耆宿推三藏，師資事徧融。乞隨瓢偃仰，立儼嶽衡嵩。聽法俱高衲，執巾無侍童。直言等貴賤，醒語破愚蒙。僧不驕恩帑，佛寧藉像工。平平數椽屋，密密六時功。哀憫西山寺，游觀額大雄。帝京景物略

原 佑聖寺在龍華寺之後，有嘉禾張文憲碑，稱寺係唐咸通年建，嘉靖三十九年重修。淥水亭雜識

〔臣等謹按〕佑聖寺在德勝門大街路北，張文憲碑今存寺中。稍東爲壽明寺，有弘治四年及正德八年重修碑。

增 華嚴鐘廠在德勝門内。舊鑄高二丈餘，闊一丈餘者，尚有十數，仆地上，皆楷書佛經。春明夢餘録

〔臣等謹按〕德勝門東爲鑄鐘廠，其地有真武廟，内有順治辛卯年劉芳遠撰碑。華嚴

鐘僅存其一，舊懸萬壽寺，今移於覺生寺，餘鐘俱無考。

原 北之西曰健德門。輟耕錄

原 車駕行幸上都，太僕卿以下皆從，先驅馬出健德門外，取其肥可乳者以行。元史兵志 以上二條原在宮室門，今移改。

增 車駕於某日起，省院臺官大聚會於健德門城上，分東西兩班，至麗正門聚會，設大茶飯，謂之巡城會，自此後則刻日計程迎駕。析津志

原 德勝門城上，鐫趙子昂書德勝門三字。燕都遊覽志

〔臣等謹按〕今德勝門卽元史地里志所載健德門也，輟耕録亦作健德，明永樂間尚存其舊。至正統十年，以舊城內面用土恐易頹毀，命成國公朱勇等甃之，始改名德勝。趙子昂乃元初人，安能預書德勝門字也？朱彝尊原書所引燕都遊覽志誤矣。今各城門額俱清漢書。

原 黃訓出德勝門詩 己巳王師出，安危在此門。萬家裹囊橐，一老柱乾坤。礮下敵無骨，帳前兒有孫。忠勳何處顯，白日照中原。黃潭詩集

原 王家彥，字尊五，福建莆田人，天啓壬戌進士，協理京營兵部右侍郎。崇禎十七年三月，守德勝門，城陷，自投城下不死，折臂及足，其僕扶入民舍自縊死。昭忠録

原 甲申寇偪，王公家彥坐安定門歎曰：我總督團營，今日城破，萬死難贖，且義不可污賊刃。自縊於城樓，未幾礮發，城樓復壓，後出其屍於瓦礫中，其甥楊負而殮之。甲申傳信録

〔朱彝尊原按〕王公之死，諸書皆云在德勝門，惟傳信録作安定門。諸書皆云自投城下，惟傳信録作自縊城樓。所聞異辭，並存俟考。

原 德勝橋在德勝門內。西有積水潭，潭水注橋下，東行。橋卑不能度舟。湖中鼓枻人祇

橋俱登岸，空舟順流始得渡，復登舟東泛。緑柳映坂，縹萍映波，黍稷粳稻，畇畇原田，高城數里，古色如一。薜荔牆轉而南，得藜光橋，徑僻岸無行人，古槐濃樾，覆陰如罨畫溪。御馬監所領天閑上駟，每歲六月六日，中貴人用儀仗鼓吹導引洗馬於德勝橋之湖上，三伏皆然。燕都遊覽志

補 朱德潤觀内廄洗馬詩 黃雲灑雨沙場秋，灘高水平凝不流。曉霜襲透蒼駝裘，圉人浴馬津水頭。緑驃連錢雙騂騮，日光射波脂膩浮。青絲脱鞚黃金鈎，輕爬短刷濕未收。三花剪鬣平且柔，籋雲駿氣將無儔。束芻斗豆豈馬羞，茫茫豐草生林邱。霜蹄何爲踏長楸，振鬣一躍期天游。存復齋稿

〔臣等謹按〕德勝橋東不數武有永泉庵，庵有康熙四十四年大學士張玉書撰碑。

原 弘善寺有勅建碑。明順天府志

〔臣等謹按〕弘善寺在德勝橋東，其地即名弘善寺街。明成化七年建，勅賜寺碑今存。

欽定日下舊聞考卷五十五

城市 外城 中城

〔臣等謹按〕朱彝尊原書因仍舊制，合内外城分中、東、西、南、北爲五城，故前三門外俱謂之南城。今制，内城自爲五城，而外城亦各自爲五城，正陽門街居中則爲中城，街東則爲南城東城，街西則爲北城西城。今先書外城之中城，餘以次敘焉。

原 正東坊，自正陽門外東河沿至崇文門外西河沿，八牌四十舖，有蕭公堂、崇真觀、天慶寺、慈源寺、清化寺、西三里河、東三里河、蘆葦園。五城坊巷衚衕集

〔臣等謹按〕東河沿蕭公堂以東屬南城，西屬中城。蕭公堂今存。西河沿關帝廟以西屬北城，東屬中城。崇真觀、大慶寺、慈源寺、清化寺俱仍屬南城，詳本條下。三里河橋東屬南城，西屬中城。蘆葦園今名蘆草園，其地近草廠衚衕者爲北蘆草園，近大蒂兒衚衕者爲南蘆草園，俱屬中城。

補 北京正陽門前搭蓋棚房，居之爲肆，其來久矣。崇禎七年，成國公朱純臣家燈夕被

火，於是司城毀民居之侵占官街搭造棚房擁塞衢路者。金侍御光辰慮其擾民，上言：京師窮民僦舍無資，藉片席以棲身，假貿易以餬口，其業甚薄，其情可哀。皇城原因火變恐延燒以傷民，今所司奉行之過，概行拆卸，是未罹焚烈之慘而先受離析之苦也。且棚房半設中塗，非盡接棟連楹，若以火延棚房即毀棚房，則火延内室亦將並毀内室乎？疏入，有旨停止。鴻一亭筆記

〔臣等謹按〕今正陽門前棚房比櫛，百貨雲集，較前代尤盛。足徵皇都景物殷繁，既庶且富云。

原 四方進士來試南宮者，率皆僦居麗正門外。燕石集

原 三里河元時名文明河，接通惠河爲漕儲運道，今鐵牐尚存。春明夢餘録

原 漕運總兵官都督楊茂上言：京城南原有三里河，直通張家灣烟郭橋，自橋往西，疏濬深闊二十餘里，卻將烟郭木橋改作弔橋，糧船到彼灣泊，可免漂流之患。若將此灣濬深，直至三里河，作平水壩三四截於内，置扁淺剥船，令運船由此盤壩以達京師，歲可省車脚數百萬。明疏議輯略

〔臣等謹按〕烟郭橋明史作烟墩橋，郭字誤。

原 成化七年十月，户部尚書楊鼎、工部侍郎喬毅上濬河事宜，上命同漕運參將袁佑踏

勘。勘得城南三里河至張家灣運河口，袤延六十里，舊無河源。正統年間因修城濠作壩畜水，慮恐雨多水溢，故於正陽橋東南低窪處開通濠口，以泄其水，始有三里河名。自濠口三里至八里莊，始接渾河舊渠。兩岸多人家廬舍墳墓，流向十里，迤南全接舊河，流入張家灣白河。其水深處止有二三尺，淺處一尺餘，闊處僅丈餘，窄處未及一丈。又有走沙，天旱則淤壅淺澀，雨潦則漫散衝突，勢不易開。明憲宗實錄

【原】大通橋去通州四十里，地形高通州五丈，置十牐方可行舟。三里河在天地壇前，去通州五十里，形高通州一丈九尺，置二牐便可行舟，但有一二走沙耳。病逸漫記

【原】重建三里河橋碑在橋西鐵山寺。碑建於正德十二年，翰林院修撰江陰周敍撰文。鐵山，寺僧宗洪號也。析津日記

【原】周敍重修三里河橋記　都城迤南有河焉，乃隍水之枝流也。河之上有橋，橋之名曰三里。其始創自天順間，歷歲既久，土崩石泐，而往來乘載者病焉。時有坊間善士戴通者，欲爲改作，慮其費不資，功未易舉，因與僧宗洪號鐵山者謀之，廣爲募緣，不數月而集銀兩千一百七十有奇。撤故橋降七尺以爲基，高十四尺有奇，視舊加四之一；衡二十有四尺，視舊加六之一；縱四十尺，視舊加六之一；益甃石三十尺有奇，視舊加三之一；石欄板視舊加三之一；石欄柱視舊加四之一。橋之西東各窊五尺，增築砥平衡皆四十尺有奇。其東之縱三十尺，西之縱六十有二尺。橋之北南作耳橋者三，一瞰乎寺之南泉，一拱乎巷之鞭子，一揖乎街之半邊，不惟達是橋之衢路，抑且殺河之勢而闕流之洑也。延袤共七百尺有奇，越五月而工成。時正德十二年丁丑某月。

〔臣等謹按〕鐵山寺今存周敍碑，已漫漶不可讀，略辨題名而已。

【原】正陽門外東偏有古三里河一道，東有南泉寺，西有玉泉庵，至今基下俱有泉脈，由三

里河繞出慈源寺八里莊五箕花園一帶，直抵張家灣烟墩港。地勢低下，故道俱存。冬夏水脈不竭。見今天壇北蘆葦園草場九條巷，其地下者俱河身也，高者卽舊馬頭，明白易見，不假經畫，稍加修治，卽可復也。但附近勢家莊園，故成化六年楊茂雖嘗建議而不敢盡言，但請置壩而已。後亦竟沮不行。成化十二年亦踏勘，而勢家賄通欽天監，以爲地居京師子午方位爲說。不知三里河乃在都城巽巳，實非子午方也。今誠按此修濬，則公私大船俱可直抵三里河，不但便船剥而已。桂文襄集

〔朱彝尊原按〕張爵紀五城坊巷衚衕，南城正東坊有西三里河、東三里河、蘆葦園，崇南坊則有南河漕、于家灣、遞運所、纜竿市，又有三轉橋、紀家橋、板橋、雙馬莊、八里莊、十里河，皆三里河入張家灣故道。今其名雖存，而深谷爲陵，遺跡漸不可考矣。

〔臣等謹按〕玉泉庵今存，在蘆草園西薦兒衚衕內。南泉寺、纜竿市在三里河橋東，隸南城。

原 三里河之故道已成陸矣，然時雨則停潦泱泱然河也。武清侯李公疏之入園中，園遂以水勝，可汎舟，周廊過亭，其東梅花亭，砌亭爲瓣五，鏤爲門爲窗，繪爲壁，甃爲地，笵爲器，其形皆以梅。帝京景物略

【增】吴惟英遊李園泛舟詩 海淀微嫌道路長，背城特地又新莊。登舟我欲偕元禮，選石君宜學贊皇。環樹依臺渾是水，繞花沿柳半爲廊。莫愁酒盡雙楊下，村店青帘帶夕陽。同上

〔臣等謹按〕李園今廢。

【增】真武廟在先農壇西。五城寺院册

〔臣等謹按〕真武廟建於明代，本朝康熙十年修，有左春坊左中允翰林院編修左敬祖撰碑。

【增】斗姥宫在真武廟西。五城寺院册

〔臣等謹按〕斗姥宫，本朝康熙三十四年建，乾隆二十二年奉勑修。北極殿額曰神武鎮斗姥閣，前楹額曰延壽閣，閣中額曰普慈。皆聖祖仁皇帝御書。北極殿前有碑二：一爲翰林院侍讀學士查昇書；一爲詹事府少詹事兼翰林院侍講學士高士奇書。

【原】靈佑宫在南城山川壇之北，舊爲十方道院，止一楹爾。萬曆壬寅，始拓爲三楹，名真武廟。越歲癸丑，司禮監魏學顔闢地數十畝，建閣一，爲殿五，請於朝，賜額曰護國靈佑宫。碑文大學士福清葉向高所撰，湖廣道御史晉陽潘雲翼書。行國録

〔臣等謹按〕靈佑宫今存明大學士葉向高碑及天啓乙丑王紹微撰重修碑。

【原】仁壽寺，顯德廟遺址也。萬曆元年，銀牛山行者真玉卓錫於此，内官張朝因宫女陳秋香聞之仁聖太后，遂捐資屬司禮監馮保建寺。始於是年四月，明年正月賜額曰仁壽。有

李廷機、劉效祖二碑。析津日記

〔臣等謹按〕仁壽寺在靈佑宮西，李廷機、劉效祖二碑今俱無存。

原 山川壇在天地壇之西，繚以垣牆，周迴六里。中爲殿宇，以祀太歲、風、雲、雷、雨、嶽、鎮、海、瀆，東西二廡以祀山川、月將、城隍之神。左爲旗纛廟，西南爲先農壇，下皆耕田。明一統志

原 永樂十八年十二月，山川壇成。明成祖實録

原 山川壇在正陽門南之右，永樂十八年建，繚以垣牆，周迴六里。洪武三年，建山川壇於天地壇之西，正殿七壇，曰太歲，曰風雲雷雨，曰五嶽，曰四鎮，曰四海，曰四瀆，曰鍾山之神。兩廡從祀六壇，左京畿山川，夏冬季月將，右都城隍，春秋季月將。二十一年，各設壇於大祀殿，以孟春從祀，遂於山川壇惟仲秋一祭。永樂建壇北京，一如其制，進祀天壽山於鍾山下。嘉靖十一年，卽山川壇爲天神地祇二壇，以仲秋中旬致祭。别建太歲壇，專祀太歲，東廡爲春秋月將，西廡爲夏冬月將，各二壇。前爲拜殿、宰牲亭，南爲川井，卽山川壇舊井，有龍蟄其中。壇西南有先農壇，東旗纛廟，壇南耤田在焉。十年，定太歲將祭期，歲於孟春享廟歲暮祫祭之日，遣官行禮。隆慶元年，禮官議天神地祇既從祀南北郊，仲秋不宜復有神祇壇之祭，罷之，而太歲之祭如故。春明夢餘録

原嘉靖九年，改定風、雲、雷、雨神牌次序，曰雲、雨、風、雷。上曰：雲、雨、風、雷，天神也；嶽、鎮、海、瀆，地祇也；城隍，人鬼也；焉可雜於一壇而祭之？議以城隍之神歸之本廟，於常祭外添祭一壇。明嘉靖祀典

原祭雲、雨、風、雷、嶽、鎮、海、瀆、山川諸神，每三歲一親祭，以丑辰未戌用事。雲、雨、風、雷之神四壇，南向；五嶽、五鎮、五山、四海、四瀆之神五壇，北向；京畿山川西向；天下山川東向。

原天神壇方廣五丈，高四尺五寸五分，四出陛，各九級。壝牆方二十四丈，高五尺五寸，厚二尺五寸。欞星門六，正南三東西北各一。内設雲形青白石龕四於壇北，各高九尺二寸五分。春明夢餘録

原地祇壇面闊十丈，進深六丈，高四尺，四出陛，各六級。壝牆方二十四丈，高五尺五寸，厚二尺四寸。欞星門亦如神壇。内設青白石龕，山形三，水形二於壇北，各高八尺二寸；左從位山水形各一於壇東，右從位山水形各一於壇西，各高七尺六寸。同上

增神祇壇在先農壇内垣外之東南。正南三門，繚以重垣。東爲天神壇，制方南嚮，一成方五丈，高四尺五寸五分，四出陛，各九級。壇北設青白石龕四，鏤以雲形，各高九尺二寸五分，祀雲、雨、風、雷之神。壝方二十四丈，高五尺五寸，壝正南三門六柱，東

西北各一門二柱，柱及楣閾皆白石，扉皆朱欞。西爲地祇壇，制方北嚮，一成廣十丈，縱六丈，高四尺，四出陛，各六級。壇南設青白石龕五，内鏤山形者三，祭五嶽、五鎮、五山之祇。鏤水形者二，龕下四圍鑿池，祭則貯水，祭四海、四瀆之祇，各高八尺二寸。壇東從位石龕山水形各一，祭京畿名山大川之祇。西從位石龕山水形各一，祭天下名山大川之祇，各高七尺六寸。壝方二十四丈，高五尺五寸，壝正北三門六柱，東西南各一門二柱，柱及楣閾皆白石，扉皆朱欞。大清會典

〔臣等謹按〕天神、地祇、太歲壇位俱在先農壇内，祈雨則遣官祭告，雨足則報祀。

原 國初肇祀太歲，禮官雜議，因及陰陽家説十二時所直之神，太祖乃定祭太歲於山川壇之正殿，而以春夏秋冬四月將分祀兩廡。或謂月將非經見者。按禮祭法，埋少牢於泰昭，祭時也，相近於坎壇，祭寒暑也，太歲實統四時，而月將四時之候，寒暑行焉。今祭太歲、月將則固時與寒暑之神也。載諸祀典，孰謂非經見耶！餘冬序録

原 禮臣上言：太歲之神自唐宋以來祀典不載，惟元有大興作，祭於太史院，亦無常祭。國朝始有定祀，是以壇宇之制，於古無稽。按説文：太歲，木星也，一歲行一次，應十二辰而一周天。其爲天神明矣。亦宜設壇露祭，但壇制無考。應照社稷壇築造，高廣尺寸差爲減殺，庶於禮適宜。詔可。明嘉靖祀典

原太歲壇在山川壇内。中爲太歲壇，東西兩廡，南爲拜殿，殿之東南砌燎鑪，殿之西爲神庫、神廚、宰牲亭，亭南爲川井，外四天門，東門外爲齋宫鑾駕庫，外爲東天門。春明夢餘録

原祭太歲、月將等神於太歲壇，每歲於立春大袷用事正祀某甲太歲之神，東廡春秋月將之神，西廡夏冬月將之神。明嘉靖祀典

增太歲壇在正陽門外西故山川壇内，明嘉靖八年建，本朝因之，乾隆十九年重修。每年於正月上旬吉日、十二月杪，恭祀太廟日，致祭太歲月將之神。恭遇皇上行耕耤禮致祭先農禮成，詣太歲壇拈香。正殿太歲，兩廡月將壇。大清一統志

增太歲殿在先農壇之東北，南嚮七間，三出陛，各六級。東西廡各十有一間，一出陛，均四級。前爲拜殿七間，拜殿東南燎鑪一，壇内垣門四，各三間。神位南嚮，四時十二月各有主者，分祀兩廡，東廡司春秋爲位六，均西嚮，西廡司夏冬爲位六，均東嚮。大清會典

原先農壇在山川壇内太歲壇旁之西南，永樂中建。爲制一成，石包甎砌，方廣四丈七尺，高四尺五寸，四出陛。西爲瘞位，東爲齋宫鑾駕庫，東北爲神倉，東南爲具服殿。殿前爲觀耕臺，臺用木，方五丈，高五尺，南東西三出陛。臺南爲耤田，護壇地六百

畝，供黍稷及薦新品物。又地九十四畝有奇，每年額税太常寺會同禮部收貯神倉，以備旱潦。嘉靖中，建圓廩方倉，以貯粢盛，上耕耤田親祭，餘年順天府尹祭。春明夢餘録

〔臣等謹按〕明史禮志，嘉靖中建先農壇，高五尺，廣五丈，與春明夢餘録互異。

增 先農壇在太歲壇西南，明嘉靖中建，本朝因之，乾隆十九年重修。大清一統志

增 先農壇在正陽門外西南。制方，南嚮，一成，周四丈七尺高四尺五寸，四出陛，各八級。東南爲瘞坎。壇北爲殿五間，以藏神牌，東神庫，西神廚，各五間，左右井亭各一。東南爲觀耕臺，方廣五丈，高五尺，面甃金甎，四圍黄緑琉璃，東南西三出陛，各八級，繞以白石闌柱。前爲耤田，後爲具服殿五間，南嚮，三出陛，南九級，東西各七級。東北爲神倉，中廩制圓，前爲收穀亭，左右倉十有二間，後爲祭器庫。大清會典

增 乾隆十七年御製祭先農壇詩 莫非爾極粒羣生，祀典躬行逮舉耕。藹藹青郊含宿露，垂垂黄幕朗新晴。三推敢懈勤民志？七奏惟宣望歲情。好雨知時先受貺，益深兢業凛持盈。

增 乾隆二十年御製祭先農壇詩 練日臨祥亥，占農逮正晨。祈豐祀修潔，致敬宇維新。上年南北郊壇工竣，即命重修先農壇，并於壝外多植嘉樹而禁種菜，以致蠲潔。時方蕆役。贊帝降嘉種，於時此大徇。卽看土膏潤，慰悚戴鴻鈞。

增 乾隆二十四年御製耕耤日祭先農壇詩 有事祈神佑，無非仰帝臨。方壇修毖祀，姑洗

協元音。農務將興候，身先要必欽。況曾艱臘雪，益切望春霖。三獻遵伊古，四推匪自今，四推之禮始自皇考，率成典制。黃雲落土雨，蹴踖惴彌深。

〔臣等謹按〕卷中恭載皇上御製詩，凡初見及有關典禮考訂者，皆敬謹繕録。

原 弘治元年二月，孝宗皇帝行耕耤田禮，順天府率兩縣官耆老之後，添上中下農夫各十人，穿本等衣鞋，各執農器，引見叩頭。令其終畝，人賜布一疋，後循以爲例。明嘉靖祀典

原 親耕耤田，合用田具什物黃龍口等犁牛具，順天府造辦。彩旗樂人禮部備辦。庶人絳衣絛履巾襪并大紅紗滿紅燈祭器工部修造。教坊司合用樂器銅鑼四面，黑油腔大鼓四面，小鼓二面，黑油腔篩子四面，白鐵鈎青緜繩穿紅油木楸四把，木叉四把，掃帚四把，斗蓬四箇，蓑衣四領，黑油杠四根，青綿花繩四根。同上

原 駕祀先農，躬耕耤田，工部題請將黃龍口犁、黃犍牛、黃絨鞭、黃套索各一，紅犁、黃牛、紅絨鞭、紅套索各十二，鐵箸、鐵楸、木楸、竹筐、米篩、竹箕、荊筐、掃苗掃帚、簸箕各十，耙二副，行順天府辦送。水部備考

原 天順乙酉仲春元辰，上親耕於南郊，命朝臣從耕。於是少保吏部尚書華蓋殿大學士李賢、禮部尚書姚夔、兵部尚書王竑、工部尚書白圭、吏部右侍郎翰林院學士彭時、户部左侍郎楊鼎耕其左，廣平侯袁瑄、隆平侯張佑、定襄伯郭登、吏部左侍郎翰林院學士陳

文、吏部右侍郎尹旻、通政使張文質耕其右。户部尚書馬昂進耒耜，上耕耤三推，從耕者各五推九推訖，京尹及赤縣令率耆庶終畝。水東日記

原 嘉靖九年二月，上躬耕耤田，三公九卿執事官一十二員：昌國公張鶴齡，建昌侯張延齡，大學士張璁、翟鑾，吏部尚書方獻夫，兵部尚書李承勛，户部尚書李瓚，禮部尚書李時，刑部尚書許讚，工部尚書章拯，都察院右都御史汪鋐，翰林院學士顧鼎臣。進耒耜執事官五員：户部尚書梁材、太常寺卿陳道瀛、鴻臚寺卿魏境、少卿孫伯義、順天府尹黎奭。明嘉靖祀典

原 崇禎七年二月，上親祭先農壇，行耕耤禮。十五年二月，上復親祭先農行耕耤禮。户部尚書傅淑訓進耒耜，順天府尹張宸極進鞭。上左手秉耒，右手執鞭，三推步行犁土中，盡壠而止。耕時，教坊司引紅旗兩旁唱禾詞，老人牽牛二人，扶犁二人。耕畢，户部尚書跪受耒耜，置犁亭。府尹跪受鞭，置鞭亭。府尹捧青箱播種，耆老以御牛隨而覆之。上御觀耕臺。於是大學士周延儒、賀逢聖、張四知、謝陞、陳演，吏部尚書李日宣六人耕於東，定國公徐允禎、恭順侯吳惟英、清平伯吳遵周、户部尚書傅淑訓、兵部尚書陳新甲、工部尚書劉遵憲六人耕於西。順天府廳官各執箱播種。太常卿奏耕畢，駕至齋宮，農夫終畝。科臣沈迅以教坊承應歌詞俚俗，請改正。上諭禮臣：以後耕耤宜歌豳

風之詩。春明夢餘録

（朱彝尊原按）耤田耕罷，燕及羣臣，教坊承應作黄童白叟鼓腹謳歌爲佯醉狀。弘治初元耕耤，教坊以雜劇承應，左都御史馬文升厲色曰：新天子當知稼穡艱難，豈宜以此黷亂宸聽？卽斥去之。思陵命改歌豳風，信卓見也。

增歲仲春吉亥，皇帝躬耕於帝耤，豫期由部奏請，命王三人、卿九人從耕。鴻臚寺豫於帝耤兩旁東西各設從耕位，立表以識。前期一日，皇帝御中和殿，閲祭先農祝版，禮畢，閲耕具畢，乘輿還宫。至日，皇帝禮服詣先農壇，致祭畢，御具服殿更龍袍，從耕暨侍班各官更采服以俟。大清會典

（臣等謹按）具服殿御製額曰劭農勸稼。聯曰：千畝肇農祥，寅清將事；三推勤御耦，亥吉祈年。皆皇上御書。

（又按）舊制，上耕耤，所司預設采棚於耤田上。乾隆二十三年奉上諭：吉亥耤畝，所重劭農，黛耜青箱，畚鎛蓑笠，咸寓知民疾苦之意。而設棚懸采，以芘風雨，義無取焉。吾民涼雨犁而赤日耘，雖襏襫之尚艱，豈炎濕之能避？且片時用而過期徹，所費不啻數百金，是中人數十家之産也。其飭除之。遂爲定例。

增帝耤正中陳躬耕黄耒，駕以黄犢。户部尚書一人立於右，東面；順天府尹奉鞭立於

左，西面。耤田東西從耕朱耒各六，駕以黝牛。府屬丞倅奉青箱者，咸竢於次。樂部典樂一人，和聲署正二人，丞二人，立耤田左右。署史歌禾辭者十有四人，司金鼓版篴笙簫者各六人，頂帶老農四人，以次立耤田左右。麾五色彩旗者五十人，披蓑帶笠執錢鎛者二十人，牽牛耆老三十四人，上農夫十人，中農夫十人，下農夫十人，立歌禾辭者之外，相間爲班，均東西面魚貫序立。鴻臚寺鳴贊二人，侍儀御史二人夾耤田序立。不從耕王公暨三品以上文武官序立於觀耕臺側。禮部尚書奏行耕耤禮，皇帝至耕位，南嚮立，從耕三王九卿以次就耕位東西面立。鴻臚官引王公各官至觀耕臺南左右隅，均南嚮立。鳴贊贊進耒，户部尚書北面跪進耒；贊進鞭，順天府尹北面跪進鞭；皆興退。皇帝右秉耒，左執鞭，耆老二人牽犢，上農夫二人扶犁。禮部、太常寺、鑾儀衛堂官各二人恭導皇帝行耕耤禮。和聲署署史揚采旗，司樂官引署史鳴金鼓，歌禾辭，左右隨行順天府丞奉青箱以從，户部侍郎播種。皇帝四推四返畢，歌止。鳴贊贊受耒，户部尚書北面跪受耒；贊受鞭，順天府尹北面跪受鞭；皆興。暨順天府丞奉青箱，仍設龍亭，和聲署正率所屬退，禮部尚書奏請御觀耕臺。大清會典

〔臣等謹按〕觀耕臺舊制以木爲之，乾隆十九年奉旨改用甎石，臺座前左右三出陛，周以石闌。

增御觀耕臺，皇帝由午階升座。記注官四人由西階升，立臺上西南隅東面。鴻臚官引王公百官退立於臺下左右，均東面北上。從耕三王九卿以次受鞭耒，皆耆老一人牽牛，農夫二人扶犁，順天府屬丞倅一人奉青箱，一人播種，三王五推五返，九卿九推九返，畢，釋鞭耒，入侍班位立。執事官各設青箱於采亭，鴻臚官引順天府尹及丞率所屬官耆老農夫至臺前甬道西，北面東上，行三跪九叩禮，畢，退至耤田終畝。禮部尚書奏禮成。駕興，由東階降，乘輿還宮，導迎樂作，奏佑平之章。王公從各官以次退。是日賚耆老農夫布各四疋。及秋玉粒告成，擇吉收貯神倉，以供天地宗廟社稷之粢盛。大清會典

〔臣等謹按〕耕耤之典，前代帝王不過偶一躬親，垂之史册，已侈爲盛事。我朝列聖相承，重農勸穡，世宗憲皇帝特命加一推一返。我皇上御極以來，親耕典禮歲必舉行，並於三推之外敬遵加一之禮，勤穡事而劭農功，洵超邁千古矣。

增乾隆六年御製仲春耕耤詩 布政宜敦本，當春乃勸農。良辰耕帝耤，膏雨遍畿封。輦路華旌映，城闉瑞靄濃。明禋先致享，神格益滋恭。耒耜青箱列，公卿法服從。三推親竟畝，百室願如墉。皇考貽謨烈，齋宮著肅雝。無須陳夏諺，即此仰堯宗。

增乾隆九年御製二月二十七日耕耤禮成得詩四首 昭蘇春氣濃，千畝正南縱。勸穡倡羣辟，明禋考秩宗。輕雲籠旭日，殷禮享先農。佇望甘膏沛，微衷益致恭。皇考勤農

本，年年盛典修。春郊方淡蕩，穡事敢遲留？野老披蓑笠，青壇覲冕旒。頒恩勞終畝，旨酒美思柔。綵棚周沃壤，葱犗服青犁。京兆種方布，皇州草未萋。九三分位次，黍稷按東西。釀雨雲容好，應霑硯起泥。祥風扇盎融，金翼影方中。閶闔千門啓，逶迤一路通。心因繩武恪，禮以重農隆。蠶館初諏吉，勤民此意同。是年初命皇后舉親蠶禮。

增乾隆十一年御製三月二十一日耕耤十二韻　良辰惟吉亥，農禮事親耕。歲舉遵先典，晨開出禁城。和鈴鳴噦噦，葆羽曜晶晶。至止方壇近，趨蹌列陛平。佑神依古制，嘉樂協元聲。夙辨粢粱種，豫日中和殿視穀種犁鞭。言觀耒耜呈。禾詞三十六，田父陌阡行。濕濕服葱犗，齊齊覆綵棚。三推勤已諭，加一訓尤明。加一之禮，蓋自我皇考始行之。甸者青箱播，疇人玉漏傾。不寧倡穡事，端以奉齊盛。安得如膏潤，寬予望歲情？

增乾隆二十年御製耕耤詞三首　洪縻在手御犁扶，京兆司農執事趨。詎止游場循典禮？要知農重祝農臙。雨霑春鳸命耕時，千畝祥風颭綵旗。歲歲躬親不遑逸，劭農家法式勤思。欄輝白玉望耕臺，帝耤今年禮倍該。望耕臺舊以木爲之，今改建石臺。恰值青郊一犁足，惠風合拂曉雲開。

增乾隆二十三年御製耕耤禮成述事　兩歲躬耕稽省春，劭農寧敢重逡巡？青箱黛耜陳依舊，綵綴華棚罷以新。向時耤田之上設棚懸綵以蔽風雨，今歲二月始勅所司除之。已慰潤泉啓蚓户，更希繼澤見魚鱗。禾詞卅六分明聽，八政心欽倡萬民。

增乾隆二十五年御製耕耤擬禾詞四首　沃塗膏壤司空掌，縹軛紺轅農正陳。率稼供粢胥要道，敬遵家法歲躬親。千里王畿霑臘雪，陽春二月被甘霖。天恩今歲真優渥，益爲（去聲。）紓心益惕心。隴麥芃葱實愜懷，寧惟耤畝治除佳？去年此日那能忘？曾是雱雱鎮雨霾。四推蕆禮置朱紘，遞進扶犁王與卿。諸部回人列觀預，（是日命隨將軍凱旋入覲之哈密郡王玉素富暨各回部貝勒貝子公伯克等於迎駕後並得入壇觀禮。）俾知國典重農耕。

增乾隆三十一年御製耕耤禾詞　司農京兆進犁鞭，黃道迎南直似弦。恭己倡民宜用慎，却思將事隔經年。（去歲南巡未耕耤。）取諸益象自神農，耒耨由來萬古宗。自在勤民實稼穡，豈關剡木飾金龍？春耕仲月早成詩，吉亥云當此際宜。雖是司天撰良日，究爲覛土太遲時。（耕耤例涓三月初亥，今歲欽天監以初六日乙亥不宜栽種，遂移用次亥。播穀之期，未免略晚。）三推加一陟臺崇，農具農夫列候同。非不豳風圖日覽，關心觸目屢田功。

增乾隆三十三年御製耕耤禾詞　春亥虔因撰吉期，翻嫌身先（去聲。）此爲遲。（耕耤例於清明後亥日舉行，今歲二月十八日清明，故於廿九日行禮。）犁鞭襄事胥文苑，（户部尚書于敏中進犁，工部尚書管府尹事裘曰修進鞭，二人皆内廷翰林。）應有佳詞佐穡儀。戊土歲千籲豐秫，子支春仲叶孳萌。勤民要務足衣食，穆穆天田此倡（去聲。）耕。沃壤平治（平聲。）厥畝千，黃牛拖耒直如弦。春郊早見親耕者，所喜二膏潤大田。碧宇雲輕風亦輕，三推加一歲躬行。古禮三推，皇考劭農重穡，特加一推，每歲遵行，率舊典也。知非待雨究希雨，愛聽春鳩古樹鳴。

增耕耤三十六禾詞　光華日月開青陽，房星晨正呈農祥。帝念民依重耕桑，肇新千耤考典章。吉蠲元辰時日良，蒼龍鑾輅臨天閶。青壇峙立西南方，犧牲簠簋升芬芳。皇心祗敬天容莊，黄幕致禮虔誠將。禮成移蹕天田旁，土膏沃洽春洋洋。黛犁行地牛服韁，司農穜稑盛青箱。洪縻在手絲鞭揚，率先稼穡爲民倡。三推一墢制有常，五推九推數遞詳。王公卿尹咸贊襄，甸人千耦列雁行。耰耡既畢恩澤滂，自天集福多豐穰。來牟蕎薾森紫芒，華薌赤甲秈稈秎。秬秠三種黎白黄，稷粟堅好碩且香。糜芑大穗盈尺長，五穀五豆充隴場。穄粢穈鏖九色糧，蜀秫玉黍兼東廧。烏禾同收除童粱，雙岐合穎遍理疆。千箱萬斛收神倉，四時順序百穀昌。八區九有富蓋藏，歡騰億兆感聖皇。律呂正義後編

原顧鼎臣帝耤躬耕賦　帝在位之九載，大業朗以遐宣。闢兩儀以作事，掩六極以爲鄰。四時肇其順序，八政飭而罔愆。猶且邇王事之本，念民事之艱。憲古昔以示勸，躬往耕乎耤田。是月也，星麗辰角，日移參尾。太皞司辰，勾芒佐理。律應夾鍾，節惟雨水。當木德之在御，見斗杓之東指。林含烟以葱蒨，華綴露而旖旎。長川漾而流碧，芳草靡以成綺。羌萬井與千廛，咸戒期於于耜。乃命司空治館，金若視壇。熛宫岌嶫，絳殿蜿蜒。青幄雲駐，翠幙氛連。有崇臺以觀稼，百千畝兮陌阡。若天造而地設，以待聖天子之幸焉。爾乃即齋宫，坐宣室。儷朱紘，載青幘。祝史正辭，巫咸獻吉。瑶路朝嚴，金根宵飭。服葱犗於紺轅，駕蒼龍以縹𩣡。後車備播殖之器，中宫獻穜稑之實。於是勾陳肅隊，招摇啓途。六軍雷動，七校風驅。前披雲以建纛，後揥星而曳旟。草莫莫兮承輦，花菲菲兮襲裾。至則直廬周設，崇卑在位。耆老偕觀，耕夫咸萃。眄翠旄之誕臨，歡聲騰而動地。爾其配后稷，享先農。奠蒼璧與元醴，燎芳桂與香蘂。太牢薦而肥腯，太簇奏而從容。既用虔於祼鬯，乃躬即乎田功。於焉京兆奉鞭，司徒獻耜。牛濈濈以從縻，畝畇畇其如砥。羣歌而田鼓聲聞，三推而土膏脈起。陟巍臺以俯眺，覩萬民之舉趾。大徇之典將行，享禮之謀斯啟。時則大宗伯捧策而進曰：陛下應農祥而發令，順陽氣以時行。耤千畝於畿甸，勸萬乘以躬耕。示三農以崇本，垂百世而爲經。天子有睟其容，雍然而喜曰：黍稷馨香，籩豆以飭者，孝之則也。三時不違，唯農是恤

者，仁之錫也。庶土任宜，深耕易植者，政之式也。余一人念稼穡之艱難，躬胼胝而無逸。雖六府之孔修，猶日慎於一日。豈止於奉遺典而循行，慕前修而潤色者哉？於時上率元臣，載拜稽首。奉萬歲之觴，上一人之壽。鐫玉策而紀瑶編，勒鴻猷以不朽。頌曰：於惟上聖，秉化權兮。洪澤汪濊，溢八埏兮。百祀咸秩，儀孔虔兮。爰稽昔典，耕耤田兮。帝既至止，三推先兮。羣工卿寺，禮罔愆兮。農夫終畝，播殖蕃兮。以供粢盛，潔且蠲兮。雨風時若，大有年兮。小臣稽首，載颺言兮。顧文康集

原劉榮嗣駕耕耤田恭紀　青陽膏土動郊原，玉軑乘時出應門。自古有年歌帝力，於今祈穀荷君恩。西疇柳帶宮雲暖，上苑花迎稼雨繁。田畯於時占介福，茨粱早已報曾孫。半舫集

增李霨耤田恭紀　昊天擇厥子，惟德不以親。聖人執大象，奠物非佚身。禋享有常秩，幽以悦百神。皐求不敢私，明以媚兆人。人神苟無憾，黄虞道彌淳。大興縣志

增先農壇内垣東門外北爲慶成宮，南嚮。正殿五間，崇基石闌，前左右三出陛，各九級。後殿五間，左右配殿各三間。正殿前時辰牌石亭一。内宮牆南三門，東西掖門各一。外宮牆南中三門，左右各一門。東南鐘樓一。壇外垣周千三百六十八丈，東嚮門二，南北並列，南入先農壇，北入太歲殿，皆三門，角門一。大清會典

〔臣等謹按〕乾隆二十年會典進呈，奉御筆將先農壇齋宮改爲慶成宮。

原旗纛廟在太歲殿之東，亦永樂中建。神曰旗頭大將，曰六纛大神，曰五方旗神，曰主宰戰船之神，曰金鼓角銃砲之神，曰弓弩飛槍飛石之神，曰陣前陣後神祇五猖等衆，皆南向。旗纛藏内府，仲春遣旗手衛官祭於廟，霜降祭於教場，歲暮祭於承天門外。春明夢餘録

〔臣等謹按〕旗纛廟舊址卽今神倉，乾隆十八年奉諭旨：先農壇舊有旗纛殿，可徹去，將神倉移建於此。又原書引春明夢餘録六纛大神，考明史禮志，作六纛大將，

彼此互異。

增 觀音寺在先農壇南。五城寺院册

〔臣等謹按〕觀音寺，明崇禎十四年王應魁建，鑿井施茶水。今井尚存，有翰林院編修魯元寵撰碣。

增 佑聖庵在觀音寺南。五城寺院册

〔臣等謹按〕觀音寺與永定門相近，建於明萬曆三十二年，有太子太保吏部尚書李戴撰碑。

欽定日下舊聞考卷五十六

城市 外城東城

原 崇北坊在新城廣渠門東北角，崇文門外東河沿往東至都城東南角，至便門東北角，七牌三十七鋪，有天仙廟、崇恩觀、卧雲庵、無量庵、崇恩寺、卧佛寺、增福廟、白雲寺、積穀寺、萬福寺。（五城坊巷衚衕集）

〔臣等謹按〕天仙廟、崇恩觀、卧雲庵、卧佛寺今存。卧佛寺又名妙音寺。本朝乾隆三十一年重修，卧佛猶存後殿。增福廟今名增福寺，又名財神廟，在花兒市大街後。白雲寺在炕兒衚衕。萬福寺在花兒市東豬營。餘俱無考。

原 元至大四年十月，勑繪武宗御容，奉安大崇恩福元寺。皇慶元年四月，崇恩福元寺成。（元史仁宗紀）

原 武宗及二后爲東西二殿，藏玉册十有二牒，玉寶一鈕。（元史祭祀志）

原 延祐元年閏月，隆禧院官言：世祖影殿有軍士守之。今武宗御容於大崇恩福元寺安

置，宜依例調軍守衛。從之。元史兵志

原天曆二年，以南鎮國寺提舉司改崇恩福元提點所。三年，又改爲福元營繕司。元史百官志

原姚燧崇恩福元寺碑　至大元年，詔羣臣曰：昔朕萬里撫軍，躬擐甲胄，底平北寇，時有願言，俟他日振旅而南，大建寶剎，爲祖考薦福，慈闈祝釐。卿曹其灼是懷，惟以其日鑾輅親巡，胥地所宜，於都城南，不雜闤闠，得是吉土。勑行工曹，甓其外垣，爲屋再重，踰五百礎，門其前而殿於後，左右爲閣，樓其四隅。大殿孤峙，爲制正方，四出翼室，文石席之，玉石爲臺，黄金爲趺，塑三世佛。後殿五佛皆笵金爲席，諸天之神列塑於廡，皆梵像變相詭形，怵心駭目。至其榱題棁桷，藻繪丹碧，緣飾皆金，不可貲算。楯檻衡縱，捍陛承宇，一惟玉石。榜其名曰大崇恩福元寺。外爲僧房，方丈之南，延爲行宁，屬之後殿，庫廐庖湢，井井有條。所立隆禧院，比秩二品，守以相臣，割田外郡，收其租入，以給祝髮者。乘輿時臨，留必信宿，久或浹旬，功垂什八。期以四年正月八日大慶贊徧賚官役。何意其日奄以奉諱。皇帝踐位，哀先志之弗竟，懼成功之將墜，飭敦匠臣，益虔乃職。罷行工曹入留鑰司之，程以早集。勑臣燧：汝文之碑。臣燧載拜稽首作頌曰：猗嗟梵宮，相方視址。授其成規，維昔天子。寫材於江，伐石於山。言出風行，草靡庶頑。又假相臣，汝往敦匠。易衣寒暑，饑俟汝餉。於茲三年，大立細捐。垂欲落之，而陟配天。皇帝曰噫，朕兄所志。有銜未究，其在傳次。乃勑攸司，無替爾程。其用則取，邦賦之經。佛宇勑爲，前古有是。而其所無，兩聖之治。前聖往矣，於佛焉依？今聖萬年，與日齊輝。濡軌長江，拳石喬嶽。善頌之存，梵唄攸託。牧庵集

原臥佛寺，入山門有圓殿，佛立其中。後殿有臥佛，長丈餘，有十餘佛環立肩背後。寺無碑記，止西廊一鐵鐘，係正德戊辰年所鑄，稱寺曰妙音寺。析津日記

〔臣等謹按〕臥佛在今寺中後殿，至所云有十餘佛環立肩背後者，今無存。

原隆安寺，天順間廢剎也。萬曆己酉，僧翠林自蜀來，募金錢修佛殿後堂三楹，曰淨土社堂，列龕五十三，結僧徒念佛。歲元旦設果餌享佛盤千數，名曰千盤會。寺後一閣，崇禎元年僧大爲立。帝京景物略

〔臣等謹按〕隆安寺今存，創於明景泰五年。寺中有題名碑記可考。本朝康熙四十七年重修，有右副都御史劉兆麒撰碑。

原 普陀寺、金山寺在崇北坊，俱有勅建碑。明順天府志

〔臣等謹按〕普陀寺今存，在東便門内橋北，勅建碑無考。金山寺久廢。

原 崇南坊在新城廣渠門左安門東南角七牌三十三鋪，有地藏寺、法藏寺、妙音寺、寶應寺、崇教寺、安化寺、吉祥寺。五城坊巷衚衕集

〔臣等謹按〕地藏寺、法藏寺、妙音寺俱存。寶應諸寺無考。

原 法藏寺舊名彌陀寺，金大定中立。景泰二年太監裴善静修之，更曰法藏。有祭酒胡濙、沙門道孚二碑。道孚，戒壇第一代戒師，世人稱鵝頭祖師者也。北地多風，故塔不能空，無可登者。法藏寺彌陀塔獨空其中，可登。塔崇十丈，窗八面。窗置一佛，凡五十八佛。佛設一燈。歲上元夜，僧然燈繞塔奏樂，金光明空，樂作天上矣。帝京景物略

增 何景明九日游法藏寺登塔　塔廊徐暗轉，不覺此身高。月牖通天漢，風簷散海濤。望餘秋色遠，登處客心豪。去雁休回首，冥冥一羽毛。大復山人集

〔臣等謹按〕法藏寺在霍家橋，祭酒胡濙、沙門道孚二碑俱存。彌陀塔在後圃中，即帝京景物略所云空中可登者也。然今已頹圮矣。

增 金彌陀寺即法藏寺，在外城内。寺中有塔七級，高十餘丈，中空可登。余少時讀書其

旁，天氣晴時輒一登。北望宫闕，黄瓦參差，西觀兩壇，松檜鬱茂，西山黛色如在簷前。天府廣記

增 劉效祖法藏寺塔詩 幾年不出城南路，偶爲幽尋過梵宫。四壁烟霞空白日，滿堂鐘磬動秋風。浮圖影落青林外，舍利光生晦夜中。阡壠紛如閒步暝，九霄鈴鐸認西東。帝京景物略

增 毛鋭法藏寺塔詩 虚塔憑高立，天風吹寂寥。院花開昨日，碑字認前朝。風影壇光動，鈴聲海夜潮。諸天來肅肅，星宿動寒霄。同上

原 大悲寺在崇南坊，有勅建碑。明順天府志

〔臣等謹按〕大悲寺久廢。

增 育嬰堂在廣渠門内，夕照寺西，本朝康熙元年建。五城寺院册

〔臣等謹按〕育嬰堂創始於大學士金之俊、學士胡兆龍，繼之者有馮溥、龔鼎孳、姚文然、趙之符、王熙，行之數十年。雍正二年，世宗憲皇帝特宣恩旨，頒帑千金，并賜功深保赤扁額，又御製記文以示獎勵。並勅各省督撫募勸好善之人照京師例行之。皇上御極以來，廣沛恩膏，時如賑給，仰見聖朝深仁厚澤，無微不到，洵非前古所及也。

增 雍正二年奉上諭順天府府尹等：京師廣寧門外向有普濟堂，凡老疾無依之人每棲息於此，同其事者樂善不倦，殊爲可嘉。聖祖皇帝曾賜額立碑以旌好義。爾等均有地方之責，宜時加獎勸以鼓舞之。但年力尚壯及游手好閒之人不得借名混入其中，以長浮惰而

生事端。又聞廣渠門内有育嬰堂一區，凡孩穉之不能育養者，收留於此，數十年來，成立者頗衆。夫養少存孤，載於月令，與扶衰恤老同一善舉，爲世俗之所難。朕心喜悦，特賜扁額，並賜白金。爾等其宣示朕懷，兼倡率資助，使之益加鼓勵。再行文各省督撫，轉飭有司，勸募好善之人，於通都大邑人烟稠集之處，若可以照京師例權仿行之，其於字弱恤孤之道似有禆益，而凡人怵惕惻隱之心亦可感發而興起也。

增世宗御製育嬰堂碑記　朕撫御寰瀛，子育兆庶。欲使溥天之下咸躋仁壽之域。粤稽周禮有慈幼之文，戴記有養孤之典。德意深厚，施及襁褓。蓋王政之仁，雖鳥獸之胎卵，草木之萌芽，皆爲之教令以愛護之，使至於生植，而況於人乎！國家太平日久，丁口蕃息，或有不能自鞠養者，朕惻然念之。京師廣渠門内舊有育嬰堂一區，以字遺穉。顧其規制未備，所存濟者尚少。朕用錫之題額以重其事，又賜帑金，特諭府尹重加經理。公卿士庶多有捐貲爲善者。凡乳保醫療之人，寒暑衾服之具，施設周詳，行之可久。孔子曰：大道之行也，人不獨親其親，不獨子其子。言孝慈之道廣也。詩云：商邑翼翼，四方之極。言京師者四方之表也。誠使九州之内，自通都大邑至於市鎮繁富之所，郡縣長吏各殫厥心，倣此而推行之，倡好義之士，宏恤孤之政。豈惟保抱攜持，幼得所養，而人人興起其仁心，喜於爲善，則老安少懷，風俗益臻醇茂。斯朕之所厚望也夫！

增雍正十三年，奉上諭：京城有普濟堂二處，育嬰堂一處，收養無依之窮民、拋棄之嬰孩，由來已久。其經管之人實心行善，有存孤之意，恤老之風。從前皇考兩賜帑金，並賜温綸，以旌義舉。今朕卽位，廣沛恩膏，而輦轂之下樂善良民，敦行不倦，朕心嘉悦。三處各賜銀五百兩，以助其養贍之費。著内務府卽行給發，並朕旨宣諭知之。

原夕照寺，其建置年月無碑記可考，或云燕京八景有金臺夕照，此寺之所由名也。析津日記

〔臣等謹按〕夕照寺在育嬰堂東，創建年月無可考。據趙吉士育嬰堂碑記云，夕照寺順治初已圮，僅存屋一楹，蓋其來久矣。今殿宇甚完整。又考燕京八景之金臺夕照，在朝陽門外。析津日記云，此寺以是得名，誤也。

原安化寺在崇南坊，有勅建碑。明順天府志

補安化寺，正統八年賜額，有光禄卿雲間張天駿碑記。行國録

〔臣等謹按〕安化寺今存，勅建碑無考，張天駿碑今在寺中。

增萬柳堂在廣渠門内，爲國朝大學士益都馮溥别業。康熙時開博學鴻詞科，待詔者嘗雅集於此。檢討毛奇齡曾製萬柳堂賦。今其基周圍一頃餘，内有小土山，卽昔蓮塘花嶼也。京城古蹟考

〔臣等謹按〕元廉希憲萬柳堂在今右安門外草橋相近，詳見郊坰門此則臨朐馮溥别

業，蓋慕其名而效之者也。後歸倉場侍郎石文柱，有御書樓，恭懸聖祖御筆額曰簡廉堂。聯曰：隔岸數間斗室；臨河一葉扁舟。又有御書石刻數方嵌於壁間。康熙四十一年，石氏建大悲閣大殿、關帝殿、彌勒殿，捨僧住持，聖祖御書拈花禪寺額，賜僧德元，今恭懸大悲閣上。

增毛西河徵車赴京時，益都相公大開閣請召諸門下士共集於城東之萬柳堂，即席爲賦。時作者三十人，益都以是篇壓卷。次日侍讀喬君爲傳寫一通，謬爲己作以示曹峨嵋司成。峨嵋曰：此非君作也。然則誰作？曰：此非西河不能也。一時競傳之以爲佳話。西河集

增毛奇齡萬柳堂賦有序　萬柳堂者，益都相公馮公之別業也。其地在京師崇文門外，原隰數頃，污萊廣廣，中有積水，渟瀯流潦。既鮮園廛，而又不宜於粱稻。於是用饕錢買爲坻場，垣之壓之，又偃而瀦之，而封其所出之土以爲山。巖陁坱曲，被以雜卉，構堂五楹，文階碧砌，芄蘭薜苢，蘞蔓於地。其外則長林彌望，皆種楊柳，重行疊列，不止萬樹，因名之曰萬柳堂。歲時假沐於其中，自王公卿士下逮編户馬醫傭隸，並得游讌居處，不禁不拒，一若義堂之公人者。昔都城門外多羣公所置別業，如樊川金澗，謝墩韋谷，以及富鄭公園田游巖宅之類，並有山亭水榭魚鳥花竹之勝。然數傳以後，或存或毀，未必當時爲世通也。今以公所營而較之於昔，不無樸嗇，然而曠澹之懷與物同之。且去此數里，穿池放魚，豢畜乳婦而鬻無主之嬰兒，其於游觀自得之外，更有會焉。故其街曰太平，其坊曰隆興，而其途之榜則曰教養。蓋取東南近藉教侯之養之義。至若元時豐臺有萬柳堂，與此地異。雖其名同，非以襲其事也。因爲之賦。若夫城南杜曲，郭内張田。坊名履道，地類平泉。上宰欽賢之館，相公獨樂之園。開丙舍於廣陸，尋午橋之通川。綠野匪伊闕之舊，藍田出輞水之間。豈若謝氏東岡，潘仁西宅。林繞桐園，溪連梓澤。花飛會老之堂，草滿藏春之域。圖竹木於游巖，拾槐枝於李石。安邑之玉杯易碎，永寧之金盞可擲。築日華之館而糜其資，奪沁水之園而減其值。乃若院因起草，巖有退思。星辰相聚，雨露攸滋。谷口賜逍遥之榜，池邊吟醉白之詩。誰不遠企槐堂，近規薇省。閬苑千重，蓬池萬頃。暨三山之亭，倒九柱之景。李下無愧賢之名，竹中有解經之請。喜鳳侶之棲遲，待鸞車之行幸。又況心存公物，道在開濟。仿内府之無闌，效重門之撤備。韓滉作夾廡而更隳，裴垍欲垂簾而無計。總鮮鄭侯垣舍之心，原無陳仲掃除之意。是用經營甌窶，規偃瀦澤。除地町町，築牆橐橐。編棘爲樊，牽蘿作箔。立蘘荷之茌，騈金杏之閾。魏勃爲之掃門，陶侃於焉運甓。夸娥之丘，望而可就；愚公之山，移而即得。穿林置放鶴之亭，鑿渚見藏魚之壑。蜀女因照水而屏開，越王將渡溪而展落。於是徑設朱欄，橋成紅板。雁齒階長，蹲鴟柱短。天垂汲水之虹，岸接通泉之筧。遂使山髻如螺，峯頭似繖。粉浪冬遥，紅泉春淺。編錢作溝，

操琴在磵。巖共壑爲七盤，水隨山而九轉。乃致人疑皇子之陂，客訝鄭公之谷。呼白雁於山阿，泛紅鹽於水澳。在庭有蘭杜之軒，在水有芙蓉之舳。既粱麗以來游，亦柴巾而競逐。錢鏗之斟雉方馨，函鼎之烹雞已熟。燃蚖脂於白水之濱，聽鳥語於青柯之麓。啣杯據王氏之牀，倚檻和燕人之筑。元規當此處而興生，文正且因之以爲樂。然而梁亭之瓜，不分彼我；牛山之杏，無間飽饑。故魯國有行惠之樹，清平畜濟生之池。甯成給陂田，以游以燕；元琰治蔬圃，如取如攜。又況靈囿蒭蕘，頗供樵採。芳林草木，可娛心耳。故其爲樹也，以千章之材，爲百年之計。郁郁菲菲，狎獵旖旎。綏山一桃，渤海九李。階下來禽，林間新雉。乃有紅羅館後之梅，碎錦坊南之杏。青門五色之瓜，烏椑八稜之柿。潘家以大谷成名，庾信之小園難比。擷碧薤於書帶之間，繡綠草於裙腰之裏。笑蘿女之垂釵，留宛童之遺屣。緣巖分竊衣之花，繞砌種摇車之藟。將欲捋蒲以求仙，何止拔茅而進士？又況東門之楊，其葉湑湑；漢宮垂柳，千株萬株。長條短幹，茀鬱依紆。絲絲縷縷，或結或舒。參天踠地，旁苑臨渠。如帷如幔，一區兩區。行列成門，蓬童似廬。低堪繫馬，深可藏烏。彭澤之家園盡蒔，武昌之官道皆除。葉葉蔽長康之目，條條染李子之裾。張緒之當年，無時不見；王恭之春月，何地能渝？是固合平邱之種而不加其盛，增永豐之植而轉見其疏。況乎蘿谷殊名，樫河異地。南垞之浪難平，官渡之城未閉。章臺失眉嫵之青，楚苑嘆宮腰之細。節度移振武而驚其成林，司馬過金城而羞其破涕。又況春半飛花，日長飄絮。灎灎池塘，漫漫江路。雉啣藥以爲童，鳩裝綿而逐婦。釀酒來蠻女之思，點袂起貴嬪之妬。雖復種移郎省，賦試貢士。接九列之衙，望三衢之市。猶且徘徊綠天，淪漣碧沚。塞谷相望，宮牆遥倚。青眼垂來，黄鶯啼起。枝著雨而低迷，葉迎風而披靡。怳淑氣之移人，攬遥情而自喜。置身冥柏之鄉，曠望熊山之阯。離塵垢之紛紜，與天地爲終始。因錫之以嘉名，渺躊躕而不已。西河集

增朱彝尊萬柳堂記　度隙地廣三十畝，爲園京城東南隅。聚土以爲山，不必帖以石也，捎溝以爲池，不必甃以甎也。短垣以繚之，騎者可望，即其中境轉而益深，園無雜樹，迤邐下上皆柳，故其堂曰萬柳之堂。今文華殿大學士益都馮公取元野雲廉公讌遊舊地以名之也。古大臣秉國政，往往治園囿於都下，蓋身任天下之重，則慮無不周，慮周則勞，勞則宜有以逸之，緩其心，葆其力，以應事機之無窮，非僅資遊覽燕嬉之適而已。方元之初，廉公定隴蜀還，進拜中書平章政事，賜宅一區，暇同盧趙諸君子出郊置酒。所謂萬柳堂者，故老相傳在今豐臺左右。當其飲酣賦詩，命歌者進驟雨新荷之曲，風流儒雅，百世之下猶想見之。今公弼諧盛際，謀謨内贊，坐致太平，其勳業與廉公等。然廉公宣撫隴蜀，荆南威望著於方隅，而公澤洽天下。廉公在廷日少，公自翰苑登政府，立朝且三十年。廉公畏譏憂讒，而公一德孚於上下。所遇之隆，有過於昔賢者。要之，勤學好士，孜孜恒若不及，則異代同揆，宜其曠世有契於心也。彝尊客山東時，道經臨朐，觀乎熏冶之源，清泉白沙，淪漣側坎之下，叢竹百萬，詢之則公之別業。循階以登，徑之翳者當辟，石之戴土者當剔，亭之圮者當葺，公輟不治，顧專力於是。則以冶源公所獨樂，而京師與天下人同其樂也。入其門，門者勿禁，升其堂，堂焉勿問，庶幾物我俱忘者歟！堂成後，適四方人士應召至京師，公傾心下交，貧者爲致館，病者餽以藥，喪者賻以金。一時抒情述德，咸歌詩頌公難老。又慮公舍斯堂而請歸里也，爭賦詠公前，斯公樂之而不去。彝尊椎鄙無文，獨未獲游公之門，其爲斯堂記者，譬猶山禽楚雀啁啾翠陰之交，公之聽之未必不欣然悦於耳焉。曝書亭集

增陳其年萬柳堂修禊倡和詩序　蓋聞歲紀上除，詩詠秉蘭於洧溱；春惟元巳，史標蹹柳於華林。都下盛洛濱之戲，千里安期；山陰流曲水之觴，興公逸少。顏特進騁華文於劉宋，花在毫端。王寧朔騰玉藻於蕭齊，春生楮裏。三月三日，水面麗人；一詠一觴，林邊名士。亦云在昔，以迄於今。則有韋曲名莊，平泉別業。黃扉上相，欣逢戒浴之辰；緑野元公，喜届祈蠶之序。鶯遷郛外，高閣仍開；蝶舞花間，小車隨到。裙屐簇謝庭之子弟，軿輜溢馬帳之生徒。時則上陽宮外，積靄初晴；宣曲觀前，游氛乍斂。天裝卵色，皴成雙闕之紅；岫抹雲藍，滴作萬家之翠。綿羽既蹁躚乎綺陌，新荑亦溶漾乎銅溝。鞭絲帽影，争窺白傅之池臺；松韵泉鳴，競和東山之絲竹。蘭肴載薌，桂釀新篘。我師爰呼四座而言，此樂實駕千春而上。生民之始，厥有豪雄。自我而前，非無賢達。間復留連節物，撫弄景光。然而星移物换，竊或因身世以停歌；樂往哀來，究且睠關河而罷酒。縱或放懷清曠，陶情詎遂以忘情？寄意洸洋，齊物亦何能遺物？曷若鄭子産之池内，長有生魚；周茂叔之階前，雅多青草。流行坎止，悟大造之無心；今是昨非，笑前賢之多事。詩成七律，人各二章，庶幾南樓清興，老子何減於諸君？依稀東魯高風，狂士偕游乎童冠云爾。陳檢討集

補崇文門東南有淨度寺。按元張中丞養浩作其子雁奴壙銘，有云權厝文明門外淨度寺之南原，寺蓋元時有之矣。人海記

〔臣等謹按〕淨度寺今無考。

欽定日下舊聞考卷五十七

城市 外城南城一

〔臣等謹按〕朱彝尊原書，南城壇兆止載明代而不及金元。考元史祭祀志，中統十二年於麗正門外東南七里建祭臺，設昊天上帝、皇地祇位。成宗即位，始爲壇於都城南七里。則知元之郊壇亦在城南。又考析津志，郊天臺在京城之南五里，即金大定時拜郊所建。然則原書載在郊坰，金之拜郊臺者即是也。今附述緣起於此，以存金元壇兆舊典，而其詳則見於郊坰門云。

【原】天壇周十里，内有圜丘、神樂觀、天師府、犧牲所，在正陽門外永定門内街東。五城坊巷衚衕集

【原】天壇在正陽門之左，永樂十八年建，繚以垣牆，周迴九里十三步。初遵洪武合祀天地之制，稱爲天地壇，後既分祀，乃專稱天壇。春明夢餘録

【原】嘉靖九年正月，吏科都給事中夏言請更定郊祀，言國家合祀天地於南郊，又爲大祀殿

而屋之，設主其中，弗應經義。古者祀天於圜丘，祭地於方丘。圜丘者，南郊地上之丘，丘圜而高，以象天也。方丘者，北郊澤中之丘，丘方而下，以象地也。南郊之壇曰泰壇，以之燔柴。北郊之坎曰泰折，以之瘞埋。此古之制也。是故兆於南郊，就陽之義也。瘞於北郊，即陰之象也。此分祭天地，各正其所。凡以順天地之性，審陰陽之位也。況壇於南郊雖以就陽，亦因高之義。坎於北郊，雖以就陰，亦因下之義。豈有崇樹棟宇，擬之人道哉？乞勅多官集議，以求至當。上嘉之。明典彙

原詔博采公議。主分祭者：昌國公張鶴齡，定國公徐延德，懷寧侯孫瑛，瑞安侯王橋，駙馬鄔景和、謝詔，安仁伯王桓，玉田伯蔣榮，慶陽伯夏臣，崇善伯王清，都督夏助，右都御史汪鋐，府尹黎奭，府丞黃鍾，中允廖道南，編修程文德，給事中夏言、蔡經、張潤身、李仁、王聘、田秋、周祚、陳守愚、高金、趙漢臣、李鳳來、戴儒、孫應奎，御史王繼禮、喻希禮、陰汝登、郭宏化、周禪、徐淮、虞守愚、倪緝、梁尚德、陸琳、李循義，主事宋錦、李欽昊，治中汪登，通判陳邦傅、楊承祺、王紳、劉初，推官江文中，經歷陳珗、冷宗元、郭鳳、張居仁、劉秉仁、韓義，都事楊木、李光祚，知事胡蘭，照磨李俊、張霑，檢校南鉦，兵馬指揮畢成、胡綱、劉倫，副指揮何守安、牛進德、朱哲、張光祐、王瑶、陳謙、周倪、郭平端、詹垣、馮錫、顧言、廖長倫、劉紹宗、鄧文

隆、宋秀、祝世亨，吏目戴鑑、馬昂、張鉞，凡八十二人。主分祭而以成憲及時未可爲言者：平江伯陳圭，大學士張璁、翟鑾，侍郎董玘、張雲臣、陳洪謨、聞淵，副都御史唐龍，僉都御史李如圭，通政使張瓚卿、黄宗明、曾直，少卿林有孚、戴時宗、冼光、史道，寺丞周鳳鳴、簡霄、朱昭、陳綬、葉松、何鍾、陳雲章、葉廷芳、彭黯，修撰龔用卿，編修張星，給事中王守，御史許廷桂、張惟恕、盧問之、傅漢臣、謝蘭，寺正陸鰲、王天民，寺副王鴻漸、林士鳳、朱節、胡湘，評事陳經、應杲、吴[illegible]、孫裕、戴鄩、余棐、龔治，司務劉贊襄、馬顯，主簿周文定，都事陳貴、韓勛，典簿宋文絲、陳琅，署正宋訪、袁焕、蒲敏元、邊偁，署丞李繼元、況道、余定、李儼、劉壽、李珏、丁應南、張夢徵、楊茂深、羅其賓、陳珮、秦學書，監事楊臣、秦昌勝、董檜、馬圖、劉鎧、鄭時明、劉睿、徐芳、張倧、鄒儒、李瑞陽、要秀、吴冕、丁如紀、袁汝霖，凡八十四人。主分祭而以山川壇爲方丘者：尚書李瓚，編修歐陽德、歐陽衢，給事中魏良弼，御史傅炯、余鍧，員外郎余光祉，行人司正邊彦駱，右司副劉守良，行人李遂、王禎、傅學禮、秦鰲、方太和、沈謐、周汝員、柯喬、孫世祐、李實、莊用賓、田濡、蔡鍐、眭華、原宲、曾約等凡二十六人。主合祭而未嘗以古禮爲非者：尚書方獻夫、李承勛、梁材、許讚、章拯，侍郎徐縉、蔣瑤、蘇民卿、葛浩，詹事霍韜、顧鼎臣，通政宋滄、陳經，參議劉繼德、孫檜、劉日乾，卿魏校，庶子穆孔暉，諭德彭澤，贊善林文俊、蔡昂，學士張潮、吴惠、席春、許成名，修撰倫以訓、姚淶、王用賓，編修張衮、楊維傑、徐階，祭酒許誥，司業林時，給事中王汝梅、趙廷瑞、曾仲魁、董進第、陳侃，御史譚纘、王衮、陳講、王道、范安、王杲、趙兑、吴麟、闕士翺、葉照、朱觀、方遠、廖自顯，郎中劉序、李默、鄧尚義、王道、王松、范仲、劉從學、黄瓚、史麟、許繼、宋鋭、吴檄、盧襄、吴縉、華鑰、黄禎、張經、王大化、盧蕙、滎察、汪堅、易鑾、張瑶、姚世儒、閻溥、陳文譽、劉佐、侯緘、甘爲霖、丁洪、車純、汪漢、金中夫，員外郎張廷、馮世雍、李世臣、王激、王三省、吴冲、寇天與、陳良策、廖雲龍、伍餘福、屠倬、王莘、郭田、王旒、吕顒、張羽、李瑜、趙葉、楊鏞、黄澄、張邦教、余述、張淑、郁山，主事楊麒、全徹緒、顧陽和、吴允禄、任瀚、鄺汴、汪居安、馬坤、鄭琬、黄潤、江滙、屠楷、陳大珊、曾世昌、苗汝霖、徐子貞、熊汲、何鰲、趙時春、王學益、王應櫝、徐官、駱顒、傅好禮、汪以達、蔡子舉、李喬、陳貫、諸傑、張臬、毛衢、賈名儒、陳耀、朱子和、蘇民、夏玉林、陳箎、程綬、屠應埈、施昱、謝紘、郭宗臯、王士俊、林瓊、康世隆、查懋先、諸邦憲、李翔、郭秉聰、高仲嗣、陸時雍、張參、王鈁、馮冠、龔轅，中書舍人郭俊、司務張國紀、高臣、李克中、張鵬、吴道南、李槃、于喬、張仲良、周紳、蘇民，照磨丁律，檢校宋斌、張岦，監丞徐炳，典簿鄧祀，博士王廷臣、林文卿、王昺、蘇璞、王金章，助教魏琦、陳謨、陳禧、金周、陳琦、薛僑、譚諫、林思誠、范震臣、李邦祥，學正房堅、任冕、蔡奇、范儒、汪屺、林文、林邦望，學録李賓、趙誌、陳界、彭元陽，典簿曹鳳翔，凡二百六人。無所可否者：英國公張崙等一百九十八人。明嘉靖祀典

〔朱彝尊原按〕郊祀分合，持議異同，姓名可見者三百九十八人，國史所不能具載，因備書之。蓋内外小臣咸得與焉，亦以見當日詢謀之廣也。

原 五月，作圜丘於天地壇，稍北爲皇穹宇。明典彙

原 圜丘第一層，壇闊七丈，高八尺一寸，四出陛。正南陛闊九尺五寸，九級，東西北面陛俱闊八尺一寸，九級，壇面及壇脚用琉璃闌干。第二層壇面周圍俱闊二丈五尺，高八尺一寸。正南陛一丈二尺五寸，九級，東西北面陛俱一丈一尺九寸五分，九級，壇面及壇脚用琉璃甎砌，四面用琉璃闌干。壝去壇一十五丈，高八尺一寸，用甎砌。正南櫺星門三座，中門闊一丈二尺五寸，左門闊一丈一尺五寸五分，右門東面櫺星門闊九尺五寸，北面西面尺寸同。燎壇一座，在壝外東南丙地，高九尺，闊七尺，上開南出户。壇脚東西南三面設陛，周圍外牆去壝一十五丈。正南櫺星門三座，中門闊一丈九尺五寸，

門外正甬道闊丈尺同，左門闊一丈二尺五寸，門外左甬道丈尺同，右門闊一丈一尺九寸五分，門外右甬道丈尺同，東西北欞星門闊一丈一尺九寸五分，甬道丈尺同。存心録

原 禮臣言：圜丘之制，大明集禮壇上成闊五丈，存心録則第一層壇闊七丈，集禮二成闊七丈，存心録則第二層壇面周圍俱闊二丈五尺。蓋集禮之二成卽存心録之一層，存心録之二成卽集禮之一成矣。臣等無所適從，潤色參詳，是在皇上裁定。奉旨：圜丘第一層徑闊五丈九尺，高九尺，二層徑一十丈五尺，三層徑二十二丈，俱高八尺一寸，地面四方，滿墊起五尺。明嘉靖祀典

原 圜丘外圍方牆，門四，南曰昭亨，東曰泰元，西曰廣利，北曰成貞。内欞星門南門外東南砌緑磁燎鑪，傍毛血池，西南望燈臺長竿懸大燈。外欞星門南門外左設具服臺，東門外建神庫、神廚、祭器庫、宰牲亭。北門外正北建泰神殿，後改爲皇穹宇，藏上帝太祖之神版，翼以兩廡，藏從祀之神牌。又西爲鑾駕庫，又西爲犧牲所，北爲神樂觀。成貞門外爲齋宮，迤西爲壇門。春明夢餘録

原 皇天上帝正位南向，太祖配位西向，東一壇大明之神，西一壇夜明之神，東二壇二十八宿之神，西二壇雲師、雨師、風師、雷師之神。明嘉靖祀典

原 圜丘第二層上設大明星辰位居東，夜明太歲位居西，内壝東設風雲雷雨師位，天下神

祇壇在外壝之内。存心録

原昊天上帝配帝位，版長二尺五寸，闊五寸，厚闕寸，趺高五寸，黄質金字。大明之神金地硃書，夜明之神黄地素書，五星、二十八宿、周天星辰之神俱緑地金字，雲師、雨師、風師、雷師之神俱丹漆金書。明嘉靖祀典

補國朝於大祀殿祀昊天上帝，凡所謂天皇太乙之類，一切革去，三代以下祀典之正，所僅見也。博物典彙

原永樂十八年，北京天地壇成，每歲合祀。洪熙元年，奉太祖高皇帝、太宗文皇帝同配享。嘉靖九年，勅建圜丘於大祀殿之南，每冬至祀天，以大明、夜明、星辰、雲、雨、風、雷從祀。建方澤於安定門外，每歲夏至祀地，以五岳、五鎮、四海、四瀆、陵寢諸山從祀，俱止奉太祖一位配享，而罷太宗之配。其大祀殿則以孟春上辛日行祈穀祭，奉太祖、太宗同配。十年，又改以啓蟄日行祈穀禮於圜丘，仍止奉太祖一位配享。十七年秋九月，詔舉明堂大享禮於大内之元極寶殿，奉睿宗獻皇帝配享。元極寶殿卽舊欽安殿也。是冬十一月，上皇天上帝尊號。十八年春，行祈穀禮於元極寶殿，不奉配。二十四年，拆大祀殿，改建大享殿。命禮部歲用季秋行大享殿禮，隨又命仍暫行於元極寶殿。隆慶元年，詔罷祈穀、大享二祭，復元極寶殿仍名欽安殿，而天地則分祀如世宗所更定

云。太岳集

原 圜丘琉璃闌干，詔用青色。明嘉靖祀典

原 嘉靖十三年二月奉旨：圜丘、方澤今後稱天壇、地壇。同上

原 唐時明堂制度，其宇上圜，覆以清陽玉葉。清陽，色也。玉葉亦瓦之類。今大享殿及圜丘闌干皆用回青瓦，亦清陽玉葉之類。唐每郊祀啓南門，灌其樞用脂百斛。今都城南門亦閉不開，惟郊祀駕出方啓。穀城山房筆麈

原 萬曆十三年四月十七日，上以天旱，禱於郊壇，自宮中步行而出，禱畢仍步還宮。纍瓦編

原 蔡羽郊壇詩　輦道風清碧野平，紫烟常自鎖南城。行宮歲幸乘龍近，仙侶朝來學鳳鳴。小殿沉香金氣鬱，圜丘芳草玉華清。祠官記得天行處，萬燭光中候珮聲。林屋集

補 許穀謁皇穹宇詩　分祀崇郊典，嚴居肅帝宮。高明一祖配，陟降八神同。紫氣團華蓋，元陰接上穹。萬年瞻秉璧，靈貺自無窮。石城集

原 黎民表雨後經天壇沙河作　平沙雨濕草茸茸，白玉高壇紫翠重。馬上行人看不厭，石廊流水繞疏松。瑶石山房集

原 馮琦恭倍聖駕步禱南郊紀事詩　嗚虎新軍罷，勾陳御路開。紅塵都不掃，留待雨師來。北海集

增 圜丘在正陽門外南郊，形圓象天。南嚮，三成。上成徑九丈，高五尺七寸；二成徑十有五丈，高五尺二寸；三成徑二十一丈，高五尺。上成石面九重，自一九環甃遞加至九九；二成自九十遞加至百六十有二；三成自百七十有一遞加至二百四十有三；合一三五

七九陽數。每成四出陛，皆白石，九級。上成石闌七十有二，二成百有八，三成百八十，合三百六十周天之度；柱如之。内壝形圓，周百有六丈四尺，高五尺九寸。壝門四，皆六柱三門，柱及楣閾皆白石，扉皆朱欞。壝外東南丙地燔柴鑪一，高九尺，徑七尺，甃以緑琉璃。瘞坎一。東南燎鑪五。西南鐙杆三。外壝形方，周二百十丈一尺，高八尺六寸，門制與内壝同。燎鑪四，分設於壝東西門之左右。壝北門後爲皇穹宇，南嚮，環轉八柱，圓檐，上安金頂。基高九尺，徑五丈九尺九寸，石闌四十有九，東西南三出陛，各十有四級。左右廡各五間，一出陛，殿廡覆瓦，均青色琉璃。圍垣形圓，周五十六丈六尺八寸，高丈有八寸，南設三門，崇基石闌，前後三出陛，各五級。外壝東門外東北隅，神庫、神廚各五間，井亭一，祭器庫、樂器庫、棕薦庫各三間。又東爲宰牲亭、井亭各一。壝外内垣門四，東曰泰元，南曰昭亨，西曰廣利，北曰成貞，皆朱扉金釘，縱横各九。昭亨門外東西石坊各一。大清會典

〔臣等謹按〕明嘉靖九年定分祀天地之議，於大祀殿南建圜丘，本朝因之，重加繕治，其制益備。乾隆十四年，上以圜丘壇位張幄次陳祭器處宜量加寬廣，命仍九五之數而展拓焉。十八年，復鼎新南郊壇宇，一切規模稟承指示，凡崇卑之制，象色之宜，無不斟酌盡善，仰見聖心昭格之虔至周至悉云。

增歲以冬日至祀皇天上帝，奉太祖高皇帝、太宗文皇帝、世祖章皇帝、聖祖仁皇帝、世宗憲皇帝配，以大明、夜明、星辰、雲、雨、風、雷從祀。上帝位第一成，南嚮；列聖東西嚮。四從位第二成，大明西嚮；星辰在其次；夜明東嚮；雲、雨、風、雷在其次，均設青幄。上帝蒼璧一，帛十有二，犢一，登一，簠二，簋二，籩豆各十有二，尊一，爵三，鑪一，鐙六，燔牛一。列聖均帛一，犢一，登一，簠簋各二，籩豆各十有二，尊一，爵三，鑪一，鐙四。大明、夜明均帛一，牛一，登一，簠簋各二，籩豆各十，尊一，爵三，琖二十，鑪一，鐙二。星辰帛十有一。雲、雨、風、雷帛四。均牛一，羊一，豕一，登一，鉶二，簠簋各二，籩豆各十，尊一，爵三，琖三十，鑪一，鐙二。玉帛實於篚，牲載於俎，尊實酒，疏布冪勺具。大清會典

增先祀一日，皇帝御龍袍袞服，乘禮輿出宮，至太和門階下降輿乘輦，入壇西門，至昭亨門外降輦，由左門入，詣皇穹宇，於上帝、列聖前上香，行三跪九拜禮。詣圜丘視壇位視籩豆畢，由內壝南左門出外壝南左門，至神路右陞輦，詣齋宮。同上

增祀日，日出前七刻，皇帝御祭服乘輦，至外壝南門外神路右降輦，由外壝南左門入內壝南左門，陞午階，至二成黃幄次。皇帝就拜位立，迺燔柴迎帝神，樂奏始平之章。皇帝詣第一成上帝位前跪上香，以次詣列聖配位前上香，皇帝復位，行三跪九拜禮。乃

進玉帛，奏景平之章。皇帝陞壇，詣上帝位前奠玉帛，以次詣列聖配位前奠帛，皇帝復位。迺進俎，奏咸平之章。皇帝陞壇，詣上帝位、配位前跪進俎，復位。行初獻禮，奏壽平之章，舞干戚之舞。皇帝陞壇，詣上帝位前跪獻爵，奠正中，退就讀祝拜位立。司祝奉祝版跪祝案左，樂暫止。皇帝跪，司祝讀祝畢，樂作。皇帝行三拜禮，興，詣配位前，以次獻爵。行亞獻禮，奏嘉平之章，舞羽籥之舞。皇帝陞壇，以次獻爵，奠於左，儀如初獻，復位。行終獻禮，奏永平之章，舞與亞獻同。皇帝陞壇，以次獻爵奠於右，儀如亞獻，復位。光祿卿奉福胙進至上帝位前，拱舉，皇帝詣飲福受胙拜位立，跪受爵，受胙，三拜，興，復位，行三跪九拜禮。徹饌，奏熙平之章，送帝神，奏清平之章。皇帝行三跪九拜禮。有司奉祝，次帛，次饌，次香，恭送燎所，奏太平之章。皇帝由內壝南左門出，至望燎位，望燎。禮成，皇帝由外壝南左門出，至昭亨門外陞禮輿，大駕鹵簿前導，導迎樂作，奏佑平之章，皇帝回鑾還宮。同上

〔臣等謹按〕我皇上御極以來，仰承列聖敬天之忱，每歲恭遇南郊大典，必躬必親，爲古帝王所未有。乾隆十三年，上以祭器沿明之舊，未昭備物，命準古制易之。二十六年，臨江得鎛鐘，復勅令參考仿製，副以特磬，於大祀時敬謹陳設。其餘一器一物，凡折衷至當之處，悉經睿裁審定，垂示方來。大聖人昭事之誠，無微不

至，精忱所格，有貫徹於儀節之表者。億萬年景貺綿長，益頌凝承之有自矣。

增 乾隆元年御製冬至南郊詩 黄鍾應律肇千祥，喜見天心復一陽。子夜灰飛旋淑氣，泰壇日麗散晴光。明禋盛禮稽三代，御世鴻猷愧百王。祗祝精誠通帝載，眷予寰海樂倉箱。

增 乾隆四年御製冬至有事於南郊敬成八章章八句 於昭天鑒，眷於有德。佑我太祖，東土是式。帝命不顯，皇清不靈。明德惟馨，以畀萬邦。一章 赫赫太祖，天篤其祜。穆穆太宗，丕顯丕承。駿德光昭，爰受鴻名。建國紀元，肇定大清。二章 暨我世祖，混一區夏。聖祖紹之，容民厚下。民安於耕，物適於野。六十一年，惟天降嘏。三章 皇考翼翼，思爲君難。立綱陳紀，祗承克艱。授位渺躬，受命自天。敬念紹庭，敢忘寅虔。四章 日惟長至，爰卜南郊。三齋五戒，將事吉朝。式瞻百辟，玉珮金貂。式虔爾心，無或逍遥。五章 爰升燔柴，燔柴惟烈。爰陳俎豆，俎豆惟潔。惟予小子，敬捧蒼璧。明明帝神，尚其來格。六章 神之格思，降福穰穰。敢曰予小子，誠通昊蒼。自我祖宗，受嘏惟純。景命綿綿，逮我後人。七章 伐鼓淵淵，建旆翩翩。祀事用成，福禄來駢。匪以祭而專，匪以燕而遷。對越昊天，豈敢閒兮乾乾。八章

增 乾隆九年御製冬至有事於南郊敬成 伊古誠爲貴，匪今祭以時。微陽爰始復，殷禮敢

云遲。捧璧青壇肅，陳愆素慮知。黃鍾方應律，元酒亦盈卮。轉歉誠乾造，綏豐詎我期。今歲二麥無收，五月望後始得雨，而秋收倍常有穫，實天恩浩蕩，喜出望外也。天恩奚可恃，祈歲屢長思。

增乾隆十三年御製冬至南郊述志詩　寅祀南郊殷薦陳，鉶籩依古制更新。國朝一切禮儀率依明制，郊廟所用祭器徒存其名，皆以瓷盤代之，相沿未改，亦不知始訛於何時。朕以既用其名，宜備其物，特勑廷臣議更古制，今冬至大祀始用之於南郊，自是而諸祀皆用古禮器矣。一陽資始月纔朔，月二日冬至。六琯均調歲復春。昭格敢云歆上帝，敉寧端藉任元臣。維揚我武邀靈貺，即看書動閣起麟。金川本非勁寇，祇以用匪其人，以致久弗成功。茲大學士傅恒忠誠夙著，立志滅寇，故用爲經略，託以干城，師行之吉，卜於月之三日，適以預日大祀南郊，儼對越於咫尺，希慈佑之昭明，曷勝有顒，惟期底績云。

增乾隆二十年御製冬至南郊詩　南飛金翼影長時，元時趨承帝幕垂。拱北星辰環紫極，被西聲教藉皇禧。捧盈怵惕屢無斁，嫌畏披猖致不期。阿睦爾撒納因軍營大臣發其逆跡，懼誅思遁，而將軍等不能遵朕指示，即時擒戮，遂致逃竄，正在發兵搜捕。撻伐新俘冀重佑，永寧邊海戢貞師。

增乾隆二十二年御製冬至圜丘禮成述事　配藜佳氣焮樵蒸，奠璧圜丘祖業承。日在駿狼欽敬授，陽迴堪黍著明徵。於昭陟降依左右，敢曰馨香薦豆登。寧遠尚惟希景祐阿睦爾撒納逋竄未獲，西路軍務尚在籌辦。持盈更益勵兢兢。

增乾隆二十三年御製冬至南郊述事　金鳳占風來廣漠，鴻龍轉律啓韶陽。六宗依典修元祀，一意惟欽對昊蒼。澤國幸邀賜豐稔，今年豫東江南各屬以水利工竣，咸獲豐稔。頑回更冀靖狂猖。背恩戕使先開釁，逆回大小兩和卓木爲厄魯特拘縶有年矣，自大兵定伊犁，始釋其囚，俾長故地。乃狼子野心，竟致反噬，戕我副都統阿敏道，釁由逆啓，申討非得已也。曲直間惟帝鑒詳。

增乾隆二十六年御製冬至南郊禮成述事　亞歲迎禧首祀行，在懸應律肇陽生。鎛鐘特磬稽前制，比因臨江得古鎛鐘，參考仿製，副以特磬，大樂條理乃備，今大祀始用之。玉振金聲集大成。一統咸賓欽錫羡，重熙幸際慎持盈。敢希穆穆居歆眷，庶鑒夔夔對越誠。

增乾隆二十九年御製冬至南郊禮成述事　運斗瑶樞北中繩，見天心日肇禋應。式儀洞屬升三獻，調律和諧引八能。綏屢同民沐乾貺，今年各省多獲有收，直隸尤稱倍稔，爲十數年來所未有，感荷殊施，彌增忻悚。捧盈切己凛冰兢。五朝左右膺多福，敢不鴻禧亹繼承？

增乾隆三十九年御製冬至南郊禮成述事　雪霑三寸先三日，祀舉一朝凛一忱。省歲有豐還有歉，沐恩惟厚益惟欽。青齊黄瀆胥歸靖，山東壽張逆匪王倫等糾衆作亂，侵擾三縣，刼庫戕官，搶據臨清舊城，肆掠村鎮，特發八旗勁旅千餘，命大學士舒赫德等往彼統率經理，數日即盡勦滅。距其起事甫及一月。而淮安外河老壩口堤工漫溢處自堵築至合龍僅二十日。兩事皆成功迅速，實賴天佑也。索諾丹巴願早擒。金川土司索諾木急呼之則爲素諾，丹巴沃雜爾則其用事頭人最奸狡者，今阿桂已統兵攻克格魯古一帶碉寨，即日可抵勒烏圍，聞逆酋索諾木及莎羅奔兄弟皆聚於彼，惟冀上蒼嘉佑，一鼓成擒，更得迅速蕆功耳。子月恰當陽復子，是日子正二刻冬至。倍願羲象見天心。

增乾隆四十年御製冬至南郊禮成述事　欣逢月朔復初陽，恰值天開甲運昌。是日甲戌。卌載承禋幸躬藐，自乾隆元年冬至躬詣行禮始，迄今四十年，南郊大祀，歲必親行，從未遣官恭代。三成學禮挈兒行。命諸皇子侍壇上瞻禮，俾知予承祭時拜立進獻之必誠必敬，以恪奉明禋者如此。於昭侑座配列祖，默啓綿基籲上蒼。鴻捷更希報早晚，阿桂等奏攻克西里要隘，明亮等奏攻得札烏古山梁，兩路連次奏捷，官軍乘勝深入，應尅期馳報紅旗，益祈洪祐。速聞耆定武維揚。

增凡常雩之禮，歲以巳月龍見卜日祀皇天上帝於圜丘，爲百穀祈膏雨。大清會典

增先祀一日，皇帝齋宿於南郊，詣皇穹宇上香，詣圜丘視壇位，神庫視籩豆。上同

增祀日設皇天上帝位、配位、從位，均與冬日至大祀同。上帝前用帛一，與祈穀同。樂章燔柴迎帝神奏靄平，奠玉帛奏雲平，進俎奏需平，初獻奏霖平，亞獻奏露平，終獻奏霑平，徹饌奏靈平，送帝神奏霮平，望燎奏霈平，餘儀俱與冬日至大祀同。上同

〔臣等謹按〕雩祭在圜丘壇，謹編次於圜丘之後。

增乾隆九年御製四月八日雩祭圜丘敬成六韻　泰時修殷薦，雩宗享昊乾。豆登初飣饌，燔燎已升烟。龍見猶稽雨，秧萌欲萎田。屏營邀帝眷，切已慮民天。庶政修三事，羣工秉一虔。夔夔親步禱，藉以謝尤愆。

增乾隆十四年御製常雩禮成敬述　載舉常雩祀泰圓，春霖早慶遍公田。更因霑霈求優渥，敢恃絣幪弛敬虔。樂具卿雲扶瑞日，禮成和氣散祥烟。南郊近日邀殊貺，果得膚功定蜀川。上年十一月二日冬至，有事於南郊，即於次日命經略大學士傅恒啓行，纔届兩月，金川平定，奏凱班師，實邀上天福祐云。

增乾隆二十四年御製雩祭禮成述事　問夜昭雲漢，凌晨步石逵。祈恩先責己，利物匪求私。夏節雖遲日，時尚未立夏，常年雖有至夏至前後方霑雨澤者，然以去冬無雪，覺刻不可待矣。春膏已過期。何能諉慣見，更覺切焦思。翹企慈雲佈，顒希德雨施。協時慚抱蜀，矜惴寸心知。

增乾隆三十五年御製雩祭禮成述事　建巳月臨常祀修，致齋前日霈恩流。京畿春月望雨，至四月初二日始霑四寸餘膏澤，可以興犁。已欣及節興耕種，更冀申天錫渥優。樂奏和聲協氣合，禮成曙景露光浮。融融煜煜騰東壁，祝帛祥烟接燎牛。迎神舉燎牛禮成，送祝帛至燎坦，視燎畢退。燎坦在壇東。

增乾隆三十八年御製常雩禮成述事　幸逢甘澤夏春連，遠祭時行益企然。雖曰協和值於是，更希綏履繼乎前。幣承玉奠寸衷肅，鎛始金聲中吕宣。陟降省緣過六十，朕年逾六旬，敬祀之心實切，而步履大不如昔。因命大學士等定議，稍減登降繁文，自奠玉帛升壇至受福胙後始還至二成拜位，仍冀歲歲躬行，以抒誠悃。必躬期永奉皇乾。

增凡大雩之禮，歲在孟夏常雩之後，如不雨，遣官祗告天神、地祇、太歲；越七日不雨，告社稷；後更定不告社稷。仍不雨，復告神祇、太歲。三復不雨，迺大雩。先祀一日，皇帝御常服詣齋宮，不作樂，不除道，不設鹵簿。祀日，雨冠素服，躬禱於圜丘，設皇天上帝位、四從位，三獻禮終，樂闋，列舞童十有六人爲皇舞，衣元衣，執羽翳，歌御製雲漢詩八章，以祈優渥。餘儀及樂章均與常雩同。雨則報祀，遣官朝服行禮如常儀。大清會典

增乾隆二十四年御製大雩祝文　臣承命嗣服，今二十四年，無歲不憂旱，今歲甚焉。曩雖失麥，可望大田。茲尚未種，赤地里千。嗚呼，其惠雨乎！常雩步禱，未蒙靈佑，方社方澤，均漠弗佑。爲期益迫，嗟萬民誰救！敢辭再瀆之罪，用舉大雩，以申前奏。嗚呼，其惠雨乎！上天仁愛，生物爲心。下民有罪，定宥林林。百辟卿士，供職惟欽。此

罪不在官，不在民，實臣罪日深。然上天豈以臣一身之故而令萬民受災害之侵？嗚呼，其惠雨乎！謹以臣躬，代民請命。昭昭在上，言敢虛佞？計窮力竭，詞竇誠罄。油雲沛雨，居歆賜應。嗚呼，其惠雨乎！

增乾隆七年御製倣雲漢詩體敬製雩祭樂章以申誠懇　瞻彼朱鳥，爰居實沈。協紀辨律，羽蟲徵音。萬物芸生，有壬有林。有事南郊，陟降惟欽。瞻仰昊天，生物爲心。一章　維國有本，匪民伊何。維民有天，匪食則那。螻蟈鳴矣，平秩南訛。我祀敢後，我樂維和。鼉鼓淵淵，童舞娑娑。二章　自古在昔，春郊夏雩。曰惟龍見，田燭朝趨。盛禮既陳，神留以愉。雷師闐闐，飛廉衙衙。曰時雨暘，利我新畬。三章　於穆穹宇，在郊之南。對越嚴恭，上帝是臨。繭栗量幣，用將悃忱。惴惴我躬，肅肅我心。六事自責，仰彼桑林。四章　權輿粒食，實維后稷。百王承之，永奠邦極。惟予小子，臨民無德。敢懈祈年，潔衷翼翼。命彼秩宗，古禮是式。五章　古禮是式，值茲吉辰。玉磬金鐘，大羹維醇。元衣八列，舞羽繽紛。既侑上帝，亦右從神。尚鑒我衷，錫我康年。六章　維天可感，曰惟誠恪。維農可稔，曰惟力作。恃天慢人，弗刈弗穫。尚勤農哉，服田孔樂。咨爾保介，庤乃錢鎛。七章　我禮既畢，我誠已將。風馬電車，旋駕九閶。山川出雲，爲霖澤滂。雨公及私，興鋤利甿。億萬斯年，農夫之慶。八章增乾隆二十四年御製躬舉大雩祈雨詩 北至都踰旱種期，晚田急待澤斯時。人窮反本呼天籲，旱甚因誰責己知。湯禱載陳三足鼎，宣憂重訂八章詩。壬戌議舉常雩、大雩之禮，時曾製雲漢詩八章，爲舞童升歌之詞，然率卽得雨，迄未用。今歲旱甚，乃舉大雩，元衣八列，升詠此詩，又協候移易數語。好生帝德其寧惠，渴望雲行卽雨施。

〔臣等謹按〕常雩之禮，自乾隆甲子定議後，上每歲躬親。歲己卯自春徂夏，望雨甚殷，聖心宵旰靡寧，親製祝文，於六月十一日行大雩禮，由齋宮步禱圜丘。大禮既成，油雲四布，翊日霡霂徐施，中宵滂沛達旦，田疇霑足，自畿輔以逮缺雨各省，皆同日優沾甘霈，及時耕種，仍獲有秋。誠意感孚，昊蒼眷佑，洵不啻呼吸相通矣。

欽定日下舊聞考卷五十八

城市 外城南城二

原祈穀壇大享殿，卽大祀殿也。永樂十八年建，合祀天地於此。其制十二楹，中四楹飾以金，餘施三采。正中作石臺，設上帝皇祇神座於其上。殿前爲東西廡三十二楹。正南爲大祀門六楹，接以步廡，與殿通。殿後爲庫六楹，以貯神御之物，名曰天庫，皆覆以黄琉璃。其後大殿易以青琉璃瓦。壇之後樹以松柏，外壝東南鑿池，凡二十區。冬月伐冰藏凌陰，以供夏秋祭祀之用。至嘉靖二十一年，撤大祀殿擬古明堂，名曰大享，每春行祈穀禮。隆慶元年，禮官言先農之祭卽祈穀遺意，宜罷祈穀，於先農壇行事。大享禮亦宜罷。詔可。至崇禎十四年正月上辛，復行祈穀禮。十五年正月上辛，卽在朔日，禮部以朝賀不便，請改十一日中辛。得旨，於中辛日行禮。春明夢餘録

增祈年殿在成貞門北，壇圓，三成，南嚮。上成徑二十一丈五尺，二成徑二十三丈二尺六寸，三成徑二十五丈。面甃金甎，圍以石。石闌四百二十。南北三出陛，東西一出

陛。上成二成各九級，三成十級。壇上建祈年殿，制圓，内外柱各十有二，中龍井柱四，檐三重，上金頂。左右廡各九間，均覆青琉璃。前爲祈年門，崇基石闌，前後三出陛，各有一級。門外東南燔柴鑪一，瘞坎一，燎鑪五，制如圜丘。大清會典

〔臣等謹按〕祈年殿、祈年門舊名大享殿、大享門，乾隆十六年改今名。

增内壝周百九十丈七尺二寸，門四。北門後爲皇乾殿五間，上覆青琉璃，南嚮。正面三出陛，東西一出陛，各九級，石闌五十有九。大清會典

增内壝東門外長廊七十二間，二十七間至神廚、井亭，又四十五間至宰牲亭，爲祭時進俎豆、避雨雪之用。壝外圍垣東西北三面各有門，南接成貞門。同上

增凡祈穀之禮，歲以正月上辛祀上帝，爲民祈穀。皇天上帝位第一成殿中南嚮，奉太祖高皇帝、太宗文皇帝、世祖章皇帝、聖祖仁皇帝、世宗憲皇帝配饗，東西嚮。同上

增先祀一日，皇帝詣南郊齋宿，至祈穀壇外壝南門右降輦，入祈年門左門，詣皇乾殿上香行禮，詣祈年殿恭視壇位，由東門出詣神庫視籩豆，迺詣齋宫。同上

增祀日，設皇帝拜位於第一成殿門内，設讀祝受福胙位於拜位之前。皇帝由祈年門左門入，陞左階，進殿左門，至拜位行禮。上帝前，用帛一，樂章燔柴迎帝神奏祈平，尊玉帛奏綏平，進俎奏萬平，初獻奏寶平，亞獻奏穰平，終獻奏瑞平，徹饌奏渥平，送帝神

奏滋平，望燎奏穀平，禮成。同上

增 乾隆八年御製上辛日祈穀詩 東陸暉晴旭，穹壇颺瑞烟。上辛邀帝佑，依古重民天。量幣牲惟犢，燔柴燭被田。八音調太簇，九奏叶朱絃。寅祀增乾惕，駿奔敢後先。繼思祖德，對越儼皇乾。百辟威儀贊，一衷夙夜虔。祈年陳至願，錫我有秋連。

增 乾隆二十年御製祈穀禮成述事 祈年寶殿集諸祥，祭重初辛典制詳。恰慶元正符歲德，喜臨人日祝金穰。時和農稔陳恒願，天與人歸沐寵光。更冀鴻禧奠西極，王臣率土樂安康。時準夷內亂，來歸者接踵，因命出師勘定之。

增 乾隆二十一年御製祈穀禮成恭紀 祈辛兆祀禮皇乾，國本民依意倍虔。大武一元角繭栗，朱干八佾羽翬翩。去年曾是希鴻佑，上春祈穀禮成述事，有更冀鴻禧奠西極之句。時甫出師戡平伊犁，入夏果有捷奏，信上蒼慈佑也。西極真教奠塞壖。求定明昭賚耆定，綏豐益祝萬邦連。

增 乾隆三十五年御製祈穀禮成述事 春立方爲節應正，是月初九日始立春。祈農典合次辛行。金穰脩祀日逢卯，震德乘時歲納庚。顧諟照臨有明命，由來呼吸可通誠。去年曾是希鴻佑，去年正值出師定緬，奉祀時曾竭誠默告，佐我軍行。果格朱波績底成。

增 乾隆三十八年御製次辛祈穀禮成述事 祇略樓街減步趨，舊儀於壝城門外西階設樓薦處降輦，今由壝城西南角降輦，易禮轎至祈年門西階步入，視舊儀行陟微省。祈年式禮未微渝。去歲冬至圜丘大祀，改定儀注，於升階奠玉帛後卽還就讀祝位立。以次進俎三獻及飲福受胙，禮成始還至二成拜位行禮，稍省登降。茲祈穀以在祈年殿中，一如舊制。春前雖次還如上，立春在十二日。月合同千恰不殊。正月月合在辛。咲肸薌牛燭沙海，鏗鏘儀鳳叶笙竽。金川耆定昔逢已，前平金川歲在已巳。籲眷捷聞今已符。

增 乾隆四十年御製正月次辛祈穀禮成述事一律　運轉璇璣支幹輪，祈年占熟值茲辰。正元初酉逮次酉，元旦己酉，是日爲新正，次酉適符留熟之占。春後中辛卽上辛。祈穀例用春初上辛，今年雖用正月次辛，而以初五立春計之，則仍爲上辛云。進俎一元升大武，在懸九奏叶韶鈞。躬承穀祀四十歲，終始惟誠勗永寅。

增 乾隆四十二年御製祈穀禮成述事　元日值齋移次辛，迺緣舊例此遵循。未能敬事法皇考，亦曰因時奉懿親。恭查順治十五年正月初四日上辛齋戒，正值元旦，改於次辛行禮。又康熙五十四年以次年正月初十日上辛尚未立春，議改次辛或下辛行禮。載在會典遵行。然此非獨本朝爲然。考宋史禮志，真宗景德三年，待制陳彭年言：來年正月三日上辛祈穀，至十日始立春，請以立春後上辛行禮。又文獻通考載，英宗治平二年，禮院言：元日朝會壽聖節多與上辛相近，改用中辛。此因春前及元日移改次辛所由昉也。又查雍正七年皇考諭旨，以定例正月上辛，若在初五以前，則改於次辛。但元旦朝賀乃朕躬之禮儀，若因此而展祈穀之期，於心深有未安。著於初二日上辛行禮。煌煌聖訓，實萬世不刊之論。朕因思皇考時，元旦升殿，僅受羣臣之賀，自當停朝正，以從祈穀。朕今遇元辰，躬率王公大臣詣東朝拜賀聖母，歲首慶典不應有闕。且次辛用事，史册及本朝舊例可徵，準禮從宜，各惟其正。因其時恐有未喻朕意者，爰詳識於此。志必誠而儀必肅，樂惟和則禮惟彬。武功成更歲逢稔，稠疊蒙庥倍切寅。

原 齋宮在圜丘之西，前正殿，後寢殿，旁有浴室，四圍牆垣以深池環之。東西懸太和鐘，每郊祀，候駕起則鐘聲作，登壇則止，禮畢升駕又聲之。春明夢餘錄

增 成貞門外西北爲齋宮，東嚮正殿五間，崇基石闌三出陛，陛前左設齋戒銅人石亭一，右設時辰牌石亭一，後殿五間，左右配殿各三間。內宮牆方百二十三丈九尺九寸。中三

門，左右各一門。牆外環池，前跨石梁三，左右各一。東北隅鐘樓一。外宮牆方一百九十八丈二尺，環以廻廊一百六十三間，復繞以深池，宮門石梁均與内同。大清會典

增乾隆七年諭：天壇、地壇，舊制建有齋宮，年久傾圮，未經繕修。朕意於大祀前期，致誠赴壇齋宿行禮，其應如何修建之處，該部卽前往相視，繪圖呈覽。至興修之時，著委内務府熟諳工程之人，仍會同工部太常寺委官一同監修。又諭：朕惟郊壇祭祀，必致誠敬，以篤明禋，歷來前期齋戒，悉遵舊制，住宿別殿。今郊壇建有齋宮，若於致祭之期親詣齋宮，更爲祇肅。該部詳酌妥議具奏。大清會典則例

增乾隆七年十一月御製南至前一日詣齋宮齋宿詩　消息微陽屆復辰，虔居齋室潔明禋。葳蕤鳳輦迎黄道，蓡麗龍旗出紫宸。槐柳成行界道明，銅壺漏永午窗晴。篆烟微裊心如水，寂静階墀近太清。沖融月窟與天根，治理幾康在默存。守德由來勝守險，當年何事塹防門。齋宮猶明朝所建，重牆周池，警衛甚嚴云。　緹帷候律驗璿筩，百辟齋居此日同。黼座景長增肅穆，泰壇東峙繚垣紅。

增乾隆十年十一月御製齋宮疊舊作韻　將臨大祀惕予躬，肅肅清齋此在宮。一氣廻時天意見，諸緣淨處道心融。閒聽韶磬松風外，齋宮牆外卽神樂所，每以豫日執事官演禮於此。坐驗周圭日影中。昭事惟馨吾敢謂，只餘顒若數年同。

增乾隆十一年四月御製齋宮對雨有作　自我肇元祀，四年三望霖。常雩於癸亥年始定議舉行，然每值祭期無不望雨者。今歲仰蒙天眷，膏澤已霑，而此日復霡霂優渥，何慶如之！敷天新沛澤，豫日此濃陰。樹色深如洗，簷聲靜似斟。依然遷坐處，敢忘曩時心。

增乾隆十三年正月御製詣齋宮作　六龍夙駕迎春馭，次日立春。百辟同欽祈穀齋。麗日和風調玉律，綵旛花勝耀天街。穹窿青宇禮皇乾，壇位瞻餘視豆籩。詣齋宮則視壇位，此禮蓋舉于乾隆七年，至詣皇乾殿神主前拈香瞻拜，閱壇後親視籩豆，則去歲降旨，茲始議行云。禮酌簡繁惟致敬，心期暘雨協占年。齋宮坐久愛清嘉，香裊明窗篆縷斜。靜聽排門喧吉爆，春音先到萬民家。

增十一月御製詣齋宮詩　玉琯陽將復，金街曉不寒。綴先考五輅，儀衛肅千官。是歲定籩豆從古式，並考五輅大駕之度，命以南郊大祀爲始，一遵新制云。昭德夫何有，正名蘄所安。瓣香瞻帝載，祭位儼穹壇。詣齋宮則視壇位，數歲來每行之，而皇穹宇咫尺，不一拈香瞻禮，於心不安。故去歲降旨，命廷臣考古準今，復定視壇之前，先詣皇穹宇拈香行禮，並親視籩豆之儀，於禮爲備，稍愜悃誠云。齋室清心坐，窗曦舉眼看。明朝修毖祀，兢惕志遑寬。

增乾隆十八年正月御製詣齋宮作　引仗青旗出禁城，祥凝樓雪曉風輕。祈辛預日齋宮宿，又得新詩紀上庚。謁壇眂濯典依前，欣覩翬飛重煥然。中命秩宗稽古義，新題寶額號祈年。殿仍前明之舊，瓦用青、黃、綠三色，顏曰大享殿，皆於義未當。乾隆十六年重加修葺，易用純青，命禮臣考正，題爲祈年殿。時始竣工，月紀其事。溫暾曦影一窗紅，數紀流陰默忖中。卽事拈毫前後異，寸心虔敬始終同。

增乾隆二十年正月御製詣齋宮詩　太和祝帛例虔瞻，別祭皆於中和殿視祝版，惟圜丘祈穀，例於太和殿視之。詣次齋居致敬嚴。翠輦平臨黃道直，皇州春色富閭閻。葩瑤金根迤邐排，叩壇閱豆典儀皆。西壖一室明窗靜，齋宮在壇之西。今昔年光入緬懷。

增乾隆二十四年四月御製詣齋宮作　輕輿齋宿出都城，更擬明晨步禱行。時望雨甚殷，將以翌晨自齋宮步行詣壇展禮。不敢依常排法駕，祈恩減徹竭予誠。常雩舉十六年過，雩祭之禮以乾隆癸亥勅議舉行，閱今已十六年矣。每致徂宮歎若何。歷歲詩屏一周讀，霑膏逢少旱逢多。端居靜覺漏聲稀，幾務雖疏更勅幾。食變坐遷予所慎，恒暘愆雨我知非。

增乾隆二十九年四月御製詣齋宮二首　萋芊綠草潤天街，五輅儀鍠迤邐排。不敢矯情爲徹減，向年常雩，或值望雨，率屏儀衞，輕輿詣齋宮。次日致祭，步行由齋宮詣壇者有之。今春屢霑膏澤，入夏細雨恒霏，不至待澤孔亟，故照常行禮。中心仍願雨尤佳。瓣香肅謁皇穹宇，旋步三成敬視壇。退卽齋宮滋惕息，歷年寅畏壁詩看。

增乾隆三十四年四月御製詣齋宮疊己卯舊作韻　預日來齋因出城，年年抱蜀敬躬行。雨暘願彼四時順，乾惕攄斯一念誠。壁詩重讀十年過，昔日今時較若何。己卯自春入夏缺雨，常雩時望澤甚殷，曾於詣齋宮詩述意。今年春膏優渥，爲北方所罕覯。麥秋可冀豐收，黍田亦正當勃發。讀壁間己卯舊作，慰以爲懼。春澤似茲真罕遇，懼心深比慰心多。謁壇正值雨霏稀，再霈顒顒望庶幾。幸盡美期幸盡善，不知足自不知非。

增乾隆三十六年正月御製詣齋宮作　葩瑤旍旌玉輦行，農占恰值穀朝晴。却因冬雪非優渥，仍望春雲霈瑞霙。年年躬祭敬誠申，忽作六旬有一人。依例遣官視籩豆，欲留餘力肅明禋。向詣齋宮謁神位拈香瞻拜後，視籩豆之禮，亦每親行之。茲以年踰六旬，依例遣官行禮。萬幾神運非繁簡，五夜心清凜旦明。雖是無時不用敬，於斯敬實倍常情。

【增】十一月御製詣齋宮作　善霽曦光暖，俗以無風而霽謂善晴。平明出鳳闉。重樓皆積玉，九陌漸融銀。天澤先長至，慈釐被普垠。齋宮排鵠立，陪祀王公百官例於齋宮候駕。此喜共羣臣。

【增】乾隆三十八年正月御製詣齋宮作　玉輦陳儀金水橋，午門鐘動御街迢。詣壇致敬先庚日，稽典惟遵值歲朝。今歲祈穀以次辛日，依會典，若元旦逢齋則以次辛行禮。重樓都積玉層層，瑞色祥烟昆鬱蒸。祈穀齋逢穀日雪，何修斯遇凜欽承。翠殿崔巍護紫垣，瓣香瞻拜進西門。向詣齋宮日，皆於祈年殿壝城門外降輦步入，恭詣皇乾殿上香瞻拜。今議定儀注，由西門步入行禮，畧節行陟之勞。近緣步履微從省，久擬躬行永弗諼。

【增】乾隆四十一年御製正月八日詣齋宮作　占穰農諺值金庚，況是兼逢穀日晴。夜雪午風經昨過，蚩融和旭颺前旌。黄道直南路轉東，入壇謁位禮崇隆。柏松根下積餘雪，澤在農田感謝中。齋殿南廂十笏居，明窗坐覺體安舒。案陳詩册從頭看，自己卯年冬至始，每歲祈穀、常雩、南郊三大祀，所有詣齋宮及禮成詩，皆書於册，陳之案頭，每至輒披覽一過。敬怠因心自檢予。

【原】神樂觀在天壇內之西，設提點知觀，教習樂舞生。內有太和殿，遇祭則先期演樂於此。春明夢餘録

原李夢陽郊觀齋居東邊喬二太常作 人日過仙院，青霞縹緲分。碧回瑤澤草，紅綻蕋宮雲。獨處依松樹，清齋對鶴羣。桃源知並入，惆悵不逢君。空同集

補國朝郊祀，贊禮者，太常寺之道士；奏樂者，神樂觀之道士；皆異端也。天神何爲而格哉！留青日札

增神樂署東嚮，正中凝禧殿五間，崇基三出陛，各六級，左右步廊各二間。後顯佑殿七間，左右各三間。殿後袍服庫二十三間。典禮署奉祀堂南北各三間，左右門各三間，左門東通贊房、恪恭堂各三間，正倫堂、候公堂各五間，南轉穆佾所三間。右門東掌樂房、協律堂各三間，教師房、伶倫堂各五間，北轉昭佾所三間。前後均聯檐通脊。正門三間，三出陛，各四級。圍牆東西四十四丈四尺，南北二十丈七尺二寸。大清會典則例

〔臣等謹按〕神樂署舊名神樂觀，乾隆二十年改今名。凝禧殿舊名太和殿，康熙十二年改今名。

增乾隆七年諭：朕每臨大祀，必恭必親。今因時享，聆太常寺笙簫管籥之奏，至不能分別宮商，而以之侑享郊社宗廟，何以交神明而達誠敬？朕既命莊親王、三泰、張照爲總領樂部大臣，非祇轄和聲署也。太常寺樂尤宜加意整頓，嗣後一應太常樂部俱著管理。又聞向來太常寺樂員俱係道士承充，此亦沿襲明代之舊。夫二氏異學，不宜用之朝廷。今縱不能使爲二氏者盡歸南畝，被服儒風，何乃用道士掌宮懸，司燎瘞，爲郊廟大祀駿

奔之選？暇日則向民間祈禱誦經，以餬其口。成何典制！豈不貽笑後世耶！太常寺樂員，嗣後毋得仍習道教。有不願改業者，削其籍，聽爲道士可也。朕詢問三泰，知額設多至五六百人，得毋冗濫？著莊親王等詳查定議。如果額數太多，即奏請芟汰。與其多而無用，不如減少額數，將錢糧歸併酌增，精選實能任事之人令其承應。大清會典則例

〔臣等謹按〕明代太常寺贊禮奏樂皆用道士，以黄冠而列郊廟，殊爲非禮。本朝悉加釐定，凡禮儀則贊禮郎司其職，而樂舞之掌，皇上復訓飭樂部大臣慎加遴選，不令道流濫厠，聲容美盛，儀度整嚴，益昭對越之精虔矣。

原犧牲所建於神樂觀之南，東北爲司牲祠。舊制歲以十二月朔旦駕臨親閱，以後每夕輪一大臣視之。蓋自五府及吏、户、禮、兵、工五部，通政、翰林堂上官之不司刑者皆與焉。凡兔房、鹿檻、羊欄、牛枋、猪圈，周行歷視，出入皆騎卒火甲人等護衛，每夕鐘定人静乃出，至中宵始回，城門起鑰以入，次早復命。用騎卒自宣德年始。春明夢餘録

增犧牲所南嚮，大門三間，内花門一座，正房十有一間，中三間奉犧牲之神，左右牧夫房各二間，牛房各二間。後屋十有六間，内滿漢所牧房各三間，所軍房一間，貯草房五間，草六房四間。東邊兩重四十八間，内貯料房二間，貯草房三間，牛房十有五間，羊房五間，鹿房二十間，兔房三間。西邊一重十有五間，内庫房一間，泡料房、磨房各二

間，豕房五間，牛房五間，鹿欄、牛枋均分列屋之左右。西北隅官廳三間，東嚮。井一，北門一間。圍牆東西五十二丈，南北五十二丈五尺。壇外垣前方後圓，周千九百八十七丈五尺，高一丈一尺五寸，趾厚八尺，頂厚六尺，西嚮門一，三間，角門一。大清會典則例

〔臣等謹按〕大祀犧牲之事，向例掌於太常。乾隆二十六年奉諭，改隸內務府，每年復特派大臣經理之。詳見官署門太常寺條下。

原 泰元門東有禜雩壇，爲制一成，東爲神庫。嘉靖中以孟夏後祭天禱雨。春明夢餘録

原 雩壇止去地一級，四圍用鑪鼎四，壇面用鑪鼎二，比圜丘減四分之一。明嘉靖祀典

〔臣等謹按〕雩祭之禮，今制皆於圜丘敬謹將事，至泰元門迤東，今惟建設神庫、祭器庫及宰牲亭、井亭，其禜雩壇不復存矣。

原 天壇之北藥王廟，武清侯李誠銘立也。左墀碑文，恭順侯吴惟英書也。帝京景物略

〔臣等謹按〕藥王廟吴惟英碑今存。後樓本朝康熙三十二年建。有詹事沈荃撰碑。

原 魚藻池在崇文門外西南，俗呼曰金魚池，畜養朱魚以供市易。都人入夏至端午，結篷列肆，狂歌轟飲於穢流之上，以爲愉快。燕都游覽志

原 金故有魚藻池。舊志云，池上有殿，榜以瑤池。殿之址今不可尋矣。居人界池爲塘，

植柳覆之，歲種金魚以爲業。池陰一帶園亭甚多，南抵天壇，一望空闊，每端午日走馬於此。帝京景物略

〔臣等謹按〕魚藻池俗稱金魚池，其民仍畜金魚爲業焉。

原 天慶寺原遼之永泰寺，金大安中兵毁，元世祖至元壬申重建，明宣德中重修。後有高閣，可望天壇。僧舍有李龍眠畫羅漢十六軸。春明夢餘録

〔臣等謹按〕天慶寺今存，在藥王廟西，羅漢像則無考矣。

原 天慶寺碑，至元九年學士王惲撰并書。春明夢餘録

原 天慶寺僧舍有雅致亭。燕石集

原 天慶，古刹也，今止存明碑二：其一天順戊寅尚寶司卿重慶蹇英撰文，禮部員外郎錢塘吴謙書；其一嘉靖乙丑建極殿大學士華亭徐階作記。行國録

〔臣等謹按〕天慶寺中明蹇英、徐階碑今存。

增 元天慶寺遼永泰寺，成化二年飭右指揮朱善重修。天府廣記

原 袁桷記 至治三年三月甲寅，魯國大長公主集中書議事執政官、翰林集賢成均之在位者，悉會於南城之天慶寺，命秘書監丞李某爲之主。其王府僚寀悉以佐執事，籩豆靜嘉，尊斝潔清，酒不强飲，簪珮雜錯，水陸畢湊，各執禮盡歡以承飫賜，而莫敢自恣。酒闌，出圖畫若干卷，命隨其所能俾識於後。禮成，復命能文辭者敍其歲月以昭示來世。竊嘗聞之：五經之傳，左國是先。女史之訓，有取於繪畫。將以正其視聽，絶其念慮，誠不以五采之可接而爲之也。先王以房中之歌達於上下，而草木蟲魚之纖細，因物以喻意，觀文以鑒古，審時知變，其謹於朝夕者盡矣。至於宮室有圖，則知夫禮之不可僭，溝洫田野，則知夫民生之日勞。朝覲贊享冕服樂懸，詳其儀而慎別之，亦將以

寓其儆戒之道。則是魯國之所以襲藏而躬玩之者，誠有得夫五經之深意，夫豈若嗜奇侈聞之士爲耳目計哉！河水之精，上爲天漢，昭回萬物，矞雲興而英露集也。吾知縑緗之積，寶氣旁達，占候者必於是乎得之。泰定元年正月。清容居士集

補 袁桷天慶寺佛殿上梁文　寶構淩空，稱華嚴之富貴；青蓮湧地，成祇樹之神通。雪堂老禪，心匠虚明，性宗真淨。住南城數十載，名滿江湖；祝北闕億萬年，日嚴香火。雖紺宇禪扃之已敞，而璇題秘殿之未雄。靈山之法會如新，黼扆之綸音已下。無踵而至，不日以成。繡栱結飛霞，稱由旬之龍象；金波麗鳷鵲，儼第一之人天。同上

補 王惲大都創建天慶寺碑　國家鼎定全燕，教隆内典。故精藍勝刹，莊嚴寶界，金碧相望。永泰寺肇基自遼。彌陀者，永泰之别院也。大安兵燼，廢徹不存，鞠爲茂草者五十餘年。至元壬申，有僧雪堂始來結庵而主之。先是，師越在雲朔，嘗假息間，有以天慶名所棲而告之者。初不喻其故。既而觀光大都，駙馬高唐郡王出重幣易是院爲師駐錫之所。逮甲申冬，皇孫噶瑪拉出貨泉二千五百緡洎名驃二，仍諭留守段禎、詹事丞張九思即所居庀徒蕆事，起三大士正殿，丈室七巨楹，下至門閭庖湢賓客之所，略皆完美。始於乙酉之春，成於丙戌秋仲。役初作，闢地得廢鐘，所刻天慶二字，考之蓋有遼建號也。事夢既協，即爲新寺名額。師諱普仁，字仲山，姓張氏，雪堂其號也，世爲許昌人。秋澗集　按：噶瑪拉，梵語蓮花葉也，舊作甘麻剌。今改正。

原 蹇英重修天慶寺碑略　距城南三里河之濱曰魏村社，其地幽曠闃寂，林木叢茂，有古刹曰天慶。其創始不可考。宣德中僧德誌仍其故址更新之，建大殿，禪堂、齋堂、丈室以次而成。天順戊寅十月，或請於朝，仍賜額曰天慶寺。

原 馬祖常天慶寺納涼聯句　槐屋夏陰繁，石池暑氣清。高堂瞰福田，邃宇依王城。午磬梵唄集，夜廊酥燈明。龕經鬱金字，璧礎承丹楹。寂寂鴿棲罘，宛宛燕穿欒。露葵炫晝艷，霞藥敷陽英。境闃便静室，心古樂高情。逍遥祇園賞，迤邐廬社盟。山枕藉雲潤，水簟凝冰輕。飯盂給香積，袈衲褫華纓。海圖巖壑拆，天樂音聲鏗。荔牆護筠粉，桐甃沉榴瓔。共忻朋簪合，敢謂詞鋒并。睥睨荒草棘，横縱按林坰。幽尋振塵鞅，雅談忘飛觥。鄙哉河朔飲，投幘得世名。石田集

原 慈源寺，成化二年指揮朱善建。帝京景物略

補 慈源寺碑，正統初立，太常少卿括蒼潘辰撰文，中書舍人張天保書。行國録

〔臣等謹按〕慈源寺在金魚池之東，潘辰碑今已漫漶。

原圓覺寺亦在魏村社，明景泰中所建也。有嘉靖四十二年重修碑記，雲南道御史趙鏜撰文。行國録

原金井在府南魏村社。明一統志

〔臣等謹按〕圓覺寺在三里河橋東，寺已無存，今其地仍名圓覺寺。金井無考。

原姚彬關王廟：俗傳吴將姚彬盗關公馬被獲，强不屈。廟塑縛彬像，公戎服作色左顧彬；彬反面色不屈；侍將七人怒視彬，縛彬者仰公顔色而受命；馬回望公，其色歕沫。人曰隋時像也。帝京景物略

補慈源寺東數百武有關王廟，相傳卽元崇恩萬壽宫。殿中塑像甚古，作姚彬被縛狀，殆元時舊塑。元設梵像提舉司，專董繪畫佛像及土木刻削之工，故其藝特絶，後人不能爲也。寺僧云，彬初爲黄巾賊將，貌類關公，其母病思食良馬肉。彬知公所騎赤兔最良，因投麾下，竊赤兔以逃。關吏察其音不類河東，執以歸公。彬忼慨請死，臨刑忽大哭，公問之，則以與母永訣故爾。乃釋之。事不見於正史，世所傳關公事蹟亦無之。荒唐之辭不知何所本也。寄園寄所寄録

〔臣等謹按〕姚彬關王廟在慈源寺東，廟中左側塑姚彬盗馬被縛像，如帝京景物略

所云。

原 正陽門外三里河東之明因寺，有李伯時渡海尊者卷，不知何年爲人賺去。存者贋本，而僧不知也。萬曆二十九年，紫柏大師自五臺來，夜夢十六僧請掛瓶鉢。亭午，有負巨軸售者，軸凡十六，貫休所畫羅漢也。師嘆異購之，各係以贊，傳寺中。天啓二年，董宗伯其昌過此，書佛成道記。宗伯三十年前見紫柏此寺中，索書成道記，尋前諾也。今搨石置僧寮左壁。帝京景物略

補 明因寺，故三聖寺也。萬曆初，慈聖宣文明肅皇太后改建賜額。殿左一碑，萬曆十七年立，司經局洗馬汝南王祖嫡撰。殿右一碑，萬曆二十年立，禮部左侍郎汝南何洛文撰。殿後右廡有董尚書其昌所書釋迦如來成道記，自稱香光居士記，凡十二版，嵌於南北壁，各六版。天啓四年刻石。帝京景物略謂在僧寮左壁，非也。散懷錄

〔臣等謹按〕今明因寺尚有十六羅漢畫軸，上有明萬曆時釋真可贊，似是後人僞託，非當時真蹟也。王祖嫡、何洛文二碑尚可讀，董其昌釋迦成道記石刻亦在寺中。

原 僧貫休，姓姜，字德隱，婺蘭溪人。入兩川，蜀王衍賜紫衣，號禪月大師，畫羅漢像最著。蜀王取其本納之宮中，設香案燈，崇奉累月，乃付翰苑文學士歐陽炳作歌以稱之。羅漢狀貌古野，殊不類世間所傳，豐頤蹙額，深目大鼻，或巨顙槁項，黝然若貊獠，見者無不駭矚。自謂得之夢中，疑其托是以神之。宣和畫譜

原 禪月大師居定水禪院，嘗夢游他國，於巖阿石室親見大士，覺而追想，謂之應夢羅漢。率意揮染，皆其真容，非世間相。末乃照水自狀本形，既而絕筆。後一軸題云：大蜀國龍樓待詔明因辨果功德大師翔麟殿引駕内供奉紀律論

道門選練教授三教元逸大師守兩川僧録大師食邑三千户賜紫大沙門貫休字德隱，自正本外別有臨摹二本。游宦紀聞

增 貫休畫羅漢像十六尊，希世物也。神采焕發，令人肅然起敬，大都祖道子法，衣紋濃瀋飄撇，正如水荇汎波之狀。一軀僅十餘筆而就，面目肘腕則用鐵線描，法簡神奇，豈卽其應夢而得者耶？余每閲蘇長公羅漢贊，禪味溢出，思見其蹟而不可得。今此十六軸，高奇超逸，驗之絹素，的係唐物，其出禪月手腕無疑。六研齋筆記

原 清化寺在正東坊，有勅建碑。明順天府志

補 清化寺在三里河陽，宣德壬子，奉聖夫人東安里王妙秀，命其弟義勇後衛百户榮以賜金買故保安寺基，卽蔬圃爲寺，落成於正統甲子。有奉議大夫金陵宋拯撰碑。正德壬申四月望燬於火，癸酉二月重建，乙亥五月訖工，有右中允濮陽李廷相碑。隩志

〔臣等謹按〕清化寺今存，其街卽以是得名。宋拯碑今存，又有明正德壬申年修撰李廷相重修碑。

原 程敏政宿清化寺詩 早脱朝簪出帝城，臺分禪榻坐深更。頓疑身在山中住，追笑詩從馬上成。把釣未應歸計拙，照人偏愛佛燈明。枕酣一夜清無夢，蕉鹿當年亦浪驚。篁墩集

補 安國寺在三里河之南一里，建於天順元年，其碑禮部尚書胡濙撰文，中書舍人陳翀書。行國録

〔臣等謹按〕三里河南橋灣有安國寺，胡濙碑已無存。

補 崇文門外打磨廠，金忠潔公鉉故居。青箱堂集

〔臣等謹按〕金鉉故居今無考。

原崇真觀，司禮監太監張政捨宅建，正統十四年賜額。景泰四年，國子監祭酒胡濙撰碑。析津日記

〔臣等謹按〕崇真觀在打磨廠之南巷。

補正統己巳春，打磨廠西軍人王勝家井中有五色氣。馬氏日鈔

欽定日下舊聞考卷五十九

城市 外城西城一

原宣北坊在新城廣寧門裏，宣武門迤東響閘迤西，至都城西南角便門西北角，七牌四十五鋪，有玉虛觀、接待寺、竹林寺、老君堂、報國寺、紫金寺、昊天寺、善果寺、歸義寺、宏法寺。五城坊巷衚衕集

〔臣等謹按〕宏法寺無考。惟憫忠寺遼時石匣上有提點宏法竹林之名，似宏法寺在遼時已有之。接待、竹林、報國、紫金、昊天、善果、歸義等寺及玉虛觀、老君堂並詳本條下。

原正統五年六月，行在翰林院侍講劉球奏：天雨連綿，宣武街西河決漫流，與街東河會合，二水泛溢，淹没民居。請修築以消其患。仍會官計議，於城外宣武橋西量作減水河，以洩城中諸水。上命工部右侍郎邵旻、成國公朱勇勘視。旻等稱球言實，具修築事宜以聞。復命欽天監正皇甫仲和審視，作減水河利否。仲和言：宣武門西舊有涼水河，

其東城河南岸亦有舊溝，皆可疏通以泄水勢。上是之。明英宗實録

〔朱彝尊原按〕成化中，楊尚書鼎、喬侍郎毅同袁參將佑會勘，稱三里河源出彰儀門外玉匠局等處，馬跑等泉則自西而東，不知從何處流入，劉忠愍所云涼水河及城河南岸舊溝，亦不辨所在。海波寺久廢，其街之南有清廠潭，上有龍王堂。又南東爲章家橋，又南爲虎房橋，橋西南爲潘家河沿。計新城未築時，無地無水，今其故道皆不可考矣。

〔臣等謹按〕宣武門外橋西今有響牐，其明時所作減水河故道已不可考。涼水河源出鳳泉，詳郊坰門。

原崇禎丁丑九月，車駕閲城。總督京營成國公朱純臣及協理陸完學以營兵屯劄宣武門。上臨視，大加稱奬，於西南城樓召二人，各賜以酒三金椀，便以椀賜之。玉堂薈記

補劉崧順承門送别詩 送客出城秋已涼，太行南上楚天長。順承門外斜陽裏，蕎麥花開似故鄉。槎翁集

補陳孚出順承門詩 又騎官馬過中原，袖有芝泥御墨痕。嶺海孤臣天咫尺，五雲回首是都門。交州稿

補三忠祠在上斜街，天啓四年春勅建，以祀沁水張忠烈公銓、襄陵高忠節公邦佐、大同何忠愍公廷魁。三公皆山西人，故額曰山右三忠祠。張公，巡按遼東監察御史；高公，分巡遼海道山東布政司參政；何公，分守遼海道山東按察司副使，皆死王事。張公初贈大理寺卿，後加贈兵部尚書；高、何二公初贈光禄寺卿，後加贈大理卿。左右列陪祀諸

公，張公旁六人：經略標下統兵鎮守奉集等處總兵官都督僉事朱公萬良，統兵援遼副總兵官王公誥，協守遼東副總兵管錦州參將事麻公承宗，援遼總兵官都督僉事楊公宗業，協守開原副總兵官麻公巖，援遼正參將贈總兵官彭公振雲。高公座右亦六人：誥贈奉政大夫光禄寺少卿原任陝西鳳翔府扶風縣知縣王公國訓，勑贈光禄寺寺丞原任順天府香河縣知縣任公光裕，統兵援遼遊擊將軍滿公龍鱗，誥贈奉政大夫光禄寺少卿原任順天府大城縣知縣武公維周，勑贈光禄寺寺丞原任直隸順義縣知縣上官公藎，遼東鎮守標下參將管中軍事梁公汝貴。何公座側則有誥贈奉政大夫光禄寺卿前分守開原道山東按察司僉事潘公宗顔，誥贈光禄寺卿原任直隸永平府知府張公鳳奇，皆與何公並列。其左右列者：鎮守遼東總兵官都督同知馬公林，統兵援遼遊擊將軍李公鎮忠，領兵援遼守備劉公興漢，領兵援遼千總劉公起佩，又戚公士榮、楊公其暢二神位附祀，共二十人。蓋高、張、何三公爲當時勑祀，而後死諸公，其鄉人以皆山西人死王事，故附祀之。祠無碑記可考，列主亦多繁亂。意當時附祀者必立於兩廡，後始遷入堂中故耳。（楮園雜集）

〔臣等謹按〕山右三忠祠在上斜街，堂三楹，中楹像祀三忠，左右楹木主祀從祀者，左爲舊祀明二十人，右爲新祀本朝六十四人，凡所新祀，先後以時不以爵。其第一行爲員外郎侯佐，參議道劉昇祚，濟南道李時，同知趙瀚，知州李方澂，知縣李還春、曹邦偉、趙家駿、薛佩玉、郭自修、王曰俞，教諭崔珩，訓導王奕葉、張化樞、黄縉，典史陳復新、洪有度，舉人趙居甲，提督竇斌，贈提督總兵官任舉，總兵官張淩霞、李全、穆生輝，副將魏麟，贈總兵官遊擊楊光祖，遊擊杜國慶、竇明運、何道深，都司王廷衡，守備司起龍、晉天忠，把總李克友。第二行爲知縣温光裕、楊泰、段上彩，署知縣高士達，州同李士麟，縣丞徐喆、王牧民、袁養民，教諭周遠祚、賈道醇，貢生李旦，生員張射斗、周于德、蕭熙載、李萁、張琳，副將郝爾德，參將李允，遊擊劉大受、馬之迅、王弼，贈都司同知傅富，把總高虎、邱登榮，武生李先春、李齊田、秦士鳳、喬謹。第三行爲贈太僕寺少卿王如玉，提督謚壯節馬全，提督謚毅節牛天畀，總兵官張大經，皆山西人。

原 遼道宗清寧八年，楚國大長公主捨諸私第，創厥精廬，奉勅以竹林爲額。奉福寺尊勝陀羅尼幢

原 竹林寺，金熙宗駙馬宮也。寺僧云，一塔無影。金臺集

〔臣等謹按〕竹林寺景泰中重建，易名法林，在筆管衚衕，今已廢爲菜圃，無寸椽矣。有明天順中翰林學士吕原碑，其塔今無可考。

原 國少浮屠氏，有趙崇德者，爲燕都運，未六十休致爲僧，自爲大院，請燕竹林寺慧日師住持，約供衆僧三年費。松漠紀聞

原 戊申三月，劉彦宗搜索舉人赴燕山就試，於竹林寺作試院，南北同院異場引試，二月十七日引試北人詩賦一場，二十八日引試南人三場，至三月二十七日開院，北四百人取六分，南六千人取五百七十一人。劉彦宗云，第一番進

士須寬取誘之。燕雲録

原果囉洛納延竹林寺詩　城南天尺五，祇樹給孤園。甲第王侯去，精藍帝釋尊。老僧誇塔影，稚子斲松根。何日天台路，相從一問源？金臺集

增呂原新建法林寺記略　宣武門西南二里有故址焉，耆老相傳其先竹林禪寺也。雖荆榛瓦礫之區，而規模猶彷彿可見。正統中，釋惠灝訪得其地。景泰中，司禮太監興覺滿等修之，請於朝，得賜今額，經始於景泰二年七月，竣於天順三年六月，前後凡十年。天順三年立。

原天順丁丑，僧慧庵建接待寺於宣武門右，正德丙寅始訖工，刑部尚書閔珪爲作碑記。析津日記

〔臣等謹按〕接待寺在炸子橋巷内，明正德二年刑部尚書閔珪碑尚存。文稱初修於天順丁丑，再修於正德丙寅，非自天順至正德乃訖工也。

增閔珪接待寺記略　宣武關外西隅有寺曰接待者，古刹也，而規模狹隘。天順丁丑，僧録左覺義兼大覺禪寺住持慧庵，同其徒無礙秉誠鳩集好善之士而宏建焉。至於今，徒孫可玉又從而新之。興工於正德丙寅二月，訖工於丁卯四月。正德二年六月立。

原金有玉虛觀，元有玉虛宫，今之玉虛觀未審卽其遺址否。觀有正統中禮部尚書胡濙碑，刑部侍郎周瑄篆蓋，中書舍人吴謙書。文稱正統丁巳鍊師吴元真來游斯地，其址已爲錦衣千户呂儀別墅。有處士劉泰能言觀之舊蹟，鍊師欲復之，呂因舍其地。於是總兵石亨捐貲以建。及歲己未，夏不雨，惠安伯張昇詣觀請師禱雨有應，事聞，賜以綵緞。至天順二年賜額。御史李錦記其事焉。析津日記

增玉虛觀在舊城仙露坊。按舊碑，金泰和八年尚書户部主事雲騎尉龐鑄所撰，重修玉虛觀三清殿記，文簡而理明。觀中有故太師梁忠烈王祠堂。王諱宗弼，乃太祖武元第八子。金泰和四年八月，道士高守冲爲之立碑，其文亦龐鑄所作。國朝至元七年建玉虛觀大道祖師傳授之碑，參知政事楊果撰，商挺書。元一統志

〔臣等謹按〕玉虛觀在罐兒衚衕，已頹敝。金龐鑄二碑、元楊果一碑及梁忠烈王祠今俱無考。惟明胡濙、李錦二碑尚存。胡碑乃景泰中立，非正統中也。

增胡濙玉虛觀記畧　玉虛觀自昔奉佑聖之所，在都城之西南，歲遠爲風雨所壞，遺址爲錦衣衛千户吕儀之别墅也。丁巳秋，吕偕法師吴元真、處士劉泰游其地。泰年老，言其蹟甚詳。法師顧瞻徘徊，有作新之志。吕公慨然與之，總戎石亨弟石貴捐貲以建，京之巨室亦贊襄之。殿陛廊廡，焕然一新。正統己未，夏四月不雨，惠安伯張昇命法師祈之有應，事聞，上遣李全等詣觀禱之，大雨三日，賜法師綵緞楮幣。五月初復禱得雨，法師精修力踐，足以對揚神明，有禱輒應，豈偶然哉！今來請書觀之成，予因爲之辭。景泰四年月日立。

增李錦重修玉虛觀碑畧　玉虛觀在都城外西南隅里許，乃崇奉佑聖之所，錦衣千户吕儀捐基起造，天順二年二月勅賜額曰玉虛觀。成化庚子三月，本觀修理牆垣，得舊碑一，獨存螭首，重修玉虛觀篆勒字，惜薪司太監傅春因重修之。成化庚子八月立。

原廣慧寺，古刹也，在宣武門外一里。嘉靖中太監劉成、朱仲修之，有廣西按察司僉事余一鵬碑記。析津日記

〔臣等謹按〕廣慧寺在司家坑，尚完整，余一鵬碑尚存。又有嘉靖甲子户部侍郎孫禬碑。

增余一鵬重修護國廣慧寺記畧　宣武門外二里許，岡迴水抱，古木參鬱。中有叢林，風雨摧殘，舊基僅存。詢其名，乃古刹護國廣慧寺，世代莫考。嘉靖三十一年，内官監太監劉成施金半千復其地。三十七年，内官監太監朱仲建正殿、禪堂、山門、廊廡，種種完相。始營於己未春，落成於辛酉冬。嘉靖四十年冬十月立。

增萬曆中，歸空和尚自伏牛入京，能一再七不食，日飲水數升，衆遂號之曰水齋。自幼出家慈氏寺，行脚三十年，曾跪行至五臺，足流血不知痛。參古松，燃一指以供文殊。再禮普陀，參大智，燃一指供觀音。後禮峩眉，印通天，燃一指供普賢。最後至京師，孝定皇太后聞而創寺居焉。賜額曰明祚長椿寺。有滲金多寶佛塔，高一丈五尺。帝京景物略

〔臣等謹按〕長椿寺在土地廟斜街，本朝乾隆二十一年重修。滲金佛塔今在正殿中，其高充棟。寺有明萬曆中工部郎中米萬鍾水齋禪師傳碑，碑稱大祚長椿寺，與帝京景物略所稱明祚長椿異。又有本朝康熙二十一年兵部尚書宋德宜碑。

補長椿寺大殿旁小室内藏佛像十餘軸，中二軸黄綾裝褫，與他軸異。展視之，一繪九朶青蓮花捧一牌，題曰九蓮菩薩之位。明神宗母李太后也。一繪女像，具天人姿，戴毘盧帽，衣紅錦袈裟，題菩薩號，下注崇禎庚辰年恭繪。烈皇生母孝純劉太后也。二圖不知何時安奉寺内，今乃委積塵埃中。燕舟客話

〔臣等謹按〕長椿寺今止存畫像一軸，所繪乃女像，戴毘盧帽，著錦袈裟，坐蓮臺上，旁繪女侍二，並無九蓮菩薩字樣，亦無崇禎年標題。未審爲何后像。其一軸今

無可考矣。

〔原〕長椿寺水齋傳，米萬鍾書。春明夢餘録

〔增〕米萬鍾大祚長椿寺賜紫衣水齋禪師傳畧　長椿寺水齋大師者，名陽明，故中山郡鹿氏子，於嘉靖三十八年七月十有一日生。泡質雖蒙，識田無染。見僧而悦，聞佛而稱。鎮星甫周，卽從剃落。嗣法本郡慈氏太和座下，肇修苦行，八越暑霜。自是三十餘年間，普陀大士、峩眉普賢菩薩、少林達摩祖師道場，躬親頂禮，往來五臺、終南、伏牛等山，普行饒益。其在中臺，古松和尚問師云：空假中是甚麽？師默然無對。當體全空，頓見本來心地，爲然指以謝。復於普陀問大智，禪師云：如何是生死？答云：生死原是大智。師了然，更然一指，灸背八十一炷如華嚴卷數乃去。通天和尚者，峩嵋老宿也，問師西來意，師云：晴天日頭出，下雨地皮濕，説破無生話，只恐信不及。又問：識得麽？師左指天，右指地，不更下一語。機緣既投，衣法旋授。二十七代之燈，囑師重剔。蓋至是師復然一指，通前而三矣。畧述苦行，實難縷數。最後來京師，以水齋著，人號水齋師，先期不食一再七，然後呷水，日數升以爲常。嗟乎，月光水觀，未罷資糧，圖澄滌腸，存乎神化。方之於師，行獨苦矣。雖然，苦行云者，世俗目師之强名，師固不知孰爲苦、孰爲非苦也。惟知空吾身以空一切，示無揀擇而已矣。功行既圓，高深允格。聖母太皇太后、皇帝陛下實嘉與之。賜金冠紫衣，欽命焚修勅建大華嚴寺於永樂店，再建大祚長椿寺於今所。尋勅師賫内帑徧賜南海諸淨剎，及欽建八十八佛道場訖。開四等之日，徧燭堯雲；施六度之風，横流舜雨。斯真十方宏濟大展宗風者。兒子都得師事爲弟子，悉師行，爲摭拾涯略，以俾苾芻傳之歷刧云。時萬曆戊午立秋日。

〔增〕宋德宜重修長椿寺碑畧　長椿寺在宣武門之右，故明萬曆二十年爲水齋大師勅建，賜金冠紫衣住寺焚修者也。規模宏廠，爲京師首剎。去今未百年，而壇席荒涼，僧徒零落。康熙己未秋七月地震，京城内外寺觀浮圖相輪之屬莫不傾圮，而兹寺爲尤甚。寺近相國益都馮公第宅，公一日遊寺中，見而憫之，捐資修葺，焕然更新云。康熙二十年八月立。

〔增〕張慎言過長椿寺詩　直爾風塵地，青山練若春。比丘非苦行，官長自閒身。彭澤籬迎酒，遠公鐘送人。相邀過此日，何爲逐蹄輪？帝京景物畧

〔增〕徐本高過長椿寺贈水齋上人詩　涼秋新月影生苔，古柏蒼蒼有徑開。清梵數依祇樹起，天花如共妙香來。三千遍界身能定，七十餘年心未灰。我自朝衣緇欲染，堂前童侍莫相猜。同上

〔增〕陳維崧九日前一日同錢實汾登長椿寺妙光閣詩　濁醪竟逼重陽節，古寺剛逢下直人。萬里思鄉吾較切，一官慢世爾長貧。經堂瓔珞飛花雨，海國烽烟罷戰塵。與汝妙光樓騁望，他年無著共天親。湖海樓詩集

〔臣等謹按〕妙光閣今已圮。

原遼大昊天寺碑，道宗皇帝書。墨池編

補大定二十四年二月，大長公主降錢三百萬建昊天寺，給田百頃，每歲度僧尼十人。續文獻通考

補遼道宗喜作字，秦越大長公主捨棠陰坊第爲大昊天寺，帝爲書碑及額，今在燕京舊城。書史會要

原昊天寺，遼刹也，碑記無一存者，訪之惟有萬曆間山陰朱敬循一碑。其建置本末俱不詳，塔址已爲居民所侵。寺門一井，泉特清洌，不下天壇夾道水也。析津日記

〔臣等謹按〕昊天寺故基在西便門大街之西，今已廢爲農田，古蹟久湮。寺有寶塔，今無考。遼道宗碑及額之外，尚有乾文閣待制孟初碑，見元一統志，今俱無考。即明朱敬循碑亦不可得見矣。惟井泉尚存。

增大昊天寺在舊城，寺建於遼。按乾文閣待制孟初所撰燕京大昊天寺傳菩薩戒故妙行大師遺行碑銘，道宗清寧五年，秦越大長公主捨棠陰坊第爲寺，土百頃，道宗施五萬緡以助，勅宣政殿學士王行己領役。既成，詔以大昊天寺爲額，額與碑皆道宗御書。大殿之後，建寶塔高二百尺，有神光飛繞如火輪，清信施財者沓至。師壽八十二。又按遼咸雍三年翰林學士王觀奉勅撰御筆寺碑，謂尾絡之分，燕爲大邦。闢千里之日圍，聚萬家之星井，中有先公主之館地。雕華宏冠，甲於都會，改而爲寺，遵遺託而薦冥福也。詔王行己督轄丁匠，梓者斤，陶者埴，金者冶，彩者繪，鍤雲屯，杵雷動，三霜未逾而功告畢。棟宇廊廡，亭檻軒牖，甍簷栱桷，欄楯櫟櫨，皆飾之以丹青，間之以瑤碧，金繩離其道，珠網罩其空。縹瓦鴛翔，修梁蜺亘。曉浮佳氣，涵寶砌以生春；夜納素輝，爍璿題而奪晝。又曰：中廣殿而崛起，儼三聖之睟容，傍層樓而對峙，龕八藏之靈編。重扉呀啓，一十六之聲聞列於西東，邃洞異舒，百二十之賢聖分其左右。或鹿苑龍宮之舊蹟，或刻檀布金之遺芬。種種莊嚴，不可殫記。元一統志

原二聖之北狩也，道君由滑濬至燕山，淵聖由淮陽至雲中，既至燕山，二聖兩寺居處，七月上旬於昊天寺相見。親王東序，駙馬西序，道君居在左面，淵聖居右面，皇太子祁次南面西，酒五盞，自早至午，禮畢而歸。燕雲録

補中統三年十二月，作佛事於昊天寺七晝夜，賜銀一萬五千兩。續文獻通考

補至大二年十一月，昊天寺無因而火。歸田類藁

原郝經登昊天寺寶嚴塔詩　旭日燒銅輪，赤氣繞車轂。平步登青天，陸海一龍窟。寶藏沙刼開，突兀翻地軸。瑰奇入霄漢，締構窮土木。高穿翡翠籠，直到蓮心出。錯落金鯨鱗，蹭蹬木蛇腹。致身知幾層，如覺重錦束。巧碎雕鏤心，力盡撑拄骨。合沓三天神，倚疊萬國佛。丹青雜珠琲，新若手未觸。盤盤老風烟，天門鎖寒玉。乾坤一柱旁，日月互生没。六年五入燕，空爲眼中物。於今始一登，頓覺超凡俗。曠宇凌高寒，飄飄肆遐矚。海卷碣石回，天壓陰山覆。盧溝一衣帶，居庸險何足？蒼蒼金臺雲，青青薊邱竹。昔賢今不見，悵望空注目。下視極羽淵，黄能尚盤屈。窟宅幾千祀，潛姦富凶毒。魑魅不能禦，何人與驅逐。燕雲割山河，神州疆理蹙。稱臣又呼父，萬古天王辱。一登還百憂，慘澹意回復。安得脱世網，對此傾醽醁？慷慨澆心胸，醉向天邊宿。陵川集

補王惲登昊天寺寶嚴塔詩　高標直上跨蒼穹，物外方知象教雄。九陌市聲開曉色，兩都喬木動秋風。遥憐汗馬屯湘渚，安得長書附去鴻？寂歷村墟野烟外，誰家簾幙夕陽紅。秋澗集

增都土地廟在土地廟斜街。五城寺院册

〔臣等謹按〕都土地廟即張爵五城坊巷衚衕集間所載之老君堂，廟中有明神宗廟碑可據也。每旬之三日有廟市，今居民不復知有老君堂之稱矣。

增明神宗老君堂都土地廟碑畧　朕爲聖母御世時聖目弗安，欽傳重修宣武門外斜街古蹟老君堂都土地廟。未嘗開工，聖性歸天。朕感聖母慈恩，代完前願。今差奉御閻鸞重修新整，俱已完備。保皇圖之永固，佑帝道之遐昌。君臣共享昇平，黎庶咸臻吉慶。風調雨順，天下太平，巍巍神功，默默護佑。殆非筆言能盡之也。萬曆四十三年立。

原善果寺在宣武門外西南二里白紙坊，舊名唐安寺。天順甲申，尚膳監陶榮復建，既訖工，賜今額。内有翰林修撰嚴安理、太常寺卿張天瑞二碑，一立石於成化丁亥，一立石

於弘治十六年。碑俱云寺乃南梁漢興元府唐安寺也，文義殊不可解。析津日記

〔臣等謹按〕善果寺在廣寧門大街北巷内。明成化中翰林院修撰嚴安理碑，正德中太常寺卿張天瑞碑俱存。析津日記謂張碑立於弘治十六年者，誤也。嚴碑文甚淺鄙，所謂南梁漢興元府之唐安寺者尤不可解，張碑無之。寺又有成化十九年禮部尚書周洪謨碑，正德三年光禄寺少卿李紳碑，本朝康熙十一年大學士馮溥碑碑載順治十七年世祖章皇帝臨幸其地云。

增嚴安理善果寺碑畧　宣武關外西南三里許，地志曰白紙坊，乃南梁漢興元府之唐安寺，廢弛歲遠，基址尚存。天順甲申春，尚膳監太監陶公榮施財鳩工，次第焕新，奏請額，賜曰善果寺。成化丁亥孟夏立。

增張天瑞重修善果寺碑畧　内官監太監姚公訓於弘治十六年冬因善果招提日久傾頽，欲爲鼎新之計，未敢自專。一日，上御便殿，頓首陳奏。上俞允，遣内官監太監鄧永等總領諸色人匠往莅其事。寺成於弘治乙丑冬十月。次年丙寅上卽位，又二年戊辰，始求予文記之。正德三年正月立。

增馮溥重建善果寺碑畧　京師宣武門之西有善果寺，創於南梁，初名唐安，日久而廢。故明天順時太監陶榮等捐資恢復，奏改今額。此善果寺之名所由始也。順治十七年，聖駕臨幸，嘉其喬木陰森，院宇宏敞，不雜闤闠，宛然名山，歎爲京師第一勝地，選振庵月禪師駐錫兹寺。車駕凡五過焉。未幾，振公還山，住持超宗嗣主院事，修舉廢墜。按形家言，寺地深邃，前昂後低，宜建傑閣以爲寺之後鎮。予爲捐俸創成之，琅函貝葉，悉貯其中。閣之前爲浮圖，浮圖之前爲大士、大雄兩殿，又前而南則天王殿在焉。天王殿歲久傾圮，三韓李芝英新之，工創於康熙十一年二月，告成於九月初吉。

增王士禛秋杪獨遊善果寺詩　秋懷憺無豫，古寺聊經行。喬木何蒼然，歸鳥時一鳴。雨久林葉積，人稀秋草生。帛公吾夙好，敷坐依南榮。壁間龍鸞書，歲久猶峥嶸。昔游偕古人，共對寒泉清。俯仰遂成昔，存没倏自驚。西景薄悲谷，素魄無常盈。世界真一漚，何物爲冠纓？徘徊日云夕，駕言返東城。漁洋詩集

原歸義寺，不知建置歲月，元人混一方輿勝覽載之，則金元之舊刹也。行國録

補歸義寺在善果寺西，遼刹也。天王殿前一碑，無撰書人姓氏，額題彌陀邑特建起院。碑文稱寺肇自清寧七年，買徐員外地，遂爲歸義寺，備書寺基牆垣尋尺以及佛像經藏之數。碑陰首書疏主懺悔師守司徒純慧大師賜紫沙門守臻，本行僧録檢校司空精修大師賜紫沙門智清，次載邑衆姓名，開府儀同三司守太尉兼中書令豳國公劉二元，開府儀同三司兼侍中開國公趙徽，建雄軍節度使開國公劉需，諫議馬子詮，尚書張挺，中舍李思闕，秘書省校書郎劉文，左班殿直韓允，右班殿直王規，燕遼國妃劉蕭氏，遼國夫人杜鄭氏，其餘邑首、邑長、邑正、押司官、印官副、正副録知歷，錢物名號不一，又數十人。倚晴閣雜抄

〔臣等謹按〕善果寺之西半里許有菜圃，遼碑在焉。倚晴閣雜抄謂其地卽歸義寺，以碑考之，似别爲一寺，而歸義寺乃在其北也。碑乃鄉人衆建者，絶無文理，無撰人姓名，字亦半剥落，就其可見者讀之，中數行敍買地契券以歸義寺爲北至，不云地卽歸義寺也。倚晴閣雜抄云，買徐員外地遂爲歸義寺，想亦因碑無文理而誤讀耳。碑陰姓名今亦半剥落矣。

補歸義寺創於遼，内有石幢記，作駢語，末書會同九祀龍集敦牂元月二十一日謹記。又記云，大遼保寧闕年都亭闕侯太原王公爲王妣自會同九年捨資就奉福寺文殊殿前，又建

法幢於灝村之墳京東之墓云云，建幢女弟子張氏長男攝祁州司馬闕、次男留守押衙前都亭驛使闕、次男攝寰州長史恕、長女成郎婦、次女李郎婦、次女陳郎婦、未嫁女吉年、孫男三牛、銀青崇禄大夫檢校工部尚書兼御史大夫上柱國鄭承嗣、表弟閤門使崇禄大夫檢校闕部尚書兼御史大夫上柱國郭陟、次表弟將仕郎前守昌平縣主簿郭闕，鐫字者尹奉威也。人海記

增歸義寺在舊城時和坊，內有大唐再修歸義寺碑，幽州節度掌書記榮禄大夫檢校太子洗馬兼侍御史上柱國張冉撰。略曰：歸義金刹，肇自天寶歲，迫以安氏亂常，金陵史氏歸順，特詔封歸義郡王，兼總幽燕節制，始置此寺，詔以歸義爲額。大中十年庚子九月立石。析津志

〔臣等謹按〕歸義寺，朱彝尊所引諸書俱以爲遼刹，考析津志所載，則寺實建於唐。遼時石幢久淪土中，本朝乾隆三十九年，土人於菜圃掘得之，記凡二篇，今其幢移置善果寺內。

增遼會同中原建佛頂尊勝陀羅尼幢記闕 夫六道循環，五蘊虛假。融情口而成岳，流渴愛以爲河。擾擾焉如投焰之蟲，忙忙焉若奔闕之獸。不有至道，其孰能拯救者哉？則我大覺髻珠，空王密藏。妙用遐周於沙界，神功廣被於人天。巍巍乎可得而言，蕩蕩乎無遠不屈。至如釋塵勞境，捈七返之輪迴；入解脱門，破四魔之顛倒。津梁五濁，利濟三塗，拔火宅之焚燒，導苦海之沉溺者，莫尚乎佛頂尊勝陀羅尼呪也。明文具載，奕世傳芳，其或安在高樓，置於窣堵，或資敬仰，用廣瞻依。俾蹈焰者罪滅福生，使霑塵者闕 後樂。其他設造，永契殊因。粤有闕 氏氣闕 貞閑，性惟明慧，雖闕俗爲累，常體道存心，捐情於美服豐妝，屬意於闕佛闕 顧闕 之易滅，知水月以非堅。爰自幼

年，不食薰茹，遐瞻勝概闕 崇發闕 心建宏益事，而乃輟周身之服玩，減實腹之資儲，召募良工闕 煥式刊真諦，屹立危幢，儼鎮地之崇基，聳參雲之逸勢。成因積用，詎假闕求庶集福之有期，與闕生之共處。陵移谷變，標勝置以無窮；日往月來，垂善闕時會同九祀，龍集敦牂，爲元月二十一日，謹記。

增 遼重移尊勝陀羅尼幢記 維大遼保寧元年九月十五日，都亭驛使太原王公恕榮爲皇妣自會同九年巨捨資闕廣陳勝事，於兹金地，特建妙幢，在經藏前集功德闕 果報家道吉昌，既稍備於珍財，乃更闕利益，就奉福寺文殊殿前又建法幢，於灦村之墳，京東之墓，各置佛頂尊勝陀羅尼幢一所。前後四處，咸仗六通，亦可蔭及子孫，門風不墜。邇後當院隆盛檀闕 復近僧堂，又興佛殿，斯幢當路，須至閉遮，乃移舊基於殿之右。皇妣靈鑒願表闕誠如游六欲之宮，永固五雲之狀。所冀飛花雨寶，時來觀刊石之功；執傘持幡，却去上摩尼之殿。仍將片善，福及見存。以球琳琅玕富其家，以椿櫛栝柏齊其壽。四生六道咸霑此恩，所有内外宗親，依舊列名於後而已矣。

補 紫金寺在宣武門外迤西，寺門西向，有嘉靖三十二年尚寶卿河間李圻碑記，謂寺始建於宋云。人海記

〔臣等謹按〕紫金寺已廢，其遺址在善果寺東南百餘步。嘉靖中李圻碑今移在西便門大街華藏庵門外，横卧道旁，離故處里許矣。

增 李圻紫金寺碑畧 京都宣武門外有古刹曰紫金，其來久矣。靜軒上人見其傾圮，欲復理焉。集檀那之施重修，告竣於嘉靖癸丑暮春。規模宏遠，堂廡精美，信士趙文義來丐予記。嘉靖三十二年孟春立。

原 娑婆亭在彰儀門内，元馬文友別墅也。名勝志

原 文友又築飲山亭。春明夢餘録

〔臣等謹按〕娑婆、飲山二亭今俱無考。

原 大慈仁寺殿前二松，相傳元時舊植，臺石一株尤奇。寺後毘盧閣甚高，望盧溝橋行騎歷歷可數。閣下瓷觀音像高可尺餘，寶冠緑帔，手捧一梵字輪，相好美異，僧云得之窰

變，非人工也。燕都游覽志

〔臣等謹按〕大慈仁寺在廣寧門大街之北，門額曰大報國慈仁寺，亦稱報國寺。元時二松已無存，毘盧閣亦久圮。本朝乾隆十九年發帑重修，正殿恭懸皇上御書額曰亨衢覺路。聯曰：廣長舌在無言表；清淨身參非色間。後殿御書額曰得清淨理。殿庭之右恭立御製重修報國寺詩碑。窑變觀音像今奉於正殿之後，北向。龕座周鐫御製窑變觀音像記，龕内御寫慈竹數竿，題修寺詩於上，并跋。龕左右御書聯曰：覺海化身現金粟；普門香界湧青蓮。其龕，内府所製也。

增 蔣德璟記 報國寺在宣武門外可二里，成化中重修，蓋憲宗爲皇太后祝釐處。初入東廊，憩禪悦庵，少遲入寺後總聖門禮佛，兩旁名畫百二十軸，皆天堂地獄變相，僧云宫内送至寺者。登大毘盧閣，三十六級，閣外通廊，環行一週，俯視西山，若在襟袖。遂行觀劉公定碑，出總聖門，過正殿，則雙松偃蓋，皆數百年物。東者可三四丈，有三層；西則僅高二丈，枝柯盤屈，横斜蔭數畝，其最修而壓地者，以數十紅架承之。移榻其下，梳風羃翠，一庭寒色。春明夢餘録

補 慈仁寺本爲周太后弟吉祥建，而寺有成化二年御製碑，止云爲太后祝釐，不及吉祥。蓋當時尚諱言其事。唐應德詩云：同行更説前朝事，繡蟒銀魚有故僧。至歸熙甫作記，始詳言之。寺建於故報國寺山門之東南，都人至今目爲報國寺，然實非報國舊址也。排悶録

原 慈仁寺亦呼報國寺，蓋先有報國寺在寺之西北隅也。今僧院中尚存遼乾統三年尊勝陀羅尼石幢。析津日記

〔臣等謹按〕今報國寺西北隅有寺無額，土人呼爲小報國寺。遼幢今無考。

補京師報國寺古松二株，在佛殿前，低枝曲幹，偃罩各十餘步。望之如青鳳展翅，處其下如山間松棚，六月消夏，尤所宜也。六研齋筆記

原音韻直指：玉鑰匙門法一卷，大慈仁寺沙門清泉真空編，凡二十門。百川書志

增慈仁寺在廣寧門内，本遼金時報國寺，明憲宗爲孝肅周太后弟吉祥改建，俗仍呼報國寺。有二松，相傳金時舊植。後有毘盧閣，左有槐樓。每月朔望及二十五日有集。大清一統志

增乾隆二十一年御製重修報國寺詩 彰義街旁寺，開堂久自元。增修傳勝國，祝嘏爲慈尊。又數百年閲，那莊嚴相存？往來惜頽廢，葺構省華繁。幢石難尋址，虬松尚護門。毘盧弗見閣，祇樹不妨園。頂禮觀音在，傳聞窑變原。静觀因有會，了識未忘言。成矣寧無壞，今兮古漫論。五言識顛末，聊當贔碑擘。

增御製窑變觀音像記 報國寺中瓷觀音一座，寶冠緑帔，妙相莊嚴，相傳得之窑變，不假人工。詳孫國敉燕都游覽志。夫埏泥屑石，止於因物付形。自非大具神通，何由寶飾珠裝，頃刻幻成相好？是知靈呈摶埴，體肖本來，千萬億菩薩化身隨處湧現，有不可思議功德。瞻禮之餘，并識靈蹟，俾人天觀者知佛海栴檀原自轉輪無礙耳。

增窑變觀音龕内御寫慈竹并題修寺詩跋 報國寺觀世音菩薩，相傳得之窑變，相好莊嚴，信非匠巧所能肖。乾隆二十一年重葺寺宇，題詩紀事，瞻禮之次，命飾龕虔奉，並寫慈竹數竿，録詩其上，以誌緣起。

【增】明憲宗大慈仁寺碑畧　恭惟聖母皇太后，深仁廣慈，偏覆鞠育。聖善之大，衍慶本支，期被四方萬國。朕日侍左右，稔聞慈訓，服膺有年。今卽宣武門外撤舊建佛寺而新之。發內庫之金以市材鳩工，而力役惟傭，不數月而告成焉。其宏敞静深，崇嚴壯麗，與夫像塑繪畫，無不盡美，足以起四方萬國之具觀，而極浮屠之盛莫之能踰也。乃原聖母之志，名曰大慈仁寺，廣度僧衆，俾居其中，祝釐迎貺。上資福於聖母，益壽且康。下及海宇生靈，咸獲利濟。庶表朕之仁孝誠敬爾。成化二年五月立。

【增】歸有光贈大慈仁寺左方丈住持宇上人序　大慈仁寺在京城宣武門外西，寺蓋孝肅皇后以其弟爲僧，故爲太后時建此寺。憲宗皇帝兩製碑記，順奉母后之志也。余舍於寺左方丈，見其長老，云祖師名吉祥，姓周氏，爲兒時好出游，嘗出不復歸家，家亦不知其所在。太后自未入宫，師已與其家不相聞，久之去，祝髮於大覺寺。然常游行市中，夜卽來報國寺伽藍殿中宿。太后意亦若忘之。忽夜夢伽藍神來言，后弟今在某所，英宗亦同時夢，夢覺相與言皆同，卽日遣諸小黄門以夢中所見神言求之。至則見師伽藍殿中，遂擁以行。小黄門白入見，帝后皆喜。后問所以出游及爲僧時，爲泣下，因曰：何如今日爲皇親耶？吉祥不願也，復還寺，后不能强，厚賜之。英宗晏駕，太子卽位，后爲太后，出內藏物建大慈仁寺。報國寺故小刹也，今爲大寺，其西伽藍殿猶存云。孝宗時太后爲太皇太后，爲立護勅碑，碑所載莊田無慮數百頃。師以左善世示滅，帝遣官致祭。師時所招僧至數百人，迨後慶壽寺燬，僧亦來居於此。僧衆矣，惟今道宇獨其九世世嫡也。隆慶元年，予入覲，來見道宇，尚披髮。後三年來，則道宇之師已化去，道宇以年少荷重負，得部劄爲左方丈，住持於是。京城內外凡爲其教者皆來爲道宇賀，而道宇之徒師昂爲之請序於予。予謂祖師脱屣皇舅之貴，而樂世外之教。孝肅皇后在慈宫，二聖隆孝養，恩賜無所不至，而祖師澹寂自若。英廟以外戚恩澤侯者不能數世，祖師之賜莊猶存，衣食寺中數百人，此有以見一時富貴之不能久，而澹寂者之長存也。道宇神氣清明，卓爲禪林之秀，吾知祖師之傳不墜，遂序之以爲贈。震川集

【原】歸有光報國寺贈宇上人作　慈宫崇象教，構此絶華炫。深嚴閟香火，危峻瞰郊甸。鬱鬱虬松枝，低壓繞廣殿。當年帝舅親，削髮住兹院。説經老龍聽，出手五獅現。曾聞長老言，天雨曼陀偏。吾識宇上人，頭陀今突弁。修容真法相，妙悟在論讚。導我畫廊行，指示西方變。晨起供清茗，時共禪悦飯。我老欲歸去，世事今已倦。當結塵外緣，山中儻相見。同上

【補】吳子孝慈仁寺詩　微鐘臥聽昔年曾，門掩花香白髮僧。今日重來心轉寂，一函經對佛前燈。玉函堂集

【原】高叔嗣寒食登毘盧閣詩　高樓晴出帝城南，楊柳千家夜雨含。欲换春衣驚客久，况逢寒食思誰堪。門前歸路愁心繞，檻外羣峯僻性躭。憑報故人應竊笑，微身何事戀朝簪？蘇門集

【原】楊慎夏日登毘盧閣詩　赫曦改東陸，鮮飈轉南薰。炎歊深城府，清泠阻江濆。隱几倦文竹，紬書厭香芸。眷言承明侣，肅此塵外羣。仙梯駕虹出，梵閣排霞分。攀楹低白日，對檻俯朱雲。圓方鵠舉見，參差鸞歌聞。意樹鳴天籟，

禪枝繞烟芬。斜景斂平靄，飛雨灑高雯。金罍引清酌，玉麈生涼氛。興謡吐雲藻，摇筆揮風斤。香留荀令榻，書染羊欣裙。奇賞真四美，同詠慚五君。升菴集

原王崇古夏日登毘盧閣詩　佛閣俯層城，登臨極望明。雲連雙闕迥，樹隱四郊平。坐久夜初寂，風回暑欲清。何當卧松牖，烟月愜初盟。山堂彙稾

補唐順之登毘盧閣詩　高閣迥臨飛鳥上，丹梯千仞恣攀登。窗邀佛日金繩下，地逼宸居玉殿層。一老擊鐘時放梵，幾人面壁坐傳燈。同行更説前朝事，繡蟒銀魚有故僧。荆川集

原俞允文秋日登毘盧閣和韻　金園寶樹含朝爽，寂寞烟蘿象外盤。座上青蓮看欲動，輿中白雪和應難。四山映色依人近，一笛秋聲向夕闌。別有仙壇花未落，更宜留步月中看。俞仲蔚詩集

補又登毘盧閣詩　古閣秋氣清，千里滅烟霧。連山開雲氣，頹城斷行路。殘僧守荒齋，寒鳥落高樹。中多古人情，停杯日空暮。同上

增姚淶登毘盧閣詩　憑虚渺無際，浩蕩空人心。宫闕靄疑霧，郊原晴有陰。遠峯時對立，危堞欲平臨。彌望成佳麗，三都亦浪吟。帝京景物畧

增鄭善夫上毘盧閣詩　閣迥臨虚曠，秋高入渺茫。燕歌動易水，駿骨望昭王。鼓起城喧急，草衰邊日黄。寒深松不覺，葉欲盡垂楊。同上

增文彭登毘盧閣詩　送客出都門，闐闐車馬喧。言尋静者室，因得給孤園。蹔與塵囂遠，閒將貝葉翻。偶從高閣望，寒色滿平原。同上

補孟思雨登毘盧閣詩　蕭蕭連夕雨，秋意滿長安。碧樹楸梧老，清宵枕簟寒。功名羞短髮，鄉思俯危闌。紫塞紛戎馬，悲歌行路難。龍川集

原陳衎上報國寺毘盧閣詩　十丈青蓮朵朵開，毘盧高閣獨崔嵬。欲看山勢連天遠，已見河流帶雨來。宫樹陰濃秋未落，塞鴻聲斷晚猶哀。烽烟直北何時息，處處關門鼓角催。大江集

原陳鳳報國寺松詩　偶共菩提樹，同生般若林。蛟龍各殊狀，霜霰詎能侵。空樂風前度，天花雨外深。閒來再攀賞，三宿媿兹心。清華堂稿

原程嘉燧除夕踏雪看松作　久客懷人百事慵，春歸幾日是殘冬。長安雪後無來往，報國門前獨看松。松圓浪淘集

增馬之駿報國寺松歌　徂徠一粒遺朝露，倒插橫挐不知數。糺蟠直作盃盎觀，皴折似遭鬼神怒。門前車馬日奔騰，門内烟霜如未曾。静眼閲將九朝物，蒼皮留供百年僧。乃知萬物不能久，必有神奇相與守。縱經宿雨上莓苔，豈向斜暉競榆柳。別有兩株高撼風，蕭疏瘦削羞將同。天昏合院舞虬浪，夜報大夫參木公。馬仲良詩集

增施閏章慈仁寺松詩　直欲凌風去，翻從拂地看。摧殘經百折，偃仰鬱千盤。老閲山河變，陰兼日月寒。支離爾何意，不厭卧長安。學餘堂集

增王士禎慈仁寺雙松歌　我昔登泰山，舉手攀秦松。東南雲海幾千里，夜懸日氣開鴻濛。山人出山已三載，復見金元雙樹在。玃髯石骨青銅姿，古貌荒唐閱人代。長夏蒼蒼秋氣深，風來絶磵蛟龍吟。仙人五粒不可見，但有元鶴來往飛。陰森蚴蟉詰屈宛相向，千曲盤拏氣初放。一任支離拔地生，那須夭矯排雲上。我來高枕石壇邊，耳畔往往聞驚泉。白日沉沉不到地，颯然雷雨生空天。烟色欲暝鐘復起，雄談岸幘波濤駛。千秋萬歲知者誰，閩海奇人許夫子。漁洋詩集

增宋琬慈仁寺看海棠詩　並馬來看錦樹林，殿門春盡晝陰陰。雨餘休沐逢花落，病起登臨見客心。隔葉流鶯嬌欲歇，上方哀磬晚逾沉。當年金谷追游地，松柏邱陵自古今。安雅堂集

增譚元禮窰變觀音贊　何以悟世，惟音可觀。滯彼形器，見身無端。陶人爲陶，水火土佐。烟銷窰開，有觀音坐。是觀音來，匪窰也變。世化若烟，空借色現。有冠岌如，有衣褶如。有目濕如，厥情汲如。像法住世，世驚以奇。我作平想，香凝風吹。帝京景物畧

原槐樓在報國寺左，武清侯李公別業，置三層閣於上，層級升之，碧梯赤欄，隱見蒼霞碧露間，望之勝於登焉。燕都遊覽志

〔臣等謹按〕槐樓今無考。

原廣德寺在宣北坊慈仁寺之左。英宗實録載，太監王勤爲僧德觀請白金千兩，修造廣德寺，疑卽此也。殿階東有匡山釋宗林碑文，稱寺係古刹，正德間重修，嘉靖六年太監金允等塑香花菩薩於殿中，今鐘鼓樓皆圮矣。析津日記

〔臣等謹按〕廣德寺在廣寧門大街之北。鐘鼓樓久圮，釋宗林碑亦無考。

原增壽寺在宣北坊，有勅建碑。明順天府志

〔臣等謹按〕增壽寺在廣寧門大街之北，明勅建碑今無考。本朝乾隆二十一年發帑重

修，御書額曰妙羣生，今恭懸正殿。

原 京師仙露寺，明一統志、寰宇通志皆不載，順天新舊志亦無之。近菜市西居民掘地得石匣，乃遼世宗天禄三年所瘞，中藏舍利無有也。匣如石槨而短小，旁刻僧志愿記，具書布施金錢姓名，其蓋已失。始知此地卽仙露寺遺址，地名千人邑，故比丘尼皆曰邑頭尼。析津日記

原 記後有千人邑三字，具列大遼皇帝、皇后，東明王夫人，永寧大王，燕主大王，國舅相公，宣徽令主李可興，洛京留守侍中劉瑺，齊國夫人張氏男三司使道紀衙院馬九，故太師侍中趙思温男延照，司徒李允，藥師努華喜、寺行仙、馬知讓，邑頭尼定徽、幼澄、喜嫂，舍利六百三十三粒，欽送到舍利一百一十粒。同上

〔朱彝尊原按〕仙露寺，金人俘宋室子女置其中，見蔡絛北狩行録、趙子砥燕雲録。顧地志失載，遺蹤遂不可稽。康熙二十六年五月，宣武門西南居民掘地得石匣，匣旁有記，自稱講經律論大德志愿録并書，乃遼世宗天禄三年瘞舍利佛牙於此。記後有千人邑三字，蓋社名也。施主姓名，首列帝后諸王大臣，下及童男小女。考遼史，世宗妃甄氏，後唐宮人，帝從太宗南征得之，寵遇甚厚。及卽位，立爲皇后。至天禄四年，方册立皇后蕭氏，二后同死察克之亂，並葬於醫巫閭山。記

刻於三年，所云皇后，蓋指甄也。東明王者，疑是明王安端，卽察克之父，以功王東丹國，故曰東明王也。燕主大王者，中臺省右相達喇爲南京留守，封燕王，故曰燕主大王也。國舅相公者，靖安蕭太后族扎克織古魯，以天禄元年爲國舅帳詳衮，故曰國舅相公也。獨趙思温子延照，史作延昭，而通鑑亦作照，嘗爲石晉祁州刺史，後仍歸遼。餘子本末不得其詳矣。又記有建窣堵波之文，疑當時石匣置於塔下，塔久廢而石匣僅存土中。匣已無蓋，其舍利佛牙又不知何時散佚也。按：察克，蒙古語時也，舊作察割。達喇義見前，舊作牒蠟。扎克織舊作只撒，滿洲語霞也。今俱譯改。

【原】太上北至燕山，寓延壽寺，宗室嗣濮王仲理以下別居仙露僧舍。北狩行録

【原】嗣濮王仲理以下宗女等千八百口，至燕山仙露寺，日給米一升半，月支鹽一升。二聖同聖眷起發中京，金人納絹萬疋。道君分賜百五十疋與仙露寺宗室作冬衣。燕雲録

【原】釋志愿葬舍利佛牙石匣記畧　達摩禪師遠涉流沙，登雪嶺，得釋迦舍利辟支佛牙，授與先師。先師諱清珣，閩川人，自會同五載仲秋賫舍利佛牙到此，於八年季春月，蓂凋十一葉染疴而逝。臨遷化時，將舍利佛牙付仙露寺講維摩經比丘尼定徽建窣堵波。尋具表奏聞。大遼皇帝降宣頭一道，錢三百貫，以充資助，於天禄三年歲次己酉四月十三日安葬。施主名具鐫於後。

【補】王惲商鼎歌并序　燕士張文季讀書不求官，治生不務富，稍有贏餘卽購求古器書畫。仙露寺僧寶藏商鼎有年，不惜百金易而得之。維商賢君六七作，禮重烝嘗制於鑠。只緣近古俗忠厚，象形作器窮精鑿。敦彝鐘鼎賜臣工，重比諡贈縻天爵。當時文獻不足徵，故家餘俗歸寥索。蒼銅不逐太社亡，千古流傳誇灝噩。供佛牀頭夜壑深，物歸所好得真託。張君稽古負精識，入手摩挲三歎息。兩耳高撑足拱三，六乳附觚何的歷？饕餮繞腹雜雷紋，紫翠英英帳猶濕。細觀款識商父丁，崑玉南金非所惜。平生瀹癖心不足，此日大嚼情暢適。形模遠紹考古圖，發揮假手詞人筆。君不見當年莘叟負謁湯，高宗彤日雉雊鬲。黃金塗耳玉鉉光，此事傳聞已陳迹。一朝忽墮三毫間，神明之器今目擊。或裊沉烟讀誥盤，或挹殷谿煮巖石。尚友直探三代英，平生閱古心方畢。秋澗集

〔臣等謹按〕朱昆田補遺卷以秋澗集中序與歌分作二條，今并爲一條。

原 陳一夔贈趙栗夫詩 菜市街西新卜居，豆棚瓜蔓共蕭疏。胸中富有書千卷，誰笑家無儋石儲。七人聯句詩集

〔臣等謹按〕趙栗夫舊居在菜市街西者，今無考。

欽定日下舊聞考卷六十

城市 外城西城二

原宣南坊在新城右安門裏，東宣武門大街南，五牌二十七鋪，有碧霞元君廟、新寺、憫忠寺。五城坊巷衚衕集

〔臣等謹按〕憫忠寺詳本條下。餘無考。

原燕山京城東壁有大寺一區，名憫忠。廊下有石刻云，唐太宗征遼東高麗回，念忠臣孝子没於王事者，所以建此寺而薦福也。東西有兩甎塔，高可十丈，云是安禄山、史思明所建。塞北事實

〔臣等謹按〕文惟簡塞北事實稱，燕山京城東壁寺名憫忠，蓋唐時幽州鎮城遺址在今外城之西及廣寧門外地，故寺在其東。後條所載采師倫書重藏舍利記稱寺在子城東門東百餘步。又景福元年碑亦云大燕城内地東南隅有憫忠寺，門臨康衢，可互證也。今則在外城之西隅矣。廊下石刻及東西兩甎塔俱無考。寺額唐曰憫忠，明正統

中改名崇福。本朝雍正十一年，世宗憲皇帝發帑重修，十二年二月工竣，賜額曰法源。山門内爲大雄寶殿，皇上御書額曰法海真源。聯曰：慧雨曇雲，清淨契無爲之旨；金乘珠藏，通明開不二之門。次爲戒壇，聖祖仁皇帝御書額曰覺路津梁。次爲無量殿，聖祖御書額曰存誠。皇上御書聯曰：參透聲聞，翠竹黄花皆佛性；破除塵妄，青松白石見禪心。次爲大悲壇，有皇上御書額曰善燈普照。聯曰：花雨静飄空色外；心珠長印摩尼中。最後爲藏經閣，有聖祖御書藏經閣三字。殿前恭勒世宗御製法源寺碑，内閣學士兼禮部侍郎勵宗萬奉勅書。又有皇上御書心經碑，俱恭立殿庭。乾隆四十三年重修。

原史思明僭位於范陽，建元順天，國號大燕，六月於開元寺造塔，改寺名爲順天。薊門紀亂

原幽州憫忠寺本唐太宗爲征遼陣亡將士所造。又有開泰寺，魏王耶律漢寧造，皆遣朝使游觀。王文正上遼事

原憫忠寺建於唐貞觀十九年，太宗憫東征士卒戰亡，收其遺骸，葬幽州城西十餘里，爲哀忠墓。又於幽州城内建憫忠寺，中有高閣。諺曰：憫忠高閣，去天一握。是也。春明夢餘録

原貞觀十八年七月，營州都督張儉率幽營兵及契丹奚以伐高麗。十一月，張亮爲平壤道行軍大總管，李世勣、馬周爲遼東道行軍大總管，率十六總管兵以伐高麗。新唐書

原貞觀十九年夏四月，誓師於幽州城南，因大饗六軍以遣之。七月，進軍攻安市，至九月不克，乃班師。十一月，幸幽州，大饗還師。舊唐書

補玄宗嗣位，遣使公乘鎔航海至契丹。鎔以蠟封帛書遣王朗齎骰號子歸聞奏。骰號子不知何等語也。詞曰：臣鎔自去年六月離嚳油，七月至鎮東關，遣王朗奉表契丹。九月乃有番官伊勒希按班部牛車百餘乘及鞍馬治路置頓。十月至東京，今年正月方至幽州，館於愍忠寺。先迎御容入宮，言元欲識唐皇帝面，乃引見如舊儀。契丹主手斟一玉鍾酒，先自啜，乃以勸臣。飲釂自旦至日晡始罷。陸氏南唐書 按：伊勒希，滿洲語副也，按班，大臣也，舊作夷離畢。今改。

原宋真宗崩，仁宗遣使告哀，遼主集蕃漢臣舉哀，令燕京憫忠寺置真宗靈御，建道場百日。東都事略

原遼重熙十一年十二月，以宣獻皇后忌日，上與皇太后素服飯僧於愍忠寺。遼史興宗紀

原淵聖至自雲中，駐蹕燕山愍忠寺。燕雲録

補徽祖上賓，洪忠宣皓嘗於燕京憫忠寺肆筵以奠。桯史

補天會五年，迎栴檀瑞像到燕京，建水陸會七晝夜，奉安於憫忠寺。歸田類藁

〔臣等謹按〕栴檀瑞像曾在憫忠寺，見瑞像來儀記，詳宏仁寺條下。

原金大定十三年八月，於憫忠寺策試女直進士。寺舊有雙塔，進士入院之夜半，聞東塔上有聲如音樂，西達於宮。考試官侍御史完顔佛寧等曰：文路始開而有此，得賢之祥也。金史選舉志 按：完顔佛寧舊作完顔蒲涅，佛寧，滿洲語羣也。今譯改。

原肅王與沈元用同使北，館於燕山憫忠寺。暇日同行寺中，有唐人碑，辭皆偶儷，凡二千餘言。元用素彊記，即朗誦一再。肅王不視，且聽且行，若不經意。元用歸，欲矜其敏，取紙追書之，不能記者闕之，凡闕十四字。書畢，肅王視之，即舉筆盡補其所闕無遺者，又改元用謬誤四五處，置筆他語，略無矜色。元用駭服。老學庵筆記

原呼沙呼遷衛紹王於衛邸，召完顔綱囚於憫忠寺。金史本傳

原謝枋得，字君直，信州弋陽人。寶祐中，舉進士，中乙科，除撫州司户參軍。德祐元年，以江東提刑江西招諭使知信州。信州不守，乃變姓名入建寧，遂居閩中。至元二十三年，集賢學士程文海薦宋臣二十二人，以枋得爲首，辭不赴。又明年，行省丞相蒙古台將旨召之，枋得不赴詔。丞相義之，不强也。又明年，福建行省參政管如德將旨如江南求人才，尚書留夢炎以枋得薦，終不行。福建行省參政魏天祐見時方以求才爲急，欲薦枋得爲功。枋得見天祐，傲岸不爲禮，與之言，坐而不對。天祐怒，强之而北。二十六年四月至京師，問謝太后攢所及瀛國公所在，再拜慟哭。已而病，遷憫忠寺，見壁間曹娥碑，泣曰：小女子猶爾，吾豈不汝若哉！不食而死。宋史按：蒙古台，蒙古語有銀也，舊作忙兀台。今譯改。

原景泰七年九月，以巡撫江西右僉都御史韓雍之請，事下禮部，尚書胡濙等以爲文天祥已建祠於順天府學之右，歲時遣官致祭，惟謝枋得祀典有闕，宜令原籍所司歲舉祀事，仍行翰林院議賜謚。於是少保大學士陳循等議，天祥孤忠大節，爲宋臣首。按謚法，臨患不忘國曰忠，秉德遵業曰烈，請謚曰忠烈。枋得仗節死義，爲天祥亞。按謚法，遵德博聞曰文，謹身制度曰節，請謚曰文節。帝曰：獎忠所以勵臣節也，有司其如所議行。明景泰帝實録

原蘇靈芝行書寶塔頌，今在京師憫忠寺。碑稱御史大夫史思明奉爲大唐光天大聖文武孝感皇帝敬无垢淨光寶塔頌。春明夢餘録曰：此碑蓋建於思明初歸附之時。按舊唐書肅宗紀，至德二載十二月，賊將僞范陽節度使史思明以其兵衆八萬與僞河東節度使高秀巖並表送降。三載正月，上皇御宣政殿，册皇帝尊號曰光天文武大聖孝感皇帝。二月，大赦天下，改至德三載爲乾元元年。今此碑建於二載十一月，而已稱尊號，又以大聖字移在文武之上，與史不合。後至燕諦觀此碑，前行大唐光天大聖文武孝感皇帝及中間唐字史思明字類磨去重刻者，石皆凹；而首行憫忠寺上原只二字，今改范陽郡三字。蓋思明復叛之後磨去之。及思明誅，此地歸唐，後人重刻者也。此碑書丹於石，故以左爲前。金石文字記

原蘇靈芝，儒生也，嘗爲易州刺史郭明肅書侯臺記，在幽燕之地，中州患難得，故契丹以墨本詣榷場易絹十端方與一本。其行書有二王法，而成就頓放當與徐浩雁行，戈脚復類世南體，亦善於臨倣者。宣和書譜

〔朱彝尊原按〕是碑陷文甚多，改刻者不特金石文字記所云十八字而已。内如唐紹統三字，宅幽都三字，命啓與禪虞及下文繼共六字，東宅四水西部八川八字，唐祚二字，除惡務盡四字，皆鑿去重刻者。考思明之降，在至德二載十二月。至明年正月肅宗始加尊號，二月乃赦天下，改元。碑既建於二載十一月，不應預書尊號。又思明初附，肅宗授以歸義王，若碑建於降後，宜大書王爵，不當祇稱御史大夫。然則是碑之建，蓋在思明未降唐之先矣。禄山僭稱范陽爲東都，范陽郡三字其初必東都二字也。文中凡唐字，其初必燕字也。安慶緒僭襲，賜思明姓名爲安榮國。史思明三字，其初必安榮國也。大唐一行，其初必禄山父子僞號。而其餘陷文皆諛僞逆之辭而改刻者也。碑文以左爲前，金石文字記謂書丹於石之故。疑從禄山俗尚，未可定也。當日思明降而復叛，既誅之後，唐人見其碑，踣之惟恐不力，安有反勒其名於石者？此又事之所必無也。

〔臣等謹按〕朱彝尊之辨詳矣，然尚有未盡者。原碑至德二載四字亦係改刻，至字微有聖字形，載字微有年字形，禄山僞建元聖武，至德二載字先必聖武某年字也。蘇靈芝署銜經略參軍，經略字亦改刻，其先或署僞官也。又改刻除惡務静句，除惡字

至行末以二字佔用四字格，務静字另行以二字佔用三字格，除務静三字係就文陷刻，而惡字則石面平添者，疑原文誅逆之辭有擡頭空格，迨後滿格填湊，故參錯若此，字形攲斜而長不復成書也。其他改刻之字如唐紹統兮，兮字、斗拱字、唐祥字、鎮陲陲字，皆朱彝尊所未按。又除惡務静，静字朱彝尊誤鈔作盡字；髣像像字誤鈔作髴字；今一依原碑校正。又原碑以首行十六字佔用十八字格，金石文字記謂改刻者止於大唐光天大聖文武孝感皇帝十二字，而不知敬无垢淨光五字亦改刻者也。以碑末聖武僞元字考之，則首行必爲禄山僞號。朱彝尊之説允無疑矣。碑在本寺方丈前穿廊東壁上，石質堅瑩，唐碑之最完好者。又按唐書史思明傳，思明嘗使耿仁智、張不矜上疏請誅李光弼，疏入於函輒易去，思明執二人欲斬之。此撰寶塔頌之張不矜，殆即其人也。

原舍利塔建於隋仁壽二年正月，幽州節制竇抗所造。木塔五層，扃舍利於其下。至唐文宗太和八年，塔災。宣宗大中丙寅，得石函於故基，遂移置於憫忠寺多寶塔下。信宗中和壬寅又災，延燒憫忠寺樓臺俱燼。昭宗景福壬子，遷舍利於閣内。春明夢餘録

〔臣等謹按〕隋舍利塔災於唐太和八年，至會昌六年丙寅始移置於憫忠寺多寶塔下，是年宣宗初即位，尚未改元，越明年方改元大中，故采師倫所書碑猶紀會昌年號。

春明夢餘録作宣宗大中丙寅，實會昌六年也。及僖宗中和二年憫忠寺塔又災，至昭宗景福元年遷舍利於閣内，其閣乃李匡威所建之觀音閣也。今舍利與閣皆無考。

【原】采師倫正書重藏舍利記，今在京師憫忠寺。碑建於會昌六年九月，此初復佛寺之文也。（金石文字記）

【原】景福元年重藏舍利記今在京師憫忠寺。（同上）

【原】寺中一碑，下半斷裂，可讀者其上段，字有燕京大憫忠寺觀音地宮舍利函記金大安十年沙門善製。（帝京景物略）

（朱彝尊原按）是碑文字悉完，未嘗斷裂。末云大安十年歲次甲戌閏四月辛未朔二十二日壬辰申時功德主燕京管内左右街都僧録崇禄大夫檢校太師行鴻臚卿聰辨大師賜紫沙門善製門人義中書。

【原】憫忠寺經正統七年重修，改額崇福，有翰林院待詔陳贄碑。萬曆三十五年又修，有諭德公鼐碑。（帝京景物略）

（臣等謹按）法源寺建自有唐，爲都城古刹，本朝以來，屢蒙頒賜額聯，並蒙世宗御製碑文，恭立殿庭，用光梵乘。至累朝遺碣，如唐蘇靈芝書寶塔頌，景福元年重藏舍利記，及遼大安間觀音地宮舍利函記，金大定間禮部題名記諸碑，皆足以資考證。若劉侗帝京景物略所稱陳贇、公鼐二碑，詞蕪不録。

增 世宗御製法源寺碑文　都城宣武門西南有古刹曰憫忠，建自唐貞觀中，迄今千有餘載，歷爲秉受法戒者所依止。我世祖章皇帝命建戒壇，聖祖仁皇帝賜御書扁額曰覺路津梁，曰存誠。寺有藏經閣，題顔亦宸翰也。雍正十一年五月，發帑重加修飭，至十二年二月工竣。梵宇崇閎，禪廬周備。因復賜額爲法源寺。朕惟如來演説經律論三藏，而律居其一，又説戒定慧三學而戒居其先。亦如宗門有衣鉢之傳焉。威儀三千，細行八萬，人以爲戒在是卽法在是，未知其法之源也。卽謂攝心名戒，亦祇知心之説而源仍未及知也。蓋心本無體，何者是心？法亦假名，何者是法？則源不可不達矣。教不云乎？識心達本源，故號爲沙門。夫心源本是湛寂，雖塵塵悉入，而湛寂者自若，縱心心不住，而湛寂者亦自若。故曰無生無滅，如如不動。苟達乎此，雖當萬法而不見一法，不見一法而全攝萬法。如是持戒則成無等戒而達無上覺矣。鉅而忠國孝親，制行立事，細而飲食起居，日用常行，何一不自此源流出，自然真實無僞者乎？統世間出世間之大源不可名同，何況於異，寧獨沙門釋子事哉？我皇考推本皇祖勸善至意，書存誠之顔，揭示萬古達源之要。朕仰體淵旨，昭告後學，期共達心性之本源，亦國家導民爲善之一助也歟！

原 范陽郡憫忠寺御史大夫史思明奉爲大唐光天大聖文武孝感皇帝敬无垢淨光寶塔頌　惟唐紹統兮歲作噩。天宅幽都兮鎮戎索。彼命啓與禪虞，繼鳳舉而龍躍。馭閶闔而朝南面，服日月而昇寶殿。在璿衡以正乾坤，握金鏡兮臨宇縣。

東宅四水，西都八川。天應景福，億萬斯年。神祇肸蠁而丕祐，風化洋溢而昭宣。凝心姑射，既邁黄軒之理；端思真境，高撫洪崖之肩。迴出三界，超居四禪。我御史大夫忠而孝，悊而賢，裨我唐祚，崇斯福田。昔在棘城，結願已修於寶塔；屬兹板蕩，除惡務静於幽燕。開拓郡縣，馳突戈鋋。咸荷威力，掃逆靖邊。樹兹幢相，游刃忘筌。割淨貲以檀舍，施珍俸於慈緣。爰居爰處，載詢載度。薙金界於祇園，擇伽藍之勝托。徵郢匠，稽樸斲。具鉤繩，備丹雘。才生明而畚鍤攸萃，月貞[illegible]而陶瓬斯作。暨峻砌而崛起堂皇，聚楨幹而上干寥廓。爾其庀徒有節，力工維時。隱金槌以雷動，走瓴甋以星馳。椓之登登，斗拱磊落以扶衛；築之閣閣，毿毿毹羅而緝熙。駢密石以疏趾，齊玉璫以鎮陲。斑間布白，九隅八維。風伯雨師，扣靈壇而請命；雷公電女，擁仙座以忘疲。熠如聚雁，赫若奔螭。岌業天假，髣像神資。千龕櫛比以攢搆，萬塔陵兢而護持。觀其捫重扃披藻井。鴻濛異狀，噴吒靈影。霞駮雲蔚，陽舒陰静。游三界而須臾，視一刼而俄頃。示大方便，開大法境。聞偈而刀輪折鋒，承風而火穽收猛。嶷若蜃樓之孤秀，皎類扶桑之映迥。蓮花吐日，攢太華之三峯；香爐抱雲，矗廬巖之一頂。若乃八部經行，萬方委輅。離火宅，啓枕喻。魚貫爭上，雁行齊赴。隮穹崇，陟廻互。嗜真如者搏級，聚武而蹋行；慕釋猷者跕虛，悉倅而徐步。攀棼橑以失視，援井幹以增懼。龍象翕赫，扶欂櫨而蓄威；鬼神睢盱，捫頳壁以舍怒。將以經啓萬祀，永代作固。置呪於梵刹之中，釋網于毗耶之路。啓招提之勝果，祛樊籠之緇蠹。行善者技痒而爭趨，爲惡者震慄而憂怖。逗塔影者洽背而魂悚，聞鈴音者叩頂而心注。是用敬我天威，保我唐祚。彼幢相之邀福，荷无疆之率裕也。客有扣虛幕府，忝掾神州。愧三語之默對，歸八解之禪流。巋然寶塔，永贊鴻猷。護鵝珠以守戒，持鴿珍以精修。刻字金版，垂芳朔幽。雲行雨施，自公乃侯。永錫難老，厥德允修。恭察視之嚴命，敢不拜歇王休。范陽府功曹參軍兼節度掌書記張不矜撰，承奉郎守經略軍胄曹參軍蘇靈芝書。至德二載十一月十五日建。

〔原〕采師倫書重藏舍利記　舍利本大隋仁壽四年甲子歲幽州刺史陳國公竇抗於智泉寺創木浮圖五級，安舍利於其下，卽子城東門東百餘步大衢之北面也。原寺後魏元象元年戊午歲幽州刺史尉萇命造，遂號尉使君寺，後改爲智泉寺。至大唐則天時改爲大雲寺，開元中又改爲龍興寺。太和甲寅歲八月二十日夜，忽風雨暴至，災火延寺，浮圖靈廟，颯爲烟燼。洎會昌乙丑歲，大法淪墜，佛寺廢毁，時節制司空清河張公准勅於封管八州内寺留一所，僧限十人。越明年，有制再崇釋教，僧添二十，置勝果寺，度尼三十人。秋八月二十一日，因板築，於廢寺火燒浮圖下得石函寶瓶舍利六粒，及異香玉環銀釦等物。伏遇司空固護釋門，殷誠修敬，仍送憫忠寺供養，俾士庶瞻禮。至九月二十八日藏之多寶塔下。會昌六年九月。

〔朱彝尊原按〕是碑建自唐會昌六年，文稱舍利舊藏智泉寺，寺經始於元魏幽州刺史尉萇命，故又號尉使君寺。按北史，萇命，萇作長。其曰節制司空清河張公，則仲武也。當武宗詔毀佛寺，地分三等，幽州等居上，許留僧二十人，尋又詔諸道留二十人者減其半。故碑云勅於封管八州内寺留一所，僧限十人。至是年宣宗即位，遂弛其禁。先是，智泉寺已燬，遂以舍利歸憫忠寺焉。仲武在幽州屢破回鶻，鄭畋謂會昌時功第一。方毀寺之歲，五臺僧多奔幽州，仲武封二刀付居庸關曰：有游僧入境則斬之。及宣宗增置僧寺，碑稱司空固護釋門，殷誠修敬，若是乎前後不相侔者。蓋仲武功名之士，宜其好惡與時移也。師倫無善書名，然猶存王知敬、薛稷遺意，亦能拔乎俗者。

〔臣等謹按〕采師倫所書重藏舍利記今無考。智泉寺詳後本條下。

原景福重藏舍利記 昔隋文帝潛龍日，有梵僧自印土至，授舍利一瓶，曰：此釋迦遺形。洎登寶位，至仁壽二年正月，勅天下大州一百處建舍利塔。時幽州節制竇抗創造五層大木塔，飾以金碧，扃舍利於其下。至大唐文宗皇帝太和八年，經二百三十三年，天火焚塔，爾後五六年間，武皇闕 釋教，至宣宗初登寶位，歲在丙寅，勅修廢藍，將興闕 得石函於故基下，時旌麾清河公曉示人天尊闕 供施還藏於憫忠寺多寶塔下，復經三十三載。中和二年歲在壬寅，又值火災，延憫忠寺，樓臺俱燼。旋遇闕 淘汰空侶，不朞年，隴西令公大王大庇生靈，巨崇象設，舍己禄俸，造觀音閣，横壯妙麗，逾於舊貫。寺僧復嚴陳力化導塑觀音像，當景福壬子年僉欲遷舍利於閣内。乃陳辭上瀆，請發封壤，上許之。卽是年六月，徒侶雲萃，各竭其誠。塵壒曜靈，香坌入手。未淹食頃，俄逢巨函。縫印香泥，記鐫貞石。由是撤其蓋，發其緘，舍利光芒，異香郁烈。詣子東門上獻旌幢，中權後營，皆澡浴瞻禮，儭施重沓，復還本寺。黄金瓶如粹麥量，内藏一粒，仁壽舍利也。二粒在塔闕 内，又二粒在小金合子内，又九十粒如銀粟狀在琉璃瓶内，玉環二髮七綜，又有二粒在銀結條琉璃瓶内，故臨壇大德明鑒平昔隨身供養，臨終授弟子栖忍，今同收函内。記曰：大燕城内，地東南隅。有憫忠寺，門臨康衢。中有寶閣，横雲業虛。閣有巨像，觀音聖軀。當像之前，緘於舍利。外石函封，内金函閟。填以異香，雜以珍器。用記歲年，景福壬子。葬舍利僧復嚴闕街内殿講論兼應制大德沙門南敍述僧知常書守因鐫。

（朱彝尊原按）是碑建於景福元年，所云隴西大王者李匡威也。是年李克用、王處存合兵攻王鎔，匡威救之，有詔和解河東及鎮定幽四鎮。碑稱欲遷舍利於閣内，陳辭請發封壤，上許之。蓋匡威方恃燕薊勁兵，有雄天下意，宜有請無不許者。碑文侈陳發緘時舍利光芒，異香郁烈，外石函封内金函閟，其崇奉象教至矣。迨明年，匡威復出師救鎔，其弟匡儔據軍府，自稱留後，匡威進退無所之，鎔迎館於鎮，登城西大悲浮圖，顧望流涕，未幾以圖鎔見殺。然則事佛果得福乎？舍利之塔，一燔於太和八年，一燼於中和二年，今匡威所建之閣遺跡已不可問，其碑僅存焉爾。

（臣等謹按）景福元年重藏舍利石刻今與寶塔頌同嵌僧廊東壁。乃一長方石，非碑非碣。壁間又嵌有遼大安十年觀音地宫舍利函記碑一，金大定中禮部令史題名碑一。又寺内戒壇前有遼幢一，乃爲寺尼薦福刻者。前刻石幢記，後刻尊勝呪，記爲將仕郎守磁州司馬劉贇述，呪爲前攝遼興軍觀察巡官王進思書，字已半剥蝕。幢後置有石函一，函四周刻字，首行標題大遼燕京大憫忠寺紫褐師德大衆等，次書故燕京管内懺悔師鈔主崇禄大夫守司徒慈智大師賜紫沙門覺晟、燕京管内左右街都僧録崇禄大夫守司徒聰辨大師賜紫沙門善製、燕京管内左右街僧録提點宏法竹林總覺大師賜紫沙門闕道、燕京管内左街僧録判官寶集講主覺智大師賜紫沙門文傑，以下駢書諸僧名凡三百七十人，又書故蓋閣都作頭右承制銀青崇禄大夫兼監察御史武騎尉康日永、蓋殿寶塔都作頭右承制銀青崇禄大夫兼監察御史武騎尉姪敏、前閣主法資天水嚴甫書，太原王維約刻，最後刻布施諸物，有舍利金瓶、銀塔、玉錢、珠子、小金剛子數珠等物。石函不記年號，相傳爲緘舍利用者。其舍利等則不可考矣。

增遼燕京大憫忠寺觀音菩薩地宫舍利函記　恭聞應物爲現，利樂無窮者大聖觀音；有感克從，功德叵測者靈蹤舍利。金言所載，寶牒攸存。善製肇紏巨社，會萬人金玉之資；欲滿宿心，塑百尺水月之像。將圓實相，先實地宫。化檀那近百千家，獲舍利餘一萬粒。封以金匱，貯以石函。圓淨璨然，實爲神異。所冀光徹無間之獄，福洽有頂之天。良因不虛，巨利斯在。上願我國家二儀齊於聖壽，兩曜等於文明。三寶長隆，四方永肅。八難除一十四種之怖畏，四生見三十二應之威神。獲圓通之法門，願大作於佛事。大安十年歲次甲戌，閏四月辛未朔二十二日壬辰申時，功德主燕京管内左右街都僧録崇禄大夫檢校太師行鴻臚卿聰辨大師賜紫沙門善製門人義中書。

〔臣等謹按〕碑所稱大安十年，乃遼道宗年號，帝京景物略目爲金時物，蓋金衛紹王亦改元大安，因致誤耳。考金衛紹王稱大安者止三年，此云十年，可知其非金大安矣。其撰文之僧名又見前所載遼時石函上，蓋同時物也。

增金大定中禮部令史題名記畧　初大定乙酉歲既刻題名爲諸部倡，猶以不能備紀始末爲未足。至崔君顥士，迺更刻石，悉書鄉里官品與夫入部及出職歲月，所以示君子仕進之難，持己既廉，從事既勤，而又積日累久，無簿書文墨之失，然後可以有立，非徒記姓名銜階秩而已也。戊戌秋八月三日，儒林郎國史院編修官武騎尉賜緋魚袋党懷英記。

〔臣等謹按〕此碑後數行備書官階姓名，其第一人爲武畧將軍崔潁士，大定八年五月到部，以下仿此者凡數十人，字畫糢糊不甚可辨。

增遼憫忠寺故師姑闕壇大德薦福大師敬造尊勝陀羅尼幢記略　大師法諱闕遇俗姓郝氏，十三樂出家，值太原蓮花寺廣賢尼大德住燕之歲，卽禮爲師。長大德行純邃，容止可觀。天祐三年，始受學法，將鄰二載，乃具尸羅念戒。及我后駕幸燕都，躬選名行，敬加師號薦福，以應曆七年六月二十一日奄化於本院之主堂，春秋闕十三，夏臘五十四，門人副員大德承進。

原韓雍請諡宋臣謝枋得疏　竊見宋禮部侍郎謝枋得，登科對策，力詆權姦，發策漕司，極攻時政。受任於運去祚移之後，抗敵於兵疲民散之餘。力已盡而不支，志有爲而不果。後元臣程文海等交章累薦，恥仕二姓，懇辭不屈。參政魏天祐强逼北行，誓死不食，終於燕京。著爲文章，發明道學，羽翼聖經，無愧昔賢，有功後進。竊惟伯夷、叔齊死殷周之際，至宋而追封；諸葛亮、顔真卿忠漢唐之朝，至元而加號。古之君天下者，蓋有所見而非爲無益之舉也。乞勑禮部翰林院儒臣，議加贈諡，録其子孫，庶使天下之人知爲人臣而能死忠死節者，雖百世之後，亦得顯揚，垂休後嗣。以增志士仁人之氣，沮亂臣賊子之心。韓襄毅集

原史肅登憫忠寺閣詩　浮宇懷超想，層梯跂俊遊。喧卑三界盡，制作六丁愁。聚土閒童子，移山老比丘。能除分外見，寸木即岑樓。中州集

原邵某至元九年登憫忠寺閣詩　俯身直下臨無地，飛步淩虚覺有梯。遼宋封疆歸一統，幽燕形勝控三齊。扶桑東望滄溟小，若木西瞻華嶽低。安得憑風溯寥廓，一枝回首謝卑栖。秋堂文集

補陳孚偕劉東崖學士李兩山侍郎登憫忠寺閣詩　天京朝萬國，十二舜神州。宫闕開中禁，關河拱上游。扶桑彤氣近，析木紺光流。劍佩千牛衛，旌幢五鳳樓。玉泉蟠地湧，金塔揷天浮。北嶽瑶符出，南溟瘴霧收。人皆躋壽域，我亦步瀛洲。智不如犀首，癡猶過虎頭。國恩難獨報，儒術幸同儔。偶此登阿閣，悠然想薊邱。長庚欣識李，太乙願依劉。雪擁飛狐夜，風號涿鹿秋。黄花堆徑濕，紅葉繞城幽。且盡一壺酒，掀髯送白鷗。觀光集

原果囉洛納延憫忠寺詩　高閣秋天迥，金仙寶珞齊。青山排闥見，紫氣隔城迷。朱栱浮雲濕，琱簷落照低。因懷百戰士，惆悵立層梯。金臺集

原又題雙塔詩　安史開元日，千金構塔基。世尊寧妄福，天道自無私。寶鐸游絲罥，銅輪碧蘚滋。停驂指遺跡，含憤立多時。同上

原張翥登憫忠閣詩　百級危梯遡碧空，憑闌浩浩納長風。金銀宫闕諸天上，錦繡山川一氣中。事往前朝僧自老，魂來滄海鬼猶雄。只憐春色城南苑，寂寞餘花落舊紅。蜕庵集

原袁凱登憫忠閣作　唐家高閣古城隈，遠客登臨宿霧開。諸帝園陵俱寂寞，三韓魂魄尚歸來。西山雲氣空中度，東海潮音地底迴。聞説關河有戎馬，故園南望思悲哉。在野集

原湯雷奮挽謝疊山詩　向老逢危亂，提軍復欲東。九遷徒有命，一戰不成功。楚户言猶在，韓仇事已空。風塵長蒼莽，身世轉飄蓬。芒屩初就道，慷慨不辭難。滚滚長江盡，蕭蕭易水寒。風霜欺漢節，塵土上南冠。無復加餐食，旁人掩淚看。大節應無憾，初心不望還。昔非蹈東海，今見餓西山。毁譽從兹定，哀榮等是閒。綱常元未泯，公死實相關。懷哉千古事，亘諫不爲柔。漢祖猶封齒，殷臣不仕周。寧隨文相國，直匹李潭州。浩蕩江湘接，東西萬古愁。翰墨全書

原胡文友挽謝疊山詩 戎馬庚申後，朝廷喜懼秋。諸公争頌莽，一士獨傷周。場屋言終棄，風塵恨未休。興亡天數在，我欲咎人謀。償金成往事，投老復臨戎。奉使危城裏，提兵小邑中。報韓如有托，興漢豈無功。不用論成敗，英雄見自同。仗劍辭陵母，關山十載餘。深懷應有待，天意竟何如。張儉終亡命，虞卿但著書。茫茫六合內，何處著吾廬。從容仍慷慨，萬世史臣書。猥士心先阻，仁賢氣自舒。何人分葬地，有客護喪車。應共文丞相，騎龍入太虛。同上

增趙簡邊輓謝枋得詩 西山東海莫容身，芒履蕭蕭萬里行。去住更無寛歲月，死生惟有一君親。丹心故國江雲冷，白骨他鄉塞草青。不是回頭春已暮，至今猶説似癡人。疊山詩集附刻

補京師二月淘溝，穢氣觸人，南城爛麪衚衕尤甚，深廣各二丈，開時不通車馬。此地在憫忠寺東，唐碑稱寺在燕城東南隅，疑爲幽州節度使城之故濠也。寄園寄所寄録

〔臣等謹按〕爛麪衚衕在宣南坊，所稱唐碑，卽憫忠寺條下所載景福元年重藏舍利碑也。唐幽州節度使城，其址半在今外城之西，則城濠故址或當在此耳。

原尉使君寺，北魏元象元年幽州刺史尉長命造，後改爲智泉寺，則天后時改爲大雲寺，開元中改龍興寺。在憫忠寺前，隋造塔藏舍利處。春明夢餘録

原尉長命，太安狄那人，參預齊神武起兵，破爾朱氏於韓陵，拜安南將軍，以幽州刺史督安平二州。雖多聚斂，然以恩撫人，少得安集。北史

原泰定四年正月，皇子雲丹藏布受佛戒於智泉寺。元史泰定帝紀

按：雲丹，唐古特語才也，藏布義見前，舊作允丹藏卜。今譯改。

增大延壽寺在舊城憫忠閣之東。起自東魏元象幽州刺史尉長命爲大雲，後爲智泉，毀於後周，隋復之，刺史竇抗建浮圖五層，改名普覺，唐爲龍興，災於太和，又災於大中。節度使張信仲奏立精舍，并東西浮圖曰殊勝，曰永昌，賜寺額曰延壽。至遼保寧中，建

殿九間，複閣衡廊，窮極偉麗。復災於崇熙，又復興修。金皇統二年，留守鄧王益加完葺。四年又災。海陵天德三年爲宫，世宗大定二十一年會有司别錫地重建此寺。泰和二年工甫就，六年八月立石，翰林待制路鐸撰記。元一統志

〔臣等謹按〕尉使君寺，春明夢餘録謂則天時改爲大雲。據元一統志，則自東魏元象年間初建已名大雲，非則天時矣。隋塔及唐時所立精舍并東西浮圖與遼時所建殿，其遺址今俱無考。

增 綿山寺在憫忠閣西，今已廢之甚矣。析津志

增 靈虚觀在憫忠寺前蝦蟆北岸，内有大古槐一株。元一統志

〔臣等謹按〕綿山寺、靈虚觀俱無考。蝦蟆北岸，地名，今土人亦無此稱矣。

原 都城之南舊有寺曰静寧，圮已久矣。有僧宏瓊栖其地，御用監太監潘瑛爲之建寺，肇自天順庚辰，訖於成化丁亥。寺成，請於朝，賜額崇福。寺有二碑：一兵部左侍郎兼翰林學士淳安商輅撰，中書舍人直文淵閣錢塘凌暉書；一鄱陽釋道源撰，禮部郎中鄞人章規書。寺今圮矣，而土人尚目之曰新寺。析津日記

〔朱彝尊原按〕都城自遼金以後，至於元，靡歲不建佛寺，明則大璫無人不建佛寺。梵宫之盛倍於建章萬户千門。成化中，京城内外勅賜寺觀已至六百三十九所，見周

尚書洪謨奏疏中。王宮保廷相詩云，西山三百七十寺，正德年中内臣作。則所建可類推矣。迨萬曆初，孝定皇太后營造愈衆，而一經修建，寺額輒更，如憫忠、静寧相去甚邇，同更曰崇福，後人之考證實難。安得好事者詮金陵之塔寺，記洛陽之伽藍，表西湖之淨社，俾京師舊蹟一覽而得，不亦快事哉！

增宛平王公怡園，水石之妙有若天然，華亭張然所造也。然字陶庵，其父號南垣，以意創爲假山，以營邱、北苑、大癡、黄鶴畫法爲之。峯壑湍瀨，曲折平遠，經營慘澹，巧奪化工。唐楊惠之變畫而爲塑，此更變爲山水平遠，尤奇矣。居易録

〔臣等謹按〕怡園在南半截衚衕，本朝康熙中大學士王熙別業也。中有額曰席寵堂，又額曰耆年碩德，又額曰曲江風度，皆聖祖仁皇帝御賜。今亭館已圮，其地析爲民居矣。

增王崇簡正月十六夜兒熙張燈怡園侍飲詩 開園暮靄映簾櫳，秉燭游觀與衆同。月上空明穿徑白，燈懸高下滿林紅。承歡春酒烟霞窟，逐隊銀花鼓吹中。共羨風光今歲好，昇平惟願屢年豐。青箱堂詩集

增毛奇齡集宛平相公園林詩 山莊清沐駐驂驔，曲徑通街出巷南。纔到射堂門啓處，門紗映出一山藍。赤欄斜度暗杉關，樹底吹笙鶴自還。行過摘星巖畔望，紅亭高出碧雲間。邱壑新題集慶餘，剛逢宸翰賜來初。不懸宫左游巖榜，爲有元和石鼓書。潞公水曲一陂穿，華子岡從百谷連。丹竈曉移修竹裏，繩牀晝設石壇邊。草花續樹晚猶生，石棧連雲斷復行。怪道午橋光景別，一花一石手經營。石上窪樽就飲頻，座中綺里髮如銀。十年未得還商洛，願作留侯門下人。西河合集

增陳維崧遊怡園詩 賴有平泉好，能諧吏隱心。到門添野興，傍市得幽尋。日漏楓枏罅，霜纏薜荔陰。喜無塵俗事，風裏自鳴琴。細篠戎戎長，幽篁淰淰寒。客中稀見汝，幾日到長安。礌砢存高節，颼飅起素湍。筍根來歲迸，定

學蟄龍蟠。憶赴尚書酌，霜天酒似澠。訏謨關廟社，汎愛及賓朋。園果經秋熟，山泉向晚澄。高臺重上處，徙倚記吾曾。晚出沙堤上，山游謝傅玭。振衣凌絕壑，把炬認層嵐。暝色千門結，霜容萬木酣。夜歸攲獨枕，端不夢江南。湖海樓詩集

【增】呂履恒初夏怡園宴集詩　東山舊墅淨無塵，暇日登臨景更新。羣木陰能清首夏，孤花香欲表餘春。序賓初舉升堂觶，談藝徐聞隔水鄰。十載江關蕭瑟後，欣從哲匠翫芳晨。夢月巖詩集

【增】趙恒夫所居寄園，濬池累石，分布亭館，種花木，海內名士入都恒留連不忍去。曝書亭集

〔臣等謹按〕寄園在教子衚衕，本朝康熙中户科給事中趙吉士之别業也。今亭館已圮，僅存遺址矣。

【增】呂履恒月夜寄園詩　暝色蒼然至，遥光劇可憐。烏棲明月下，人語落花前。有約琴樽合，無拘坐卧偏。暗香通石罅，清響接雲巔。心覺緇塵洗，衣看白袷鮮。草萌茵藉軟，茶潔椀生妍。遠市城烟重，高臺樹影連。醉宜春露浥，醒待曙鐘還。風物私吾黨，盈虚屬彼天。欲歸仍徙倚，形影暱巖泉。夢月巖詩集

【原】永慶寺在教子衚衕，無碑記可考。析津日記

〔臣等謹按〕永慶寺今尚存，殊隘陋，惟有一鐘，鑄萬曆壬寅五月字。

【原】宣南坊白馬寺，隋剎也。殿後尊勝陀羅尼幢上刻仁壽四年正月上旬造。寺重建於洪熙元年，正統八年賜額。有翰林學士南昌張元禎，工部尚書直文淵閣嘉禾張文憲二碑。其東有僧塔，塔前有古碑，已爲侵占者所毁矣。析津日記

〔臣等謹按〕白馬寺今已圮，其地猶名白馬寺坑，明張元禎、張文憲二碑尚樹於土阜

上。隋時石幢、僧塔、古碑俱無考。

增張元禎重修白馬寺碑略 都城坤隅四里許，有古刹白馬寺，昔漢明帝時白馬西來應迹之遺派也。隋仁壽年間創立，年久廢弛，惟基址猶存。我朝洪熙改元，滿公闢榛蕪而棲於此。正統八年勅賜額名白馬禪寺。成化十年，圓上人主其席，夙夜焚修，修理殿堂禪室，種種莊嚴，繼往開來，功不可泯，勒於石以紀本末。弘治十四年季夏立。

增張文憲重建白馬寺碑略 宣武關外四里許，有寺曰白馬，傳聞隋仁壽年所立，日久荒蕪，基址未泯。至我朝洪熙歲，有高僧滿公闢荆棘而棲焉。天順二年，太監楊阮二公重修之，未久又廢，太宰李中軒重建，歲在乙丑初冬，次年丙寅秋立石。

增大悲閣在舊城之中，建自有唐，至遼開泰重修。聖宗遇雨，飛駕來臨，改寺聖恩，而閣隸焉。金皇統九載，卽其地而新之。元朝至元壬午春重修，中奉大夫總判翰林國史集賢院領會同館道教事安藏撰記，二十年四月立石。元一統志

增聖恩寺卽大悲閣，後有方石甃八角塔。析津志

〔臣等謹按〕聖恩寺在斜街口。考元一統志、析津志，凡載昊天、憫忠、聖安等寺，俱云在舊城，而此寺亦曰舊城，則今之聖恩寺當卽唐時故址無疑。惟寺無碑碣可考，大悲閣、八角塔亦俱無存。

原白紙坊在新城廣寧門、右安門西南角，五牌二十一舖，有小聖安寺、大聖安寺、寶應寺、禮拜寺、相國寺、崇效寺。五城坊巷衚衕集

〔臣等謹按〕小聖安寺、相國寺今俱無考。禮拜寺在牛街，回人所居，寺内碑碣皆回

部書。大聖安寺、寶應寺、崇效寺詳本條下。

補南城諸坊，白紙坊最大，元於此設稅副使。北自善果寺，南至萬壽宮，西極於天寧寺，皆是也。自嘉靖築新城，以城牆界之，坊劃而爲兩矣。陝志

〔臣等謹按〕白紙坊居民今尚以造紙爲業，此坊所由名也。善果寺詳前卷，萬壽宮在本條下，天寧寺詳郊坰西。

原聖安寺，金所建。燕石集

原寺有金世宗、章宗二朝像。金臺集

〔朱彝尊原按〕宋顯夫南城俚歌十首，其四云：停驂惆悵聖安寺，後堂空祀李宸妃。則寺中所留像不獨二帝矣。

原聖安寺庭前有怪柏數株。湛然居士集

原元世祖中統二年九月，奉遷祖宗神主於聖安寺。元史祭祀志

增大聖安寺在舊城，按寺記，金天會中佛覺大師瓊公晦堂大師俊公自南應化而北，道譽日尊，學徒萬指。帝后出金錢數萬，爲營繕費，成大法席。皇統初，賜名大延聖寺。大定三年，命晦師主其事，內府出重幣以賜焉。六年，新堂成，崇五仞，廣十筵，輪奐之美爲都城冠。八月朔，作大佛於寺以落成之。七年二月，詔改寺之額爲大聖安。元一統志

原聖安寺金元舊碑無一存者。殿前明碑二：一慈仁寺沙門德慶撰，通政司參議廣陽趙昂書，成化二十年九月立石；一上谷參軍張壽朋撰，江西道監察御史徐圖書，萬曆十八年四月立石。寺向有金世宗、章宗、李宸妃像，今皆無之。殿前怪柏已盡，唯有兩楸樹而已。其地名東湖柳村，獨湖湮，柳亦不見。蓋此寺圮而復修，於正統十一年易名普濟寺，内官營建，欲侈己功，輒去故碣。既更新額，並毀舊碑，使考古者無足徵。真可憾也。析津日記

〔臣等謹按〕聖安寺在聖安寺街，金時所建，明正統中易名普濟。本朝乾隆四十一年發帑重修，寺門額曰敕重建古刹聖安寺。内爲天王殿，次爲瑞像亭，中爲大雄寶殿，其額俱皇上御書。寺後殿舊有三世佛像三尊，今移静明園供奉。又栴檀銅佛像一尊，今移寧壽宫供奉。其他像皆重加塑飾，莊嚴完好。寺東廊有碑二：其一前刻栴檀佛像，有諸表臣記，後刻達摩像，有李言恭贊；其一前刻觀音像，後刻關聖像，俱勒萬曆己丑八月字。明僧德慶碑無考，惟張壽朋碑尚存。寺有古柏二株，俱百餘年物，獨兩楸樹則無之。金元碑俱無考。

原中統三年十一月，勅聖安寺作佛頂輪會。元史世祖紀

原王磐以年老乞骸骨，行之日，公卿百官皆設宴以餞。明日，皇太子賜宴聖安寺，公卿百官出送麗澤門外。元史本傳

補聖安寺一名柳湖，中有佛像三，諸天像四，以藤爲胎，泥金裝飾，瓔珞甲冑俱嵌珊瑚青金諸寶石，莊嚴精好。寺僧云，崇禎時大内賜出。燕舟客話

增張壽朋重修普濟寺碑畧　燕故有聖安寺，正統十一年賜額普濟，其開創修葺，代有廢興，具載前碑。今之重修是寺者僧通月與其徒本淨。工既成，徐侍御明宇走一介之使屬予記。萬曆十八年四月立。

增諸表臣聖安寺栴檀佛像刻石記畧　自古靈像頗多，惟優填王栴檀像其傳最遠。按佛以周昭王二十四年甲寅誕聖西域，五十二年壬申入滅。佛成道之後嘗升忉利，爲母氏説法，數月未還。時優填王以久闊瞻依，廼刻栴檀佛像聖表以竚翹想之懷，目犍連慮有缺謬，以神力攝三十二匠升天諦觀相好，三返乃得其真。既成，王及國人若與神對。及佛復降人間，王率臣庶往迎佛，其像升空謁佛，佛爲摩頂記曰：我滅度千年後，爾往震旦國大興佛化。佛滅千二百八十餘年，始自西域傳至龜茲六十八年，東至涼州一十四年，至長安一十七年，傳至江左百七十三年，至淮南三百一十七年，復至江南二十一年，北至汴京百七十六年，北至燕京居聖安寺一十二年，又北徙上京二十八年，復至燕京居於内殿五十四年，會舊内火，復遷居聖安一十九年，詔迎入萬歲山，安置仁智殿六年，當己丑之歲，詔迎入大聖壽萬安寺，處於後殿。計自優填王像刻之初至泰定乙丑，凡二千三百餘歲矣。萬曆己丑僧通月重刻於石。

增李言恭達摩祖師像贊　妙法無像，而何有身。法本無法，身非卽身。非法非身，湛然常存。存無所存，太虛合體。淨智妙圓，功德無際。九年面壁，本自虛寂。隻履翩翩，何去何住。以色身求，無有是處。

原果囉洛納延聖安寺懷古詩　蘭若城幽處，聯鑣八月來。寶華幢蓋合，衮冕畫圖開。斷碣蒼苔暗，空庭落葉堆。飢鷹不避客，攫食下生臺。金臺集

補寶應寺，相傳唐刹也，今惟存萬曆壬寅年所立一碑。行國録

〔臣等謹按〕寶應寺在教子衚衕之西南，地名燕角。明萬曆中碑乃翰林院編修顧秉謙撰，今尚存。其爲唐刹與否，則無可考矣。

增顧秉謙重修寶應寺碑畧　寶應寺在彰義門南可五里而近，林樾深秀，途徑逶迤。寺曩無主僧，榱桷告毁。有中貴人者過而太息，乃迎天慶寺沙門淨春爲住持，興葺未逮而殂。其弟子真萬率其徒如蓮等，禪誦餘閒，躬耕寺側。歲收其入，銖纍而藏之，積十餘年，共得如千金。鳩工庀材，頽構聿新，蓋工以萬計，金以千計，秋毫皆萬蓮師弟子力也。萬曆壬寅一陽月立。

原燕角樓在府西南一十五里，遼建，今其地猶名燕角。明一統志

〔朱彝尊原按〕遼史，燕角樓在東北隅，不知何據。稱在府西南一十五里，未敢

信也。

〔臣等謹按〕遼燕角樓今無考。惟土地廟之西其地猶有燕閣兒之名，閣讀如藁。更考明張爵五城坊巷衚衕集，於白紙坊條下亦載有燕角兒在廣寧門右安門內西南角。是明一統志所載正指其地，不應入之郊坰門也。況遼時舊城，其址半在今外城之西，則今燕角之地適當其東。遼時樓址或即在是。

原元至正初，以唐貞觀元年所建佛寺舊址建寺，賜額崇效。明天順間重修。嘉靖辛亥，掌丁字庫内官監太監李朗於寺中央建藏經閣。有都人夏子開、高明、區大相二碑。閣東北有臺，臺後有僧塔三，環植棗樹千株。以地僻，游人罕有至者。析津日記

〔臣等謹按〕崇效寺在白紙坊。明嘉靖中鄖陽府知府夏子開碑，萬曆中翰林院檢討區大相碑俱存。謂寺創於唐貞觀元年者，祇據碑文所載，他書不可考也。藏經閣，嘉靖時建於寺之中央，萬曆時移建於後，今尚存。閣東北之臺已圮，僅存其址。僧塔三，今有六。棗樹千株，今數株而已。二明碑之外尚有一萬緣碑，明隆慶五年作。其製倣詭，碑首鏤瓦屋形，簷霤斗栱咸備，碑心別鏤小碑形，高可尺餘，勒文其上。上下四旁駢列小格，每格俱作屋形，前後共一百五十八格，中鐫人名盈萬有奇。本朝詩人如王士禛、朱彝尊輩俱有題詠在焉。

增夏子開重修崇效寺碑畧　神京之宣武關外，古刹一區，創自唐貞觀元年，宋元末因罹兵火，日就傾頹。至正初爲好善者重葺，賜額曰崇效。年久就敝，修於天順年間。至嘉靖壬午，内官監太監袁福等同本寺上人了空秉虔修葺，煥然一新。三十年辛亥，内官監太監李朗捐金造藏經殿一座，屬予爲文以記其事。嘉靖四十二年仲秋立。

增區大相更建藏經閣碑畧　嘉靖辛亥年，有内官監太監署丁字庫掌庫事李朗，於崇效寺中央建造藏經殿一座，堪輿家以爲不利，今又傾頽。司鑰庫僉書高臣捐貲助工，慕義者從而效之。於是營度方位，得寺之方丈已圮而舊址猶存者，即其地爲藏經閣五間。萬曆二十一年十月立。

增王士禎過崇效寺訪雪塢法師看棗花詩　祇園棗花時，招攜共遊散。髣髴栴檀林，吹香緑陰滿。射覆叱來來，樂府歌纂纂。樂此澹忘歸，林中夕陽緩。王謝居東日，頗愛支道林。亦有雁門僧，宗雷共招尋。我來空寂舍，一契山水心。復有二三子，清言滌煩襟。遞捉玉麈柄，流憩青松陰。何必嵊縣返，而憶廬山岑。蠶尾集

原宏仁萬壽宮，萬曆四十三年勅建。中爲文昌殿，額曰崇真保運。左以祀諸葛孔明，封號曰天樞上相；右以祀文信國，封號曰天樞左相；皆目之曰真君。祀雷神於後殿，設禮斗臺。最後建高閣十三楹，曰太極造運寶閣，以安昊天上帝。有神宗皇帝御製碑文。督工者司設監太監林潮也。内官不學，神號無稽，知禮者當議輟也。行國録

〔臣等謹按〕宏仁萬壽宮在盆兒衚衕之西隙地，遺址僅存，無寸椽矣。土人猶目爲萬壽東宮，因其西百餘武尚有萬壽西宮也。文昌像及諸葛孔明、文信國像與雷神像今俱移奉於盆兒衚衕玉皇廟内，詳下條玉皇廟按語中。禮斗臺高閣及明神宗碑俱無考。其旁之萬壽西宮尚完整，有關帝殿三楹，呂祖殿三楹。其後斗姥閣三層，高四五丈。關帝殿前亦有明神宗碑。

增玉皇廟在盆兒衚衕。五城寺院册

〔臣等謹按〕玉皇廟在宏仁萬壽宫遺址之西，明萬曆中建，本朝順治十四年重修。世祖章皇帝臨幸其地，賜帑金一千兩。廟門西向，前爲玉皇殿，中爲文昌殿，有明萬曆中光禄寺少卿史記事碑，本朝順治十八年大學士金之俊碑。最後又有殿三楹，亦祀文昌，東西祀諸葛武侯、文信國。殿庭有鼎一座，文曰萬曆四十四年季冬吉日造崇真保運之殿安供。考崇真保運即上條行國録所載文昌殿額。其旁又有雷神殿三楹，俱從宏仁萬壽宫移奉於此者。

增史記事玉皇廟碑略 岫雲王氏一清，徽之歙人，少習制舉，長事玄修。神宗聖母弗豫，榮昌公主命岫雲禱之有應，遂爲建玉皇廟。山門西向，前殿三楹，嚴玉皇像，後殿三楹，嚴文昌像。膳堂、内庫、雲舍、香廚咸備。創始於萬曆二十九年春，落成於四十八年秋。天啓四年嘉平立。

增金之俊重修玉皇廟碑略 京師城南玉皇廟爲都城勝境，順治丁酉，住持清勤謀新輪奂，既成文昌殿，復建立戒壇。世祖章皇帝臨幸，發帑金一千兩，遣牛录章京陳秉正賫賜。迄今又閱三載矣。清勤感先皇帝欽祀之至意，伐石徵文於予。恭惟先皇帝建中欽若，對越不違，既於深宫建臺昭事，復就南苑崇建玉皇寶觀，千楣萬栱，碧炫金輝，極人天之壯麗。予昔曾受命製文。伏念先皇帝積精存誠，以昭格皇穹，普資羣庶，集祉慈闈，即兹城隅邃刹，勤萬乘之旌輿，洵帝王之盛事也。今皇上恭默方新，孝思維則，方廣飭祝釐，躋世仁壽，以介兩宫之純嘏。赫兹崇宇，將與南苑寶觀，並峙神京，故欷歔追慕而並誌之如此。順治十八年二月二日。